COMBAT DE CHIENS

Le Bonheur, Flammarion, 2003.
Le Fil d'argent, Flammarion, 2001.

Lluís-Anton BAULENAS

COMBAT DE CHIENS

Traduit du catalan
par Cathy Ytak

Flammarion

Traduit avec le concours de l'institut Ramon Llull

LLLL institut
ramon llull

Titre original : *Alfons XIV. Un crim d'Estat*
Éditeur original : Columna Edicions, SA
© Lluís-Anton Baulenas, 1997
Pour la traduction française :
© Éditions Flammarion, 2005
ISBN : 2-08-068758-1

...et de sa charrue il fera une épée, et de sa serpe une lance.

Livre de l'antiprophète Zebaïes.

Le Généralissime achevait d'enfiler sa casaque de gala avant d'aller accueillir de nouveaux ambassadeurs au palais. Il avait eu un peu de mal à s'habiller ; sa main droite était bandée et soutenue par une écharpe nouée derrière le cou. Le général Pozos Bermúdez l'aidait dans cette tâche et profitait de l'occasion pour lui parler une fois de plus de ce qui préoccupait la plupart de ses compagnons d'armes ainsi que de nombreuses personnalités de la classe dirigeante.

— Excellence, vous savez que même si un maître et seigneur transmet par testament son pouvoir, ses honneurs et son argent à ses enfants, une fois qu'il est mort ces derniers ne s'en bagarrent pas moins et défont l'œuvre du père. Nul n'est éternel, Excellence. Et il faut prévoir l'avenir en considérant le peu de respect que nos successeurs ont l'habitude de manifester à l'égard de nos dernières volontés.

Le général Franco glissa sa main libre, une main propre et soignée, dans la poche de son pantalon, et en sortit un mouchoir bleu ciel plié en quatre, brodé des initiales FF.

— Soyez tranquille, Pozos, mon petit Pocitos, allons, il ne se passera rien. Tout continuera comme avant, mais à ma place, il y aura un roi.

— Mais ça, nous le savons déjà, Excellence. La question est de savoir qui.

— Dites à vos compagnons d'armes qu'ils n'ont pas à s'in-

9

quiéter. Un roi ou un autre, nous trouverons bien. Ce ne sont pas précisément les prétendants qui manquent.

Il se dirigea vers une des commodes de la pièce et déplia habilement son mouchoir sur le marbre. Une petite clef apparut.

— Regardez, mon petit Pocitos, vous voyez cette clef ?

— Oui, Excellence.

— Eh bien, c'est elle qui ouvre l'un des tiroirs de la table de mon bureau. Dedans, tout est consigné. Tout est prévu.

Le général Pozos Bermúdez respira, soulagé, et se détendit. Il sourit même en regardant comment Franco, avec la même habileté dont il avait usé précédemment, repliait le mouchoir en quatre à l'aide de sa seule main valide, le lissait soigneusement et le remettait dans sa poche, la clef à l'intérieur. Brusquement, il fit un geste instinctif de sa main blessée et laissa échapper une légère grimace de douleur : il avait encore mal. L'accident de chasse de Noël dernier avait bien failli lui faire perdre l'usage de ses doigts. Pozos Bermúdez se précipita pour l'aider.

PREMIÈRE PARTIE

CHAPITRE 1

— Vous fumez ? demanda le capitaine Tutusaus à son prisonnier.

— Non, merci. À cause de mes bronches. Je suis asthmatique.

— Asthmatique, bien sûr...

— Vous croyez qu'ils vont me tuer ?

— Non, non...

C'était pourtant exactement ce que le capitaine Josep Licini Tutusaus était en train de faire. Avec la tranquillité et le savoir que donne l'expérience, il venait de tendre à son prisonnier – un médecin légiste du premier tribunal d'instruction de Madrid –, un verre de whisky empoisonné. C'était sa spécialité, les poisons. Et plus concrètement, ceux d'origine végétale. Tutusaus était fier de ses connaissances. Même s'il pensait qu'il existait trop de poisons pour que l'on puisse jamais les maîtriser tous, il était le maître en la matière. De simples fleurs ou plantes telles qu'on en rencontre tous les jours et que n'importe qui peut laisser pousser dans un pot sur son balcon ont la faculté de devenir des poisons mortifères et difficiles à déceler... Il jeta un coup d'œil au prisonnier. Ce dernier se tenait immobile, attaché à une chaise. L'effet ne tarderait pas à se faire sentir. Même si Tutusaus avait conscience que, techniquement, ce qu'il était en train de commettre était un assassinat, il aurait presque jugé que, moralement, il s'agissait d'un suicide. En effet, l'homme avait posé des questions au tribunal à propos de Florencio Fugina, syndicaliste connu, mort noyé dans le Manzanares et dont le cadavre était apparu flottant sur la rivière vingt jours après son arrestation par la Garde civile. Tutusaus se souvenait de la version fournie par le ministre de l'Intérieur : l'homme s'était enfui alors qu'il menait des agents de police vers une cache d'armes. Et bien que menotté les mains devant, et surveillé par trois agents, il s'était – toujours selon cette même version – jeté à l'eau en passant par un étroit passage à l'intérieur d'un tunnel sous la montagne, qui donnait sur la rivière. Il était menotté, et comme en plus il ne savait pas nager, il s'était noyé. Une version nette et précise. Mais voilà que ce médecin légiste du premier tribunal était apparu. Il était jeune et avait envie d'en découdre. Le rapport d'autopsie en main, il avait tout d'abord relevé quelques détails curieux : l'absence de lésions cutanées était étrange, car normalement, un corps, après vingt jours passés dans l'eau, apparaît plein d'érosions et même à moitié dévoré par les poissons, et l'eau retrouvée dans ses poumons et son estomac était étrangement propre pour qui connaissait le niveau de pollution du Manzanares dans la région de Madrid... Le médecin légiste avait reçu quelques visites de courtoisie : on lui avait demandé sur tous les tons de laisser tomber. Les investigations policières avaient déterminé que le détenu était mort noyé dans la rivière alors qu'il tentait de s'échapper, inutile de revenir là-dessus, ce mort était un salaud subversif. Mais le médecin fit la sourde oreille. On en appela à son patriotisme et on lui répéta que ce mort n'était rien d'autre qu'un élément antisocial qui, à brève ou à longue échéance, aurait fini par entraîner de gros problèmes... En vain. On tenta alors de le soudoyer, avec les meilleures intentions du monde, mais ce fut pire encore : le médecin légiste entra dans une vive colère et menaça de porter l'affaire à la connaissance de l'Europe entière, avant d'ajouter qu'il pensait revoir un par un tous les cas quelque peu obscurs traités par son tribunal. Bien sûr, ça n'était pas possible. Voilà pour l'attitude suicidaire. À cette époque-là, en ce début du mois de mars 1962, un scandale était la dernière des choses voulues par le régime, alors que s'éteignaient tout juste les clameurs de la célébration des vingt-cinq ans de gouvernement du Généralissime...

Tutusaus détacha le médecin légiste et l'étendit sur le lit ; il avait déjà perdu connaissance. La mort interviendrait dans les minutes suivantes : les muscles transversaux commenceraient à se paralyser et l'arrêt respiratoire interviendrait aussitôt après. La substance responsable était le fruit d'une de ses propres formules : un mélange de digitale, de curare, et d'un peu de somnifère pour faciliter le passage de vie à trépas. Un travail propre et soigné. On retrouverait le légiste là, quand il se mettrait à sentir mauvais, mort dans la chambre d'une pension borgne. Diagnostic : crise cardiaque. Du bon boulot. Le général Pozos Bermúdez allait le féliciter.

Cinq minutes plus tard, Tutusaus se retrouvait au beau milieu des embouteillages de fin de journée à Madrid, à bord de sa Seat 1400 bleu-gris. Il pensait au lendemain, ou plus exactement au surlendemain ; les journaux publieraient sûrement une notice à propos de la mort du médecin légiste. Une fois de plus, le simple fait qu'il soit décédé influencerait l'opinion en sa faveur. Comme d'habitude. On parlerait du médecin, grand professionnel disparu à la fleur de l'âge, on dirait qu'il avait vécu heureux entouré des siens et de ses amis fidèles. On omettrait de dire que sa crise cardiaque était survenue dans une pension minable spécialisée dans la location de chambres à des putes de bas étage qui tapinaient près du portail. Cette générosité que l'on avait à l'égard des morts et que l'on refusait toujours aux vivants ne cessait d'étonner Tutusaus. Il allait vite prendre la route de Barcelone. Dans deux heures environ, il serait de retour chez lui, dans sa ferme, dans son coin, à Montsol. Montsol, c'était différent. C'était son monde. La nuit, la présence des animaux, silencieux et discrets, était presque imperceptible. C'est à peine si, selon la saison, on entendait au loin le cri d'une chouette. Le général le lui disait :

— Céspedes (c'était ainsi que le général surnommait Tutusaus), si tu continues comme ça, la prochaine fois que je viendrai te voir, tu ne seras plus qu'une espèce de vieux rat aussi sec qu'un parchemin. Je te soufflerai dessus et tu tomberas en poussière.

Tutusaus venait de fêter ses quarante ans, il avait le grade de capitaine de l'armée de terre et ne se souvenait plus de la date à laquelle il s'était converti en assassin. Le général Pozos entrait dans une grande colère lorsqu'il utilisait le verbe « assassiner » pour désigner l'un de ses travaux.

— Assassiner, assassiner ! Mais il te manque une case ? Si quelqu'un t'entendait... Nous sommes plongés au cœur d'une guerre. Une guerre silencieuse, où l'on n'accorde aucune médaille. Où l'ennemi peut être n'importe qui dans la rue. Mais il s'agit d'une vraie guerre. Et dans une guerre, on n'assassine pas... Et puis, Céspedes, par-dessus tout, il y a la patrie. Par-dessus la famille, par-dessus nous tous... Et la patrie exige de toi ces sacrifices.

Lorsque Tutusaus était entré au service du général, il s'était dans un premier temps consacré uniquement à l'expérimentation. C'est pour cela qu'il avait été choisi, en tant que spécialiste : il demeurait dans son laboratoire à essayer des mélanges, à tester des poisons. Il pressentait que la finalité de ses investigations avait pour but de donner la mort. Mais c'était l'époque des idéaux, des guerres gagnées, des avenirs impériaux.

— T'es un privilégié, Céspedes, lui disait le général lorsqu'il lui rendait visite au laboratoire. Toi qui n'as pas pu contribuer à la victoire parce que t'étais trop jeune, t'as encore l'opportunité de le faire à travers ton travail. C'est pas magnifique, ça ? Tu n'en es pas fier ?

Plus tard, on avait ordonné à Tutusaus d'administrer lui-même directement ses poisons aux victimes. C'était plus pratique. Et, finalement, on lui avait appris à tuer de toutes les manières et façons possibles – toujours en secret et en silence.

Pour le général Pozos, Tutusaus était une sorte de grand enfant. Il avait l'impression de tout savoir de lui. Or là, il se trompait. Il ne savait pas, par exemple, que Tutusaus, quand il le pouvait, conservait les corps de ses morts et les emportait avec lui. Dans ses rapports, Tutusaus expliquait qu'il les avait fait disparaître et personne ne lui demandait plus de détails. On lui faisait confiance. Mais, en réalité, il les enveloppait dans une couverture, les flanquait dans sa voiture et les emportait jusqu'à sa ferme de Montsol. Une fois arrivé, il les déshabillait et les lavait jusqu'à les laisser plus propres qu'un sou neuf. Il veillait à ne pas les tuer de manière violente, il essayait, dans la mesure du possible, de ne pas laisser de marques. Il voulait de jolis cadavres. Il utilisait donc au maximum ses propres poisons, rapides, discrets, efficaces. Ces morts étaient à lui et la sensation de pouvoir sur eux était totale. Ensuite, il chargeait les corps livides sur sa brouette et les photographiait au flash. Puis il les attachait aussitôt à l'aide de courroies afin qu'ils ne tombent pas et poussait sa brouette par un sentier muletier jusqu'au bois d'Entraigües, un bois touffu de sapins et de pins à crochets ; des arbres hauts et vigoureux qui interdisaient le passage du soleil entre les branchages et les feuilles, même en plein midi. Certaines nuits, on ne distinguait même plus les souches d'arbres. Le vieux chemin du bois avait presque disparu, il était plein de trous envahis par les ronces. Tutusaus l'avait rouvert et remis en état tout seul et, pour ne pas le rater, avait marqué les arbres qui le bordaient à la chaux. Il enterrait les corps dans une clairière, au milieu de bouleaux, à côté d'une fontaine. Tous ensemble. De la fontaine jaillissait l'eau d'un ruisseau qui avait fini par former un petit bassin naturel. Un peu en contrebas, parmi les ronces et des fleurs pareilles à celles des marais, poussait un saule aux branches droites et flexibles comme un rideau ondulant sur l'eau. Bel endroit pour un cimetière. C'était son plus grand secret. Personne n'en connaissait l'existence, pas même le général Pozos. Tutusaus avait été jusqu'à construire, à quelques mètres de là, au milieu des arbres, une cabane en bois. Il y conservait quelques-unes des affaires auxquelles il tenait le plus, et y dormait parfois, à proximité de ses morts. Lorsqu'il arrivait avec sa brouette, il creusait une fosse profonde et enterrait ses victimes. C'était un assassin, mais ces morts étaient les siens. Il devait parfois couper des racines à la scie ou caler des roches à l'aide d'une pelle. Cela ne lui posait pas de problème. Il y passait des nuits entières s'il le fallait. Voir Tutusaus dans ces moments-là avait de quoi faire peur : lent, pesant, acharné comme une bête obstinée. Une fois les corps mis en terre, il traçait un cercle de pierre tout autour. Il ajoutait, à chaque extrémité, une autre pierre, plus grosse et plus plate, et commençait par y inscrire à la craie le nom du mort, le jour où il l'avait connu, et celui où il l'avait tué. C'est-à-dire, les dates qui lui appartenaient, les siennes, les vraies. Le reste lui était indifférent. S'il n'avait pas terminé son travail, il dormait deux ou trois heures dans sa cabane avant de se relever, même en pleine nuit, achever son ouvrage. Puis il retournait à la ferme. Et, si c'était à l'aube, il sifflotait dans la pénombre du bois, ivre de l'humidité et de la puanteur des feuilles rongées par les chenilles, avec l'envie folle de dissiper ce trouble étrange qui l'envahissait, à cause de ses morts.

La cérémonie s'achevait quelques jours plus tard au laboratoire de la ferme, lorsqu'il développait les photographies et en collait quelques exemplaires dans l'album à la couverture de cuir ouvragé, conservé dans la cabane du bois. Les choses ne changeaient jamais, chaque cérémonie ressemblait à la précédente et la suivante serait identique. Une fois, cependant, une seule fois, les choses se déroulèrent différemment : une nuit, en route vers la clairière de son cimetière, lui qui entendait tout, se retrouva soudain cerné de chiens sauvages. Ils rôdèrent tout d'abord autour de Tutusaus et du mort chargé sur sa brouette. Faméliques, ils avaient probablement flairé quelque chose, senti dans l'air du vent, d'un seul coup, l'odeur de l'homme et du cadavre, puisqu'au lieu de se contenter de les suivre ils se placèrent devant Tutusaus et bloquèrent le passage. Un berger allemand mâle de grande taille s'approcha et s'arrêta à une bonne distance, comme en guise d'avertissement. Gueule entrouverte, il montrait les crocs en grondant. Tutusaus ne tarda pas à découvrir que quatre autres chiens, en plus de ceux qui étaient déjà là, s'étaient déployés en un rien de temps autour de lui, l'encerclant, sans se cacher. Ils attendaient le signal de leur chef pour attaquer. Tutusaus pensa que les choses étaient claires : s'il tentait un demi-tour, ils se jetteraient sur lui. Se défendre ? Il était sûr que les chiens lui prendraient son mort. Or il ne pouvait pas admettre de perdre la partie. Il était crispé, tendu, mesurant ses chances de succès. Il ne supportait pas l'idée que ces chiens puissent toucher à l'un de ses cadavres. Il les enterrait là pour qu'ils reposent en paix. C'était comme un contrat, un engagement. Et Tutusaus respectait toujours ses engagements. Il s'avança doucement, petit à petit. Les chiens, déconcertés, le suivaient à distance. Il mesura chacun de ses pas, lents et sûrs, pendant près d'une demi-heure. Il arrivait à la cabane lorsque soudain les chiens firent demi-tour et s'en allèrent. Tutusaus mit la brouette et le corps à l'abri, et moins de cinq minutes plus tard il était de nouveau dehors, dans le bois, armé de son fusil, de son couteau et de toute sa rage. Il ne se souvenait pas s'être déjà senti si humilié. Il ne voulait pas simplement tuer ces chiens, il voulait beaucoup plus : les détruire, les annihiler, les faire disparaître, leur ouvrir le ventre de ses propres mains et en disperser les viscères sur les branches des arbres à un kilomètre à la ronde. Pour que la puanteur signale clairement ce qui s'était passé. Toute la soirée et tard dans la nuit il les chercha, en vain. L'échec le rendit morose. Au point qu'il en oublia d'enterrer son mort. Il le laissa attaché sur sa brouette, dans la cabane, toute une journée et toute une nuit. Les chiens ne quittèrent plus jamais le bois. Rien que d'y penser, Tutusaus devenait fou furieux. Il s'agissait de bandes très agressives, formées de chiens qui s'étaient échappés de leur ferme ou que l'on avait abandonnés dans les plaines. Ces chiens erraient sans but, la plupart d'entre eux mouraient de n'avoir pas été dressés à vivre de manière autonome. Ils ne savaient même pas chasser. Mais ceux qui survivaient devenaient de vrais démons, violents, n'ayant pas peur des hommes. Et lorsqu'ils se reproduisaient, c'était pire. Les chiots nés à l'état sauvage se montraient plus féroces encore que leurs géniteurs.

Au fond, Tutusaus était conscient que son conflit avec les chiens ne faisait qu'exciter son instinct carnassier...

Il rentrait chez lui, à Montsol, par la route de Madrid, avec la conscience tranquille et la satisfaction du travail accompli. Sa 1400 avait du répondant. À une centaine de kilomètres de Madrid, un croisement à gauche renvoyait vers un lieu appelé Gajanejos. Certains noms avaient la particularité de l'étonner, et celui-là en était un. Il quitta la route principale. Il voulait dîner et laisser le moteur refroidir un peu.

Quelques kilomètres plus loin, il s'arrêta devant une auberge-restaurant, un endroit pour camionneurs et clients de passage, une fourmilière grouillante. Toujours les mêmes conversations : pari, loterie, taureaux, football. Deux gardes civils, tout en sirotant leur *carajillos*, bavardaient tranquillement avec l'homme qui se tenait derrière le comptoir. Tutusaus lui demanda s'il avait des chambres.

— Bien sûr ! C'est pour ça que c'est écrit auberge-restaurant. Sinon, ça serait marqué « restaurant » tout seul, répondit l'homme avec un sourire ironique, un cure-dent à la bouche.

Les gardes civils se mirent à rire. Tutusaus ne répondit pas. Il demanda le téléphone public et appela au numéro habituel de contact. Il donna sa position et communiqua ses intentions : dîner et continuer vers Montsol. Une voix anonyme se limita à dire : « message reçu » et l'on raccrocha. Le général l'avait habitué à donner ces coups de téléphone, c'était comme une sorte de garantie. Au fond du restaurant, une porte donnant sur les cuisines s'ouvrait et se fermait sans cesse, des serveurs entraient et sortaient chargés d'assiettes. Tout le monde criait et, entre le tourbillon des verres et des couverts et le bruit du percolateur, personne ne fit attention à Tutusaus. Les sonorités, fort différentes les unes des autres, se mélangeaient et s'estompaient jusqu'à devenir une espèce de bruit de fond, comme lorsqu'on écoute la mer, ou qu'un myope perd ses lunettes. Quant à la fumée des cigarettes, elle était si épaisse qu'elle filtrait la lumière des néons tristes et crasseux disséminés au plafond de la salle. Portes et fenêtres demeuraient fermées alors que quelques camionneurs prenaient leur café dehors, à la fraîche, dans cette nuit de printemps castillane, claire et un peu piquante. Tutusaus dîna rapidement et, en attendant l'addition, observa une photo graisseuse punaisée sur le mur, au-dessus du comptoir. Elle représentait une équipe de football et s'accompagnait de la légende suivante : « Calvo Sotelo de Puertollano, saison 1960-1961. »

— C'est qu'ici, on est de Puertollano, vous savez ? Vous êtes d'où, vous ? demanda le patron avec l'évidente intention de se montrer sympathique.

— De Barcelone, répondit Tutusaus.

Les gardes, qui étaient encore là, le regardèrent avec curiosité.

— Eh bien, vous n'en avez pas l'accent, dit le patron.

Tutusaus rétorqua qu'il n'en avait pas non plus l'avarice, et posa un billet sur le zinc.

— Qu'est-ce qu'on vous a servi ?

— Un dîner.

— Vous ne voulez plus la chambre ?

— Non.

En sortant, il entendit l'homme commenter aux gardes civils qu'au fond, si, c'était bien un Catalan radin. Il s'engouffra dans sa 1400 et rattrapa la N-II, en direction de Barcelone.

Lorsque Tututsaus se rendit compte qu'il était devenu un assassin en bonne et due forme, il ne pouvait déjà plus faire marche arrière. Il ne pouvait même plus demander pardon pour le nombre considérable de gens qu'il avait tués. Et ni son admiration envers le général ni sa vénération délirante pour le Généralissime ne le justifiaient vraiment. À un moment donné, il décida donc de garder les corps pour lui. Il savait ainsi au moins qui il tuait, il se souvenait du nombre, et gardait en permanence à l'esprit ce qui l'attendait. Parce qu'il était au moins sûr d'une chose ; tôt ou tard, et plutôt tôt que tard, il suivrait le même chemin et finirait couché à leurs côtés.

Tutusaus n'était pas un imbécile, comme le général se plaisait à le penser. Ce dernier lui parlait parfois même, tel un curé, de la pureté des cœurs analphabètes, et le prenait pour exemple :

— Oui, Céspedes, je préfère mille fois quelqu'un comme toi ; une éponge qui n'absorbe que ce qu'on lui donne et qui garde sa simplicité primordiale. C'est beaucoup moins nocif que le matérialisme des cœurs païens chargés d'instruction. Mais notre monde va changer, oh oui, je crois que tout va changer. Et la faute en revient entièrement à ces maudits matérialistes marxistes...

Le général avait tendance à prendre Tutusaus pour une bête, un phénomène de la nature doué de peu d'intelligence mais doté d'une intuition géniale à l'heure de créer des substances mortelles, de les appliquer et de disparaître sans laisser de trace. Il se fiait à lui, bien sûr, parce qu'il était convaincu de son efficacité et de sa totale obéissance, et d'autre part parce que sa simplicité était telle qu'elle en désarmait ses ennemis. C'est la raison pour laquelle le général ne le chargeait plus uniquement de trouver des méthodes pour tuer efficacement en fonction de chaque cas, ou d'exécuter directement quelqu'un. Il lui confiait de plus en plus de missions d'investigation. Il s'était rendu compte que Tutusaus touchait la corde sensible de ses futures victimes. Que ce soit sa simplicité qui provoquât en eux un certain sentiment de supériorité, ou bien la vision du puits noir et sans fond de ses yeux qui les stimulât comme un miroir, ils lui disaient tout. Comme si ces personnes, éprouvant l'intuition de leur propre mort, finissaient par être aussi sincères avec Tutusaus que devant un curé à l'heure de l'ultime confession. Avec lui, les cœurs s'ouvraient et les langues se déliaient.

— Là où une séance musclée à la Direction générale de la Sécurité ne donne rien, tu parviens à un résultat rien que par ta présence... Comment tu te débrouilles ? s'exclamait souvent le général Pozos, surpris.

Et il concluait, avec cette franchise catégorique toute militaire :

— Quel salaud tu fais, Céspedes...

Tutusaus avait l'habitude de ne pas répondre, embarrassé par les élans de son supérieur. Parfois, il semblait muet.

— Mais pourquoi ils te parlent, à toi ? insistait le général.

Ce dernier demeura stupéfait le jour où, au lieu de hausser les épaules, Tutusaus le regarda tranquillement dans les yeux et lui répondit :

— Parce que je suis leur bourreau, et que j'ai le pouvoir de leur prendre la vie...

Le général saisit ce que Tutusaus avait voulu lui dire : se trouver face à son bourreau, c'est comme se trouver face à Dieu. Et aucune personne n'a normalement ce privilège. C'était une chose si simple et en même temps si vraie qu'il comprit que ça n'était pas juste une façon de parler. Il ne lui répondit rien, mais, à partir de ce jour-là, il se méfia. Il avait découvert que Tutusaus pensait.

Et en vérité, non seulement Tutusaus pensait, mais il pensait beaucoup. Ces cinq dernières années, de fait, depuis que le général l'avait installé dans la ferme de Montsol, il cogitait pas mal. Il n'avait pas grand-chose à faire. Ne voyait personne. Ne parlait à personne. Ne bougeait pas de chez lui. Faisait des exercices pour se maintenir en forme. Écoutait la radio. Prenait soin de son cimetière et veillait à ce que les chiens sauvages ne s'en approchent pas. Il regardait la cime enneigée du Montsol, devant lui, à la fois si proche et si lointaine. Testait également de nouvelles préparations dans son laboratoire, s'occupait des bêtes qu'il utilisait pour expérimenter ses poisons, se promenait et, surtout, attendait les messages du général, qui lui parvenaient au travers d'un téléphone de campagne. Il sortait donc souvent s'asseoir sur le banc de pierre avec une bouteille de *chinchón* et un verre, pour contempler les nuages et réfléchir. Certaines choses le motivaient, par exemple l'examen d'une des lignes directrices de sa vie : la loyauté. Tout jeune déjà, devant son incapacité à comprendre le monde et les forces qui l'animaient, il avait un jour décidé de ne se fier qu'aux quelques personnes qui semblaient savoir ce qu'elles voulaient. D'où son admiration pour le général Pozos Bermúdez, qui n'était dépassée que par celle qu'il éprouvait pour Son Excellence le Généralissime, mais sur un autre niveau évidemment. Franco était d'essence divine, inaccessible. Tutusaus en avait la chair de poule lorsque lui-même adoptait l'attitude de Franco et l'imitait dans un murmure. Même s'il était seul et qu'il n'y avait pas âme qui vive à dix kilomètres à la ronde. Il prenait une voix de fausset, attrapait un poulet, le regardait droit dans les yeux et lui disait : « Je suis la sentinelle dont personne ne vient jamais prendre la relève, celui qui reçoit les télégrammes ingrats et qui dicte les solutions ; celui qui veille quand les autres dorment... »

Le général Pozos était plus à sa portée. Tutusaus l'avait vu manger, pisser, chier et baiser. Il l'avait même vu tuer. Et c'était lui à présent qui confiait ses ordres à Tutusaus, et décidait de ceux qui devaient vivre ou non. Tutusaus serait loyal jusqu'à la mort. Le général était comme un père pour lui et ce lien, si fort, le remplissait d'orgueil. Il l'admirait parce qu'il ressemblait à Franco : absolument sûr de ses choix, de ses jugements, de ce qu'il aimait ou non, toujours soucieux de balayer les opinions inconvenantes des autres et de les ramener sur le droit chemin, se consacrant généreusement à aider autrui et ne pensant qu'au bien de la majorité.

— Et si ça implique l'élimination physique de quelques éléments indésirables, il ne faut pas hésiter, lui avait dit le général, la première fois qu'il l'avait envoyé tuer ; agir sans peur, et avec détermination. C'est pareil aux mauvaises herbes : il faut les empêcher de croître et de nuire. Répète-le après moi : il faut arracher les mauvaises herbes à la racine.

— À la racine, avait répété Tutusaus avec force et motivation.

Un instant seulement, il lui effleura l'esprit que le problème était de savoir qui décidait des bonnes et des mauvaises herbes.

— Et celui qui verse une larme, même furtive, pour n'importe quel ennemi de la patrie qui vient d'être éliminé, est un imbécile total, ou un sentimental mou, ce qui est encore pire, insista-t-il. T'as compris ?

— Oui, mon général.

— T'es d'accord avec moi ?

— Oui, mon général.

— Voilà qui me plaît. Et souviens-toi que je serai toujours à tes côtés. Jusqu'au bout. Pour te conseiller et t'aider.

Les années passèrent, et la sensation qu'il était bien tombé l'emplissait tout entier. Il ne savait pas grand-chose, le général, si. Cela suffisait à donner un sens à sa vie. Et plus encore, puisque Pozos était le représentant naturel de Franco, son idole.

La confiance que le général lui accordait l'aida à se défaire d'un sentiment qui adhérait à lui comme une seconde peau visqueuse, le sentiment d'être une bête perpétuellement en fuite que tout le monde serait libre de prendre en chasse. Jeune, Tutusaus était conscient de son immaturité. Maintenant qu'il avait pris de l'âge, il n'y pensait plus, il restait à la ferme à attendre les ordres et se contentait de les exécuter. Il regardait le général Pozos et voyait en lui un homme sensé et cultivé, ayant des opinions sur tout et n'importe quoi : le football, la guerre, la politique, le sexe, la vie et l'œuvre de Son Excellence... Tutusaus n'avait jamais oublié cette époque où le général Pozos lui parlait de Franco. Si cela arrivait fréquemment au début des années quarante, l'occasion ne s'était plus présentée depuis longtemps. Et cela lui manquait. Mais en ce temps-là, quelque vingt ans plus tôt, les choses étaient bien différentes. Pozos lui avait donné un jour rendez-vous dans une auberge sur la route de Ségovie. Ils n'y fêtèrent rien de spécial. Ils étaient seuls et, au cas où, le général avait demandé à ce qu'on ferme l'établissement derrière eux. Après un bon dîner arrosé du meilleur rioja et couronné par quelques verres de cognac accompagnés d'incontournables cigares, le général, un peu ivre, était monté debout sur une chaise et lui avait dit :

— Céspedes !

— Oui ?

— Garde à vous !

Tutusaus s'était mis au garde-à-vous, et c'est dans cette position qu'il avait écouté son supérieur.

— Je pense consacrer toute une heure de mon précieux temps pour te démontrer la bonté intrinsèque de Francisco Franco, et sa relation directe avec la Providence. Sois bien attentif.

Il avait laissé échapper un petit rot avant de continuer :

— Céspedes, Franco est un homme intrinsèquement bon. Tu sais ce que ça veut dire ?

— Non...

— Je m'en doutais. La bonté, donc, appartient à la nature profonde de Franco, à sa constitution intime. Ça n'est pas qu'il semble bon, il « est » bon. De ce fait, la bonté émane du moindre de ses actes, même lorsqu'il signe une condamnation à mort. Franco a décidé de mettre en adéquation ses convictions et ses actes, suivant le principe du « aussitôt dit, aussitôt fait », et de s'affronter au mal, sans se soucier de la forme qu'il revêt. Il a accompli cette tâche et l'accomplit encore. Lui seul a été capable de comprendre la théorie du mal nécessaire, celui qui garantit le mouvement éternel vers son idéal, qui est le bien. La somme des maux nécessaires peut porter au bien absolu. La loi de Franco se fonde sur l'amour et la sainte crainte. Ceux qui ne l'aiment pas le craignent. Comme notre Seigneur Dieu. D'un autre côté, il y a intervention de la Providence. Le matérialisme communiste ne l'acceptera jamais, mais c'est la réalité, la pure réalité : si l'homme est un hasard logique de la nature, et si le genre humain s'est développé d'une manière programmée à coup d'évolution, comment expliquer le cas de Francisco Franco ? Les géniteurs de Son Excellence pensaient avoir engendré un être normal et ordinaire, et en fait... (Là, le général était descendu de sa chaise et, s'approchant de Tutusaus, lui avait murmuré dans le creux de l'oreille :) ... en fait, ils ont donné naissance à un être plutôt chétif à la voix de fausset... (Puis remontant sur sa chaise :) Mais le résultat final a été un géant pour l'humanité ! Dans un monde qui persiste à voir l'aspect négatif et l'imperfection en tout, qui affirme la supériorité du

mal sur le bien dans tous les événements, Franco a démontré
que l'influence du mal dans l'évolution de l'histoire de l'humanité peut être arrêtée et corrigée, voilà pour la bonté intrinsèque de Franco. Ils auraient dû le canoniser, tu m'entends,
Céspedes ? Le canoniser comme saint Ferran Matamoros !
Mais attention, ça n'est pas exclu... Prends cette peseta,
qu'est-ce que tu y lis ? Que Franco dirige l'Espagne « par la
grâce de Dieu ».

Puis le général s'était laissé tomber sur sa chaise, repu,
avec son bout de havane... Les effets du discours se faisant
immédiatement sentir : l'assoupissement l'avait envahi dans
cet air triste saturé de fumée et d'odeur de cognac bon
marché. Le dîner s'avérait soporifique. L'envie de bâiller était
apparue, irrépressible et ravageuse, tandis qu'il ajoutait :

— S'il n'y avait pas de communistes infiltrés au Vatican,
Son Excellence pourrait être le premier exemple de personne
canonisée de son vivant !

Et il s'était aussitôt endormi profondément.

Ces souvenirs dataient d'une autre époque où le général
Pozos, tout comme Tutusaus, était beaucoup plus jeune. Des
scènes comme celle-ci le ranimaient. Tutusaus éprouvait du
plaisir à se les remémorer. Il aimait se mettre au lit et les
revivre. Elles lui revenaient presque image par image. Il se
les rejouait parfois même tout haut en imitant la voix grave
du général : « Ah, Céspedes, Céspedes, tu sais comme sont
les choses... il y a des moments où je regarde autour de moi
et où je me sens d'une exceptionnelle clairvoyance. Et je suis
toujours surpris quand je pense au nombre d'imbéciles qu'il
y a en ce bas monde... ».

Tutusaus traversa les bourgs, les villages et les intersec-
tions qui jaillissaient de l'obscurité de la route de Barcelone,
comme dans un rêve. Des heures et des heures de conduite,
et une sensation de régularité telle qu'il avait presque l'impression d'être dans le train. Il revint à la réalité lorsqu'il vit
l'ancienne pompe à essence abandonnée, à l'entrée du village
de Montsol. Il le traversa lentement et, au bout de quelques
centaines de mètres, emprunta le chemin de traverse qui

menait vers sa ferme. Lorsqu'il arriva, la maison se découpait sous la clarté lunaire. Il trouva cela joli.

Il regrettait de n'avoir pu emporter le cadavre du médecin légiste madrilène. Mais on ne peut pas toujours avoir tout ce qu'on veut, dans cette vie.

Chapitre 2

Environ un mois plus tard, le général Pozos Bermúdez se présenta par surprise à la ferme. Enfin, il serait préférable de dire « sans aviser » plutôt que « par surprise », tant il était difficile de surprendre Tutusaus. Ce dernier avait en effet appris, dès son installation à la ferme, à distinguer et identifier les bruits qui l'entouraient. Et en particulier ceux qui provenaient de la piste forestière qui menait au village de Montsol. Il avait vérifié que tout s'entendait parfaitement bien à un kilomètre de distance, puis que les bruits disparaissaient avant de réapparaître à deux cents mètres de l'entrée : une question d'écho, lié aux reliefs et à la direction du vent. L'ouïe de Tutusaus captait tout en une fraction de seconde, ce qui lui donnait le temps de se préparer. Même si phares et moteurs étaient éteints, il savait donc déjà que quelqu'un arrivait, et se tenait sur ses gardes. La voiture du général s'arrêta dans l'obscurité à une centaine de mètres des bâtiments de la ferme, hors de vue de la maison. Il était à peu près onze heures du soir et il faisait nuit noire. Pozos venait seul. Il n'avait encore pensé à la façon de surprendre Tutusaus que ce dernier appuyait déjà le canon de son fusil sur sa nuque.

— Bouge pas, ou je te crève.

À ce moment-là, les chiens sauvages, reconnaissant la voix de leur ennemi, se mirent à aboyer dans le bois, invisibles.

— C'est moi, Céspedes, putain, Céspedes !

Tutusaus se mit au garde-à-vous. Il le faisait souvent lorsqu'il se trouvait devant son supérieur, même s'ils étaient seuls, tous les deux.

— Toujours de l'esbroufe, Céspedes ! Un jour, je te chopperai par surprise, alors t'as intérêt à t'y préparer. Je te couperai les couilles et je te les accrocherai aux oreilles en guise de boucles. T'es d'accord ?

— Oui, mon général, répondit Tutusaus, impavide.

— Voilà qui me plaît. Et repos, putain, repos !

— Oui, mon général.

— Allez, rentre et offre-moi quelque chose à boire. Et dis à ces chiens de la fermer ! J'ai fait huit cents bornes pour te parler. Qu'est-ce que t'en dis ? Et tu sais pourquoi ? Parce que j'ai appelé ton téléphone de campagne et que personne ne m'a répondu. Un téléphone spécial de l'armée qui, soit dit en passant, a coûté la peau du cul et une bonne engueulade avec deux ou trois lieutenants-généraux du ministère. Où t'étais, putain ?

— Dans le bois.

— Et t'y faisais quoi ? Tu ramassais des petites fleurs ? Avec toute cette nature, tu vas virer à la jaquette...

— Je...

— Me raconte pas ta vie. Et fais taire ces putains de chiens ou je vais leur foutre une balle dans la tête...

— C'est pas les miens. Ils sont sauvages.

— Sauvages ? Mais putain, de quoi tu parles, Céspedes...

Ils entrèrent dans la maison. Tutusaus avait passé toute la journée dans le bois d'Entraigües, à mettre de l'ordre dans son cimetière particulier. La nuit précédente, une violente averse l'avait mis sens dessus dessous. Le général n'apprendrait jamais l'existence de cet endroit. C'était la seule chose qu'il lui cachait.

Ils étaient revenus de leur affectation au Sahara depuis quatre ans et demi. À ce jour, Tutusaus avait déjà tué treize personnes directement sous les ordres de Pozos, la dernière remontait à un mois et il s'agissait du médecin légiste. Cette visite impromptue semblait lui indiquer que ça n'était plus qu'une question de temps pour la quatorzième. Sur treize morts, neuf étaient enterrés dans son cimetière, au fond du bois. Il n'en manquait que quatre, des cas trop officiels et publics, avec autopsie et identification des cadavres, impossibles à escamoter... Tutusaus était un homme ordonné ; ne pas avoir la collection complète de ses victimes le troublait profondément et il ne s'y résignait qu'à contrecœur. À tel point qu'en une occasion il se risqua à dérober un corps. Le défunt était un homme du régime, carliste têtu et intelligent qui se méfiait même de son ombre. Le gouvernement avait envoyé des ordres explicites : discrétion et efficacité. Tutusaus s'en était chargé. Il n'avait mis que quinze jours pour se faire une idée des allées et venues de son homme. Le seizième, ce dernier était déjà mort : sur la voie de chemin de fer, à quelques kilomètres de Séville, juste avant l'arrivé d'un train. Tutusaus l'avait tranquillement assommé puis abandonné, la tête appuyée sur le rail. On évoqua officiellement la thèse du suicide, et la police emporta le corps sur-le-champ. Tutusaus, contre toute logique, et malgré la surveillance, tenta de récupérer les restes du cadavre à la morgue de l'hôpital, et ne s'en sortit que de justesse. Il était cinq heures du matin. Sur le chemin qui le séparait de son mort, il n'eut qu'à assommer un jeune médecin à l'entrée des urgences, d'où il pensait pouvoir le sortir. Vêtu d'une blouse blanche, il parvint à la salle d'autopsie. Le corps était allongé, nu, sur un comptoir de marbre, la tête tout près du tronc. Il n'y avait personne d'autre. Avec un soin extrême, Tutusaus déplaça le corps sur une civière, le recouvrit d'un drap et l'emporta. Il était déjà dans la rue, pas bien loin de sa Seat, lorsqu'un *sereno* qui effectuait sa ronde le découvrit et se mit à crier et donner du sifflet. Deux options s'offraient à Tutusaus : le réduire au silence, ou prendre le risque d'emporter le mort malgré tout. Il hésitait, craignant que la tête ne roule à terre. Il tenta le tout pour le tout. Il se dirigea vers le *sereno* et l'estourbit d'une gifle, puis le traîna sur le trottoir et le laissa entre deux voitures garées là. Il revenait chercher la civière lorsqu'il entendit les cris des gens qui s'approchaient, les plaintes du jeune médecin de garde qui revenait à lui, un lève-tôt qui venait de heurter le défunt et ne savait que faire, un roquet qui, après avoir pissé sur l'un des pieds de la civière, hurlait comme un damné... Tutusaus, à l'abri sous un porche, assistait au spectacle, exaspéré. Personne ne l'avait remarqué. Le mort fut ramené à l'intérieur, sous ses yeux. Il resta à rôder dans l'hôpital trois heures durant, incapable d'assumer son échec.

Pour lui, ses morts étaient très importants. Et voilà que le général venait lui demander d'en ajouter un sur la liste.

Le vieux militaire s'assit sur une chaise dans la cuisine tandis que Tutusaus lui apportait bière et genièvre, ses boissons préférées. Pozos devait friser les soixante-cinq ans. Il prenait de l'âge et, habillé en civil, c'était encore plus visible. Tutusaus ne se souvenait même plus de la dernière fois qu'il l'avait vu en uniforme. De fait, ces dernières quatre années et demie il ne l'avait presque jamais vu. Le général lui transmettait ses directives par téléphone ou par d'autres moyens détournés. S'ils se donnaient rendez-vous, ça n'était jamais dans un bâtiment officiel ni en public. Tutusaus possédait un numéro de téléphone spécial de contact qui n'était celui d'aucun ministère et où quelqu'un répondait vingt-quatre heures sur vingt-quatre. Cela dit, chaque fois qu'ils se voyaient, il trouvait que le général avait grossi. La dernière fois, à la fin de l'année précédente, Pozos lui avait donné rendez-vous dans un hôtel. Il lui avait remis ses instructions après dîner, en buvant un verre tranquillement, assis sur des sofas dans une des salles privées de l'établissement. Le général Pozos, bien que n'ayant pas beaucoup bu, s'était montré étrangement loquace avec Tutusaus, lui expliquant des tas d'histoires que ce dernier peinait à comprendre. Des histoires de politique : « Est-ce que ça vaut la peine de s'être battu pour ça ou ça », « Son Excellence n'est déjà plus celui qu'il a été... »

— Les hommes politiques finiront par baiser les militaires, je me méfie de tout le monde, Céspedes.

Tutusaus l'avait regardé d'un air stupide.

— Mais non, pas de toi ! Pas de toi, lui avait dit Pozos, un sourire étrange aux lèvres, tout en lui donnant de petites tapes amicales sur la nuque.

Et voilà, ils se trouvaient de nouveau ensemble, dans cette ferme, lui avec une bière et un genièvre, et Tutusaus avec son *chinchón*. Le général jeta sa sacoche sur la table, avala une lampée de genièvre et une gorgée de bière, fit claquer sa langue et dit :

— Céspedes, tu sais que tu es un homme en qui j'ai une confiance absolue. Je te confie des cas que je ne donnerais pas à mon propre fils... Tu as demandé à m'accompagner à la Section spéciale, et je t'y ai emmené.

— Oui, mon général.

— J'ai essayé, autant que j'ai pu, de te confier des missions en fonction de tes capacités, de cette trempe que tu t'es forgée comme le fer en ces dures journées d'Ifni. Tu te souviens ?

— Oui, mon général.

— Le moment est venu pour moi de solliciter une nouvelle fois ta collaboration, Céspedes. Et ça ne sera pas aussi facile que la précédente. Les ennemis de la patrie sont à l'affût. Pour toi, il va s'agir d'un sacrifice ; en effet, c'est un travail peu glorieux, mais d'une importance vitale pour le pays. C'est le service le plus important et le plus délicat que je t'aie jamais demandé. Voilà pourquoi je suis venu personnellement t'expliquer de quoi il retourne. Tu te rends compte de ce que je suis en train de te dire ? Tu me suis, Céspedes ?

C'était la seule chose, chez le général, qui le faisait un peu sortir de ses gonds : lorsque ce dernier lui demandait – et cela arrivait fréquemment – s'il le suivait. Comme s'il avait un petit pois dans la tête. Une fois, en Afrique, le général lui avait dit qu'à la place de son cerveau, il y avait un trou perpétuellement traversé de courants d'air. Mais maintenant, c'était différent.

— Oui, mon général, répondit Tutusaus après avoir avalé sa salive dans une gorge serrée par l'émotion.

— Tu as déjà entendu parler de Felipe Heredero ?

— Non, chef.

— C'est une des premières fortunes d'Espagne. S'il ne s'agissait que de ça, on aurait là un millionnaire comme il y en a déjà quelques-uns dans notre pays, tu me suis ?

— Oui, chef.

— Mais bien sûr, il s'agit de quelque chose de beaucoup plus important. Il s'avère que M. Heredero est intouchable pour une raison bien simple : l'intérêt que lui porte son Excellence le Généralissime – qui est, pour lui, comme qui dirait, une sorte de parrain de l'ombre.

— De l'ombre ?

— Caché, sans que ce soit dit, Céspedes, putain ! Je vais te donner un exemple, on va voir si tu comprends mieux : M. Heredero a fait fortune grâce à son entreprise de porcelaine, objets et matériaux de décoration, et grâce aussi à une montagne de contrats émanant de l'État, directement ou indirectement. Lui pense que tout est dû à son flair commercial et à son intuition artistique. Je ne nie pas qu'il en soit pourvu, mais ce que je peux t'affirmer, chiffres en main, c'est que sa charretée de millions, il l'a gagnée à quatre-vingt-dix pour cent parce que Franco l'a voulu. On peut donc en déduire que M. Heredero est plus important qu'un ministre, pour que Franco en personne s'intéresse à sa vie et se préoccupe de sa sécurité – ce qu'il n'a jamais fait, soit dit en passant, et ne fera jamais pour aucun de ses ministres. La question est la suivante, et n'importe qui se la poserait : « Pour quelle raison son Excellence réserve-t-elle donc un tel traitement de faveur à cet individu ? » Il doit y avoir une raison extrêmement puissante... Ce que je vais te dire à présent, Céspedes, est un secret de la plus haute importance. Concentre-toi : Don Felipe Heredero est le fils de l'ex-roi d'Espagne, Alphonse XIII de Bourbon.

— Alphonse XIII ?

— Oui, Alphonse XIII, ne fais pas cette tête-là ! C'était le roi en place quand tu es né ! Celui que la République a fait tomber.

Tutusaus cogita intensément quelques secondes et dit :

— Et alors ?

— Et alors ? Ah, Céspedes, toujours aussi rapide pour certaines choses et aussi lent pour d'autres... Si tu regardes bien, M. Heredero n'affiche cette condition ni en public ni en privé. Et pourquoi ? Parce que c'est un bâtard ? Ça n'aurait rien d'incroyable, l'Europe est pleine de ces descendances non reconnues de maisons royales. Eh bien non, et voilà le point crucial : il s'agit d'un fils légitime. Légitime, mais inconnu. Personne ne sait qu'il existe, et visiblement, lui non plus.

— Je comprends pas...

— Si tu la fermes, je vais t'expliquer.

— Oui, chef.

— L'existence des enfants illégitimes de don Alphonse XIII est de notoriété publique. Le roi a eu un fils et une fille d'une actrice connue à l'époque, et une autre fille d'une étrangère qui était à son service au palais. Je ne te donne pas les noms pour une question de discrétion élémentaire, et parce que ça ne te concerne pas, vu qu'il n'y a pas de liens directs avec notre affaire. Si je t'explique tout ça, c'est pour que tu sois bien conscient de l'esprit disons « vigoureusement masculin » du roi Alphonse. À ce qu'il paraît, cette caractéristique est commune aux Bourbons, hommes ou femmes. Au moins jusqu'à maintenant. Tout le monde sait qu'il y a souvent eu des moments où son mariage avec la reine Victoria-Eugenia n'était que pure façade. Ils se voyaient à peine, et seulement en public, lors de cérémonies officielles. La reine Victoria décidait de voyages chez elle, en Angleterre, qui ressemblaient bien à des fugues. Imagine qu'on avait même commencé à parler de divorce ! Tu vois le scandale ?

— Ah ça oui, chef.

— Après 1931, en exil, ils ont vécu séparés de longs moments, mais ça, ça ne nous intéresse déjà plus. Ce qui nous intéresse, c'est quand ils sont encore jeunes, et que la reine retourne de temps en temps en Grande-Bretagne, pour oublier les sorties nocturnes incognito de son noceur royal de mari dans Madrid. C'est lors d'un de ses séjours en famille, alors qu'elle est depuis trois mois hors d'Espagne, qu'elle se rend compte qu'elle est de nouveau enceinte. Elle en informe immédiatement le roi, mais pour lui, les choses ne sont pas aussi claires.

— Et pourquoi ?

— C'est très simple, comme l'affirme le dicton populaire : « Qui passe sa vie à voler, croit que chacun va l'imiter. » Le monarque se refuse à admettre que l'enfant que la reine porte dans son ventre est le sien. Il accuse sa sainte épouse et lui dit qu'il n'a pas l'intention de se laisser refiler un fils qui n'est pas de lui. Elle, défaite, jure et jure encore qu'elle ne l'a jamais trompé. Mais le monarque ne change pas d'opinion. Le 12 octobre 1919, dans le plus grand secret, vient au monde un enfant. Le pauvre petit naît hémophile, comme deux de ses frères, et c'est, dit-on, le portrait craché de son royal père...

Là, le général Pozos s'interrompit pour se reposer un peu et rassembler ses souvenirs. Tutusaus l'écoutait, bouche ouverte, ébahi comme s'il était en train d'écouter un conte de fées ; il ne manquait plus qu'une cheminée allumée pour compléter le tableau :

— Vous voulez que je fasse du feu, mon général ?

— Du feu ? Mais qu'est-ce que tu racontes ? Parfois, on dirait que tu n'es pas du tout à ce que je te dis, Céspedes, tu n'y es pas du tout.

— Je suis désolé.

— Je peux continuer ? Bon, malgré l'évidence de la paternité du nouveau-né, il est trop tard. Les quatre ou cinq personnes qui sont dans le secret ne savent pas comment convaincre le roi de mettre fin à ce comportement buté. Lorsque l'enfant a trois mois, il devient impossible de rendre sa naissance publique sans que tout cela ne paraisse franchement bizarre et ne jette le discrédit et le ridicule sur la couronne espagnole. Le roi, accablé par la situation, et en accord avec les plus hautes instances de l'État, décide de passer sous silence l'existence de l'infant, vu que la continuité dynastique est plus qu'assurée. Il ne semble pas que la perte de légitimité de ce petit dernier ait suscité de remue-ménage dans l'écheveau des droits successoraux. L'enfant grandit en Écosse au sein d'une famille bourgeoise d'origine espagnole qui lui donne son nom : Felipe Heredero. Les parents adoptifs comprennent qu'ils ont affaire à une famille importante vu qu'ils ne manquent jamais de rien, bien au contraire. Néanmoins, ils pensent que cet enfant qu'ils aiment tant doit être le fils illégitime d'un évêque ou d'un grand d'Espagne, rien de plus. Ils ne soupçonnent pas un instant son ascendance royale. Ils ne posent aucune question et Felipe grandit à Édimbourg loin de tout contact avec la royauté et sans la moindre idée de sa véritable naissance. En 1931, juste au moment de la chute de la monarchie en Espagne, Felipe est envoyé étudier à Paris. C'est alors un adolescent aux cheveux tirant vers le blond, un peu coquet et fort élégant. Sur les photos d'époque, il semble même avoir une certaine distinction naturelle héritée de ses origines. Il poursuit des études d'économie et d'art, et mène une vie à la fois tranquille et responsable. En 1940, lorsque les Allemands marchent sur Paris, l'ex-roi Alphonse, toujours en secret, parvient à l'envoyer à Genève en l'appâtant avec une excellente offre de travail, le tout piloté par un tiers, un ami suisse de confiance. Il l'éloigne de la guerre et le rapproche de lui et de sa mère. Le jeune homme ne soupçonne absolument rien. Nous ne saurons jamais ce que le roi Alphonse avait en tête, puisqu'il est mort au mois de février 1941 et qu'il n'a jamais pu être établi qu'il ait réussi à faire la connaissance de son fils Felipe. La Reine Victoria-Eugenia, en exil à tout juste une heure trente de voiture de son enfant, n'essaiera jamais de prendre contact avec lui. Heredero est célibataire, il vit seul, accompagné uniquement de sa bonne, une Anglaise déjà âgée, qui a toujours vécu avec lui. Il s'établit définitivement à Genève pour faire carrière et s'introduit dans les hautes sphères de la société locale. Il débute alors dans le milieu des affaires et de l'industrie, où il se révèle très capable tout en se faisant un nom dans la porcelaine en tant que dessinateur et créateur. À peu près en même temps, son Excellence le Généralissime est mis au courant de ce secret par un de ses généraux les plus appréciés, monarchiste convaincu.

— C'est qui ?

— Ça te regarde pas. À partir de là, son Excellence suit M. Heredero à la trace, et parce qu'il peut peut-être avoir besoin de lui à l'avenir, l'attire en Espagne, lui accorde immédiatement un passeport puis, comme je te l'ai expliqué, l'aide indirectement à monter une grosse affaire tout en l'honorant de son amitié personnelle et de sa protection. C'était début 1951, il y a onze ans. Depuis, Heredero, je le répète, grâce aussi à son propre mérite – l'un n'empêche pas l'autre –, est devenu un des chefs d'entreprise les plus importants de notre pays et dirige une entreprise au prestige international. Et nous en arrivons à l'actualité. Tu t'es fait une idée du personnage, Céspedes ?

— Oui.

— Parfait, parce que c'est maintenant que je veux que tu ouvres bien tes oreilles, et que tu fermes bien ta bouche...

Le général sortit quelques notes du dossier qu'il avait jeté sur la table. Il les survola, prit une autre gorgée de genièvre et, avant de l'avaler, s'enfila une bonne lampée de bière. Il aimait le mélange direct. Il s'étrangla, toussota, se moucha bruyamment et continua :

— Il s'est produit un événement d'une extrême gravité lors des dernières fêtes de Noël. Que s'est-il passé à Noël, Céspedes ?

— Notre Seigneur Jésus est né dans une étable à Bethléem ?

Dans un cas comme celui-ci, le général ne savait jamais si Tutusaus se fichait de lui. Pour ne pas tomber dans le ridicule, il se contrôla, respira à fond et poursuivit, mais cette fois en criant :

— L'accident de chasse de son Excellence, imbécile ! La veille de Noël, Franco a failli perdre une main ! Tu ne t'en souviens plus ? Officiellement, on a parlé d'un accident. Mais nous y étions, et grâce au résultat de l'enquête, nous savons que ça n'a pas été fortuit, qu'il s'agissait d'un sabotage. Quelqu'un a fourni des munitions trafiquées avec l'intention évidente de tuer Franco, ou de le laisser hors du coup un bon moment. Il semble que cet incident a influencé l'état d'esprit du Généralissime à l'heure de faire un pas vers ses « prévisions successorales ». Il s'est pour la première fois rendu compte qu'il pouvait disparaître sans avoir assuré la continuité du régime. Tu te rends compte ? Disparaître.

— Disparaître... répéta Tutusaus, accablé par la vision de Franco s'évanouissant pour l'éternité.

— Céspedes, réveille-toi !

— Oui, chef.

— Une rumeur court, selon laquelle c'est pour cette raison qu'au prochain changement ministériel on va ressusciter la figure du vice-président du gouvernement, qui n'existe plus depuis la guerre. Avec la possibilité de le subroger en cas de *vacance,* absence ou maladie. D'autre part, comme je te l'ai dit, son Excellence a tenu compte, pour la première fois, des conseils de ceux qui le pressent de désigner un successeur au titre de roi, selon son propre souhait, exprimé dans la loi de succession. Mais putain, qu'est-ce qui t'arrive, Céspedes ? Tu ressembles à un idiot, là, avec ta bouche ouverte...

Tutusaus tarda quelques instants avant de parvenir à articuler, dans un filet de voix :

— Quoi ?

— Mais ferme ta bouche, imbécile, ta bouche... Et t'inquiète pas, j'ai presque fini. Tu as, dans un dossier que je te donnerai avant de partir, la situation des prétendants à la monarchie. Tu l'étudies et tu l'apprends par cœur, compris ?

— Oui, chef.

— Ce qui t'intéresse le plus, c'est de savoir que la position dynastique de M. Heredero, tel que le génie de son Excellence en avait eu providentiellement l'intuition il y a quelques années, est brusquement passée au premier plan. Gonzalo, le cadet d'Alphonse XIII, est mort en 1934 ; Alfonso, prince d'Asturies, en 1938, tous deux saignés à blanc par l'hémophilie après avoir été victimes d'accidents de voiture bénins ; Jaime, le second, est sourd-muet, de plus il a dû renoncer à ses droits pour épouser une femme qui n'était pas de sang bleu. Il ne reste donc plus que don Juan, le troisième, et chef actuel de la maison espagnole des Bourbons... et M. Felipe

Heredero, infant d'Espagne de plein droit, même si lui-même l'ignore. Pour l'instant, il ne semble pas que don Juan porte le Généralissime dans son cœur... Il nous reste donc une option, celle de désigner le fils de don Juan, Juan-Carlos, mais ça, c'est une solution hasardeuse. Mis devant pareil dilemme – accéder au désir de Franco et désobéir violemment à son père –, personne ne sait ce qu'il fera. C'est pour cette raison que son Excellence, avant de songer à une autre branche de la famille, étudie la possibilité de sortir son joker, c'est-à-dire Heredero : il est de sang royal, fils du dernier roi, il a plus de trente ans et il est lié au régime. Il n'existe donc aucun empêchement légal à sa désignation. Le seul problème est qu'Heredero est lui aussi hémophile. Mais enfin, des soins préventifs et une bonne campagne de présentation et de promotion feraient le reste. Voilà pourquoi nous surveillons de près cet individu depuis quelque temps déjà pour le protéger de tout problème. Personne ne sait ce que son Excellence pense en faire, mais vu les circonstances, si on apprenait l'existence de cet infant, il y en aurait plus d'un qui serait prêt à payer une fortune pour le voir disparaître.

— Qui ?

— Qu'est-ce que j'en sais, moi ! Des monarchistes juanistes, des carlistes, des hommes du régime qui ne croient pas en la monarchie... Ça, Céspedes, c'est pas notre problème. Nous avons toujours obéi aux ordres. Et son Excellence ordonne que M. Heredero vive jusqu'à ce qu'il décide de ce qu'il veut en faire. Tu comprends ? Par bonheur, M. Heredero est un homme intelligent. Nous menons une enquête approfondie sur lui. Il navigue entre le monde du patronat et de l'industrie avec une totale discrétion, tout comme dans sa vie personnelle, ce qui lui permet de mener une vie publique d'une pureté sans tache. Il voyage assez régulièrement en Suisse, pour des questions de santé, pour son travail, et pour le plaisir. Il s'y rend pour récupérer après une crise. Il a une petite amie là-bas, une ancienne amante qu'il retrouve quand il y va. Celle qu'il n'a jamais vue, je te l'ai dit tout à l'heure, c'est sa mère, la reine Victoria-Eugenia, qui vit à Lausanne.

Il a des habitudes d'homme du monde. Il possède plusieurs voitures et fréquente une bande d'amis de la haute société chez qui il est souvent invité à des dîners et des fêtes. Il est multimillionnaire, mais guère excentrique. Si on l'estimait en terme de fortune, même sa célèbre collection de porcelaines pourrait être prise en considération ; il s'agit d'un investissement très rentable, avant même d'être une passion. Politiquement, il passe pour être démocrate-chrétien, un de ces libéraux qui critiquent le régime pour la forme mais font quand même des affaires avec. Et quand je dis qu'il critique, je pense à des réunions amicales, ou à sa participation à des actes culturels concrets, des choses comme ça. Il ne milite dans aucun parti politique clandestin, par exemple. Ses désaccords ne vont pas plus loin que des bavardages de fin de repas – des restes de l'éducation libérale bourgeoise de ses années passées en France et en Suisse. En toute logique, un des points cruciaux de notre enquête actuelle est de deviner s'il sait qui il est. Nous sommes pratiquement certains qu'il n'en a pas la moindre idée. Sinon, cela veut dire qu'il a vécu toutes ces années en faisant croire qu'il ne le savait pas. Il nous aurait alors tous trompés et il faudrait découvrir pourquoi, et surtout savoir s'il n'a pas une petite idée derrière la tête. Dans ce cas, si ses intérêts vont dans le même sens que ceux du Généralissime, parfait. Sinon, tant pis pour lui. Et alors, c'est là que tu interviendras, toi. Tu vois, maintenant, où je voulais en venir ?

— Oui, mon général.

— D'habitude, je ne te donne jamais autant de détails, je te préviens uniquement quand on a besoin que tu interviennes. Moins t'en sais, mieux c'est ; le travail n'en est que plus propre et plus efficace. Mais cette fois-ci, il s'agit d'un cas particulier, puisque nous ne savons pas encore si Felipe Heredero est un ami ou un ennemi. Dépêche-toi de mettre au point la meilleure formule que t'aies jamais inventée, Céspedes, la plus mortifère et en même temps la plus innocente qui soit. Ça ne devrait pas être difficile, vu qu'à cause de son hémophilie Heredero a régulièrement des problèmes de santé. Je le

41

laisse entre tes mains. Nous allons continuer nos investigations. Nous ne le quittons pas d'une semelle. Pendant ce temps, mets-toi au travail et attends. Plus patiemment que jamais. Tu devras peut-être attendre des jours et des jours une directive de ma part, sans rien savoir. Et après ça, tu n'auras peut-être rien à faire.

— À vos ordres.

— Le siège social de l'entreprise d'Heredero se trouve à Barcelone, où il vit une grande partie de l'année. Il a sa maison, son usine, ses entrepôts et sa centrale de distribution là-bas. Tu vas devoir t'y installer pour la durée des opérations. Tu vois, tant de temps sans y aller, et finalement, tu vas y retourner, tu n'y échapperas pas...

— Oui, mon général.

— Nous avons pris contact avec lui en prétextant l'élaboration d'un livre d'or des industriels espagnols, pour célébrer vingt-cinq ans de paix. J'ai rendez-vous avec lui après-demain matin. Tu m'accompagneras. Je veux que tu gardes les yeux braqués sur lui. Tu n'auras rien à dire, tu devras juste observer. J'ai confiance en toi. Si t'as besoin de fric, tu me demandes. Tu trouveras toutes les informations dans le dossier. Fais vraiment gaffe, Céspedes. Je te le répète : cette fois-ci, c'est vraiment différent. Prends patience, et tiens-toi prêt. Ou Heredero est un atout pour son Excellence, ou ça n'en est pas un. Si c'en est un, il se peut que quelqu'un veuille lui mettre des bâtons dans les roues, et ça n'est pas dans notre intérêt. Dans n'importe quel cas de figure, il est possible que tu aies du boulot, finalement. Tu vois ce que je veux dire, hein ?

— Oui, mon général.

— Ne fais pas un seul pas sans m'en avertir. Tu ne t'en rendras pas compte, mais de nombreuses paires d'yeux suivront le moindre de tes déplacements. L'affaire est importante, je dois simplement te dire que c'est le ministre de l'Intérieur lui-même qui chapeaute l'opération. Et s'il arrivait quelque chose à Heredero, ça foutrait une pagaille de... ah, tu peux rire, de... de...

— De quoi ?

— Mais qu'est-ce que j'en sais, moi ! Céspedes, il y a des moments où tu me fais perdre patience. Bon, je m'en vais.

— Mon général ?

— Oui ?

— Vous pouvez dormir ici.

— Ici ? Tu plaisantes ? Je dois être de retour à Madrid avant même qu'on s'aperçoive que j'en suis parti. Si on considère qu'il ne se passe jamais rien d'important avant midi, il est possible que j'y parvienne. Et tu peux vider ton genièvre dans l'évier, je n'ai rien avalé d'aussi dégueulasse depuis des années... Au revoir.

Il serra la main de Tutusaus et s'en alla aussitôt par où il était venu. On entendit de nouveau les chiens. Tutusaus le perdit de vue dans les brumes de l'aube naissante. Il avait spéculé un instant sur la possibilité de quelques heures partagées à bavarder ensemble, comme au bon vieux temps. Le général Pozos claqua violemment la portière de sa voiture, ce qui réveilla quelques oiseaux avant l'heure et les fit s'envoler. Puis le silence retomba.

Tutusaus tentait d'assimiler toutes les informations qu'il venait de recevoir. Une chose l'avait particulièrement troublé : pour la première fois, on ne lui avait pas ordonné de tuer. D'habitude, on l'appelait toujours au dernier moment, il était le dernier maillon de la chaîne, le bourreau qui serrait la vis du garrot...

Heredero était atteint d'hémophilie, une des pires maladies qui soit. Tutusaus se rendit dans sa salle à manger, là où il conservait ses livres de médecine. Il trouva tout de suite ce qu'il cherchait : l'hémophilie se caractérise par une propension aux hémorragies abondantes résultant d'un retard dans le processus de coagulation du sang. Les gens meurent saignés à blanc à cause d'une petite blessure qui ne se referme pas. Donc, la seule chose qu'il avait à faire était de chercher une substance qui affaiblisse encore plus les maigres capacités de coagulation que pouvait avoir le pauvre sang d'Heredero. Il la trouva aussitôt : dicoumarol, un extrait de mélilot fermenté.

Il s'agissait d'un anticoagulant prescrit contre les thromboses et les infarctus. Une dose administrée à temps, et Heredero se viderait comme un évier, rien qu'en toussant un peu fort.

Tutusaus sortit un moment. Les nuages s'ouvraient et l'obscurité se déchirait sous les rayons diffus de la lune. Il aurait dû penser que les chiens allaient revenir. Cette fois-ci, ce fut lui qui les flaira et les entendit le premier. Il se planqua dans le cabanon, là où se trouvaient les poules. L'odeur des gallinacés dissimulerait la sienne. Les chiens firent leur apparition approximativement une heure plus tard. C'étaient toujours les cinq mêmes, ceux qu'il avait pourchassés la veille, toute la journée et toute la nuit, jusqu'à ce qu'il entende arriver le général. C'étaient des chiens téméraires, de vieux ennemis, qui connaissaient l'odeur de Tutusaus et ne le craignaient pas. Ils avaient senti quelque chose de bizarre ; ils s'approchèrent lentement, sur leurs gardes. Tutusaus en toucha deux en un instant. Les autres détalèrent dans l'obscurité. Il pensa qu'il les rattraperait. Il n'était pas pressé. Il regarda les chiens blessés, immobiles, agonisants, puis les acheva à coups de pelle sur la tête. Il frappait, frappait sans se rendre compte que les bêtes étaient déjà mortes. Après les avoir traînés derrière la maison, il les jeta dans le bourrier, là où il brûlait les mauvaises herbes. Un animal ou un autre viendrait les y dévorer. Un sourire s'échappa de ses lèvres. C'était un bon présage. Il partit se coucher. Sa valise restait à faire, et le bavardage du général l'avait fatigué.

CHAPITRE 3

Il se réveilla à sept heures. La fraîcheur du matin entrait par la fenêtre ouverte. Comme d'habitude, son premier geste fut d'allumer les lumières et d'observer la décoration qui occupait toute la surface du plafond de sa chambre à coucher : une vue du port de La Havane encadrée d'une moulure de plâtre polychrome. L'*Indiano* qui avait construit cette ferme, pour ne pas céder à la nostalgie, voulait voir La Havane tous les jours en ouvrant les yeux. Un univers caraïbe devant lui. C'était la seule pièce de cette grande bâtisse que Tutusaus avait investie. Cette maison si vaste déclenchait en lui un étrange sentiment de rejet. Elle ne l'intimidait pas, non, mais il se désintéressait totalement de cet espace chargé d'histoire. Des parents, héritiers indirects de l'Indiano, avaient vendu la ferme au général Pozos Bermúdez avec tout ce qu'elle contenait. Il s'agissait d'un grand bâtiment de deux étages dont toutes les pièces étaient meublées, sombres, silencieuses et désertes, avec rideaux, tentures, tapisseries, commodes, armoires, lit à deux places et couvre-lit de soie, boiseries de luxe... Tutusaus se sentait étranger à tout cela et désirait le rester. Plutôt que d'en être le maître, il se voyait comme un domestique de confiance, un majordome qui s'occupe d'un lieu en attendant le retour de ses patrons.

Il se remémora la visite si fugitive du général, la veille au soir, l'épisode des chiens, le moment où il avait vidé à gros bouillons le genièvre dans l'évier avant de monter se cou-

45

cher... Il regarda par la fenêtre et vit les animaux morts couverts de mouches. Ils resteraient là jusqu'à ce qu'ils pourrissent. Il ferma les volets, et éteignit les lumières. L'obscurité se fit et le port de La Havane s'évanouit instantanément. Il passa dans la pièce d'à côté. Il devait préparer sa valise. Tutusaus était lent et méticuleux lorsqu'il faisait ses bagages. De fait, il était méticuleux en tout. Cette caractéristique lui avait sauvé plus d'une fois la vie. Et puis, préparer sa valise ravivait des souvenirs anciens. Il n'en gardait pratiquement aucun d'avant sa rencontre avec le général Pozos Bermúdez, en 1939. À peine quelques images de la Maison de charité où il avait vécu entre mars 1938 et la fin de la guerre, et pratiquement rien de plus ancien. À une exception près cependant : il n'avait pas oublié qu'adolescent il avait quelquefois accompagné son père lors de ses voyages commerciaux, ni qu'ils utilisaient une montagne de papier de soie quand ils préparaient leur valise. Il avait gardé de cette époque l'odeur et la texture de ce papier. Placé sous chacun des plis des vêtements, celui-ci parvenait à en garder la forme et aidait à prévenir les faux plis.

— Bannis tout autre type de papier, et plus encore s'il est imprimé, lui disait son père, avant d'ajouter : Pour les longs voyages, il n'y a rien de mieux qu'une valise rigide, aux coins renforcés, de celles qui durent toute une vie.

Tutusaus rangea machinalement ses vêtements en réfléchissant ; s'il retournait à Barcelone, il ne pourrait peut-être pas éviter de se rapprocher de sa maison, dans le quartier de la Barceloneta. Sa maison ? La dernière fois qu'il l'avait vue, c'était une montagne de ruines fumantes, après un bombardement. Sa mère y était restée ensevelie. Et lui, bien que déjà âgé de seize ans, avait été recueilli par la Maison de charité... Préparer sa valise était tout un art, et Tutusaus était fier de son savoir en la matière.

« Les vêtements longs et plats comme les pantalons et les vestes, au fond, se répétait-il. Et que le haut du pantalon reste près de la poignée, il sera ainsi moins déformé. Ensuite, les chemises, les costumes et les pull-overs. »

Préparer correctement sa valise était une espèce d'assurance, de garantie de succès. Tant qu'il pouvait le faire, il s'en sortirait. Il attrapa les deux seules cravates qui restaient dans l'armoire, il les lissa autant qu'il le put et les enveloppa encore dans un papier de soie, puis les plaça en diagonale, sur toute leur longueur. Il se souvint des paroles prononcées la veille par le général Pozos. Il ne lui était jamais venu à l'esprit que Franco puisse « disparaître ». Le général Pozos en parlait toujours comme s'il devait être éternel, et inconsciemment il avait assimilé ce fait. Il se surprit à dire à haute voix :

« Les chaussures, dans des sacs de toile, par paires, sur les côtés de la valise. Une fois que l'on est arrivé à destination, les plis se forment facilement, même si l'on secoue un peu le vêtement et qu'on le suspend tout de suite dans l'armoire. »

Brusquement, il vit l'image de son père, claire et nette, en train de lui dire :

— De bagage calculé, la moitié, et d'argent dans la poche, le double.

Il y avait des années qu'il ne se souvenait même plus de son visage.

Il descendit lentement les marches, évaluant le poids de sa valise. Il remarqua une fois de plus l'espace blanc laissé par un cadre disparu on ne sait quand. À son arrivée à la ferme de Montsol, il n'y était déjà plus. Peut-être qu'il valait cher et que le général l'avait vendu. Parmi les autres objets personnels laissés par l'ancienne famille des propriétaires, Tutusaus avait trouvé un vieil album photo. Il ne vivait là que depuis quelques jours et ne comprenait pas pourquoi le général l'avait reclus dans cet endroit. Il ne supportait pas cette maison. Il prit l'album et, dehors, sans même le vider de son contenu, il le posa sur une souche et le réduisit en miettes à la hache. Quelques jours plus tard, alors que la rosée et le vent avaient déjà éparpillé et abîmé les restes, Tutusaus découvrit trois photographies miraculeusement intactes. On y voyait l'*Indiano* qui avait fait construire la maison. Une où il était tout de blanc vêtu, dans une gare en compagnie d'un mulâtre chargé comme un baudet. Une autre où il avait le maintien et les habits d'un Monsieur, et où il faisait preuve d'une élégance naturelle pour prendre la pose devant le photographe. Et une dernière où on le voyait accompagné du maître d'œuvre de cette ferme érigée pour jouir de son triomphe et se reposer de tant d'années de lutte. Tutusaus en fut impressionné. Il les contempla un moment en silence. Ces photos évoquaient les mystères des vies d'outre-mer. Il fut soudain submergé par la rage, et les déchira. Tutusaus était un assassin, il vivait en fonction de cela et son monde se réduisait à ce qu'il désirait et à ce dont il avait besoin. Il ne supportait pas les mystères, il ne supportait pas l'idée qu'il puisse exister d'autres mondes. Parfois il ne supportait absolument rien. C'est la raison pour laquelle il pouvait exercer son métier.

Au jardin, il avait trouvé des rosiers et des gardénias qui avaient poussé en désordre. Dans un coin, des acacias. À proximité, des arbres fruitiers. Il arracha tout de ses propres mains. Il ne conserva que deux ou trois pêchers et un pommier qui devaient lui fournir le matériel de base pour ses expérimentations. Peu de gens savent que les noyaux de pêche et les pépins de pomme peuvent être mortels, pensait Tutusaus tandis qu'il traînait sa valise vers sa voiture. Il la trouvait étrangement légère. Il ouvrit la portière du véhicule et fut sur le point de défaire ses bagages pour voir ce qu'il oubliait. Finalement, il comprit : il n'emportait que la moitié de son armement habituel.

Il laissa à manger pour quarante-huit heures à ses bêtes, ferma la maison à double tour et monta dans sa voiture. À neuf heures passées, le soleil était déjà haut dans le ciel. À dix heures, il se trouvait sur la route de Barcelone, encombrée de fourgonnettes et de camions. Sa Seat semblait les attirer comme un aimant. Il s'agissait d'un ancien véhicule camouflé du ministère dépassant à peine les quatre-vingt-dix à l'heure – garantie d'un voyage long et reposant. Exactement ce qu'il fallait à son conducteur. Tutusaus, même en roulant à quatre-vingt-dix, n'était jamais en retard, il était toujours là où il devait être.

Il entra dans Barcelone aux alentours de treize heures. Il y avait vingt-trois ans qu'il n'y était pas retourné. Vingt-trois ans au loin, et il n'avait pourtant pas de problèmes d'orientation. Il regardait à droite et à gauche, sans curiosité particulière, et trouvait Barcelone peu changée. C'était une grande ville, ni plus ni moins. L'heure du déjeuner approchait, il avançait entre des chauffeurs de taxi qui ne cessaient de discuter avec leurs passagers en gesticulant, les deux mains levées en même temps, ou entre des vespas, triporteurs et camionnettes chargés de légumes. Entrant par la *Diagonal*, il trouva tout de suite son hôtel. Il avait une chambre réservée au Numancia International, un petit établissement sur la rue de Numància. Juste pour la nuit, comme un voyageur ordinaire. Un chauffeur de taxi le lui indiqua comme s'il s'agissait des toilettes d'un bar :

— C'est au fond à droite.

Le Numancia International, un hôtel soigné et convenable, à la façade propre, s'accordait au voisinage. Il y entra en rêvassant, le regard tourné vers la rue. C'est peut-être la raison pour laquelle le concierge s'adressa directement à lui :

— Vous devez être le monsieur de Madrid, n'est-ce pas ? Nous vous attendions.

Il ne voulut tirer aucune conclusion de cette déduction et se contenta de remplir les formalités d'usage, puis il laissa son sac aux mains d'un groom d'environ quarante-cinq ans, qui semblait aussi peu motivé que peut l'être un homme travaillant encore dans cette branche à cet âge-là.

Tout en déjeunant, Tutusaus essayait de réfléchir à cette situation si nouvelle pour lui. La veille de ses autres missions, on aurait dit qu'il entrait alors en religion ; il se concentrait, nettoyait et graissait ses armes, pensait aux diverses tactiques et solutions, et entrait dans un état de grande excitation. Or le général lui avait expliqué que, dans cette mission, il n'aurait qu'à attendre. Inutile de dire que Tutusaus ne s'en était pas spécialement réjoui. Mais, finalement, il s'en moquait. Plus d'une fois, alors qu'il était prévu d'éliminer une personne, il avait fini par en tuer deux ou trois de plus, pour des raisons imprévues. Ça n'avait aucune espèce d'importance. Plus qu'à la mort en général, c'était à la mort en particulier qu'il préférait penser. Il se souvenait des battues à Ifni, en Afrique ; ils faisaient des prisonniers, et il lui arrivait d'éprouver une certaine affection pour eux, mais il n'hésitait pas à les exécuter du jour au lendemain. Il aimait aussi réfléchir sur le moment exact auquel on égorge, l'instant précis, l'éclat dans les yeux, la parole, le geste qui déclenche chez quelqu'un le plaisir d'égorger. Ou à penser à ce 13 janvier 1958 – la date restait gravée dans sa mémoire –, lorsque les légionnaires avaient mis en déroute, lors d'une contre-attaque surprise près d'El Aaiun, un important contingent d'infiltrés de l'Istiqlal marocain. Les prenant à l'improviste, ils en avaient tué exactement cent quarante et un. Un vrai carnage. Tutusaus, à lui tout seul, en avait liquidé quatorze. Il était ivre de sang. Après les faits, il ne se souvenait plus de rien. On les lui expliquait et il n'y croyait pas. L'un de ceux qui l'avaient vu était le général Pozos Bermúdez. Ce fut là qu'il découvrit que Tutusaus, son collaborateur, cet homme taciturne qui inventait des poisons sophistiqués et qu'il avait emmené avec lui au Sahara pour le sortir d'une déception amoureuse à Madrid, était capable de commettre des actions les plus terribles, et de les exécuter de ses propres mains.

Tutusaus monta dans sa chambre du Numancia International. Il ouvrit la fenêtre pour laisser entrer l'air frais. Il avait envie de faire la sieste. Il sortit un dossier de sa valise. Sur le dos, on pouvait lire : « Tutusaus. Confidentiel. Secret. » C'était l'écriture du général, cette écriture qu'il connaissait si intimement et qui pouvait aussi bien lui ordonner de commettre un assassinat que lui souhaiter un bon anniversaire. Il choisit le premier document qui se présentait à lui. En lisant, il avait l'impression d'entendre la voix râpeuse de son supérieur. Il mit cinquante-deux secondes à s'endormir.

CHAPITRE 4

Il fut réveillé par le froid du canon d'un pistolet sur sa tempe. Il ouvrit les yeux et ne vit personne ; l'arme lui appuyait la tête contre l'oreiller et l'empêchait de se retourner. La pression diminua brusquement et l'attaquant fit un bond en arrière. Lorsque Tutusaus put le regarder, il ne distingua rien d'autre que la silhouette trompeusement lourde du général Pozos.

— Ça, c'est pour l'autre nuit, Céspedes. Un à un. Et n'oublie jamais que quand tu commences, moi, j'ai déjà fini. En ce moment, tu pourrais ne plus être qu'un vulgaire tas de merde en train de sécher au soleil.

Tutusaus n'avait pas encore fermé la bouche, tant il était surpris, quand le téléphone se mit à sonner. Il se frotta les yeux, à moitié endormi, et regarda son réveil. Il était trois heures passées, il avait fait une sieste de vingt minutes. Le général décrocha lui-même :

— Allô ? Oui, en personne... Parfait... Nous devrions préciser l'heure... Comment ? C'est une plaisanterie ? Mais il est presque quatre heures moins le quart ! Non, mademoiselle, personne ne nous a prévenus de l'éventualité d'un entretien après déjeuner... Ça ne peut pas être remis à plus tard, demain par exemple ? Très bien, très bien, entendu, s'il n'y a pas d'autre solution... Au siège social de son entreprise, je suppose... Non ? Où ? Au club Palomo ? Il me donne rendez-vous dans un club ? Non, non, je préfère annuler l'entretien...

Entendu, à quatre heures. Au club Palomo, rue Vallmajor. Parfait.

On raccrocha et le général resta l'écouteur à la main, stupéfait, puis se tourna vers Tutusaus qui achevait de défaire soigneusement sa valise. Le général Pozos n'aimait pas perdre le contrôle des événements. Et comme Tutusaus, il n'aimait pas non plus les imprévus. Il imita une voix de femme :

— « Je vous appelle personnellement de la part de M. Heredero pour vous confirmer l'entretien que vous avez sollicité, et vous en préciser l'heure. C'est la seule plage horaire où M. Heredero peut se mettre à votre disposition... » C'était la secrétaire d'Heredero, elle nous demande de l'excuser, mais que si nous voulons le voir, ça ne peut être que dans une demi-heure. De sorte qu'il va falloir te remuer un peu, Céspedes... C'est toujours mieux que rien. Nous n'avons pas une minute à perdre. D'un autre côté, ça montre au moins l'importance que cet homme accorde à la question de ce prétendu Livre d'or des industriels espagnols. Sinon, il n'aurait pas trouvé à nous caser dans son agenda. Pure vanité.

Dix minutes plus tard, la voiture personnelle d'Heredero vint les chercher, une Haiga américaine qui semblait tout droit sortie d'un film. Il ne devait pas y en avoir plus de dix dans toute l'Espagne. Le général demanda au chauffeur :

— Le pub Palomo est loin d'ici ?

— C'est un club, pas un pub.

Tutusaus ne comprit pas, parce que le chauffeur avait prononcé de travers le mot « pub ».

Le général et lui restèrent silencieux jusqu'à leur arrivée. Le club Palomo, installé dans une petite villa discrète, au sein d'un quartier tranquille, se trouvait à deux pas des bureaux, hôtels et consulats de la Via Augusta. La plaque du club était si petite qu'on la voyait à peine : « Club Palomo. Droit d'admission réservé. Sonnez, s'il vous plaît. » À côté, une porte en chêne semblait mener à une maison ou un escalier d'immeuble. Impossible de voir à l'intérieur.

— Appuie sur la sonnette, ordonna le général.

Tutusaus obéit et ils attendirent quelques secondes. Un

petit guichet de contrôle au milieu de la porte s'ouvrit brusquement. Il était bien camouflé, et ils ne l'avaient pas vu.

Une bouche fit entendre une voix de jeune eunuque :

— Vous désirez ?

— Nous avons rendez-vous avec un de vos clients, répondit Pozos d'un ton assuré.

Ce furent les yeux de la voix d'eunuque qui cette fois demandèrent :

— Quel est son nom, s'il vous plaît ?

— Felipe Heredero.

— M. Heredero n'est pas un client, mais l'un des propriétaires de cet établissement. Vous m'avez dit que vous vous appeliez... ?

— Vous pouvez annoncer le général Pozos et monsieur José Licinio Tutusaus, dit le général.

Qu'il occulte la nature militaire de Tutusaus laissa ce dernier indifférent. Lorsqu'il accompagnait le général, il avait l'habitude de s'en remettre à lui. Pozos commandait et il obéissait. S'il n'était que « monsieur » Tutusaus, le général devait avoir ses raisons.

— Un moment, je vous prie, dit le gardien à la porte.

Le moment ne se prolongea pas au-delà de deux minutes et demie. Ils entendirent un son mécanique très caractéristique et la porte s'ouvrit vers l'intérieur. Ils entrèrent dans le jardin. Une allée gravillonnée les mena à la porte principale, entrouverte. Ils la poussèrent et trouvèrent, à droite, derrière un comptoir de vestiaire, le type qui les avait laissés entrer. Il n'avait pas une tête d'eunuque. Il portait une veste et un pantalon gris, et sûrement aussi un pistolet sous l'aisselle. Dans cette pièce plongée dans la pénombre, il leur était difficile de voir alentour.

— Vous devez me donner vos cartes d'identité, s'il vous plaît...

— Je ne vous donne rien du tout, répondit le général en le regardant dans les yeux.

— C'est uniquement pour vérifier vos identités, monsieur,

rétorqua l'homme, imperturbable. Je vous les rends tout de suite.

— Je ne vous donne rien du tout, répéta Pozos.

Tutusaus regardait son supérieur, prêt à agir. Le général n'était pas habitué à être traité de la sorte. La chose commençait à prendre vilaine tournure lorsqu'apparut une jeune femme toute souriante qui attira leur attention :

— M. Heredero vous attend. Suivez-moi, je vous prie.

Ils poussèrent une double porte et pénétrèrent dans ce qui devait être un bar. Il y avait peu de monde. Venant de l'extérieur, il était tout d'abord difficile d'y voir clair.

Il s'agissait d'une sorte de bar à cocktails, petit et luxueux, avec des serveurs aux uniformes déclinés dans des tons grenat, et du velours sur les murs. La jeune femme traversa la salle d'un pas décidé et ouvrit une autre porte, derrière le comptoir, près de la caisse enregistreuse. Elle répéta :

— Suivez-moi, je vous prie...

Une nouvelle porte les introduisit dans un autre couloir où se trouvait un vestiaire vide et, tout au fond, un rideau. Elle le tira, l'obscurité devint totale. Cette fois-ci, cependant, on entendait un fort brouhaha – bruits et voix mêlés. Après s'être habitué au manque de lumière, Tutusaus se rendit compte qu'ils se tenaient dans une pièce de taille relativement réduite. Les murs semblaient panneautés de chêne clair qui reflétait le peu de lumière dispensé par des lustres miroitants suspendus au plafond. Les gens étaient au coude à coude, tant au comptoir qu'autour des tables. De petites alcôves compartimentaient la salle. On devinait beaucoup de gens fort bien habillés qui conversaient à voix haute avec animation, parfaitement conscients que tout ce qu'ils disaient s'entendait dans un rayon de dix mètres. Le tout s'accompagnait de musique d'ambiance et d'une décoration luxueuse. L'air conditionné fonctionnait à plein régime mais les extracteurs ne parvenaient pas à aspirer toute la fumée, qui se concentrait au plafond. Tutusaus ne quittait pas des yeux le dos du général, lequel ne quittait pas des yeux les cuisses de sa guide, un mètre devant lui. Et lorsqu'il leva son regard une seconde, il demeura pétrifié : toutes ces aimables et professionnelles jeunes femmes servaient aux tables... vêtues de jupes courtes et les seins à l'air ; rien que des beautés remuant les fesses et montrant leur poitrine pour servir tous ces hommes aux allures de hauts fonctionnaires. Il n'avait jamais rien vu de tel et en eut presque la nausée. Les clients du club semblaient accepter cela très naturellement. Leur guide les poussa vers un petit canapé et dit :

— Attendez là un instant, je vous prie.

Puis elle disparut dans l'obscurité. Ce devait être quelqu'un de spécial, ce Felipe Heredero.

— Une vraie beauté, n'est-ce pas ? s'exclama une ombre qui s'était assise à leur côté, avant même qu'ils ne s'en aperçoivent.

Cette ombre qui les avait surpris à contempler l'une des serveuses se dévoila au moment où un peu de lumière éclaira son visage. Tutusaus le reconnut aussitôt, même s'il semblait nettement plus vieux que sur les photos pourtant récentes du dossier que le général Pozos lui avait transmis. Cet homme était né en 1919. Il était donc âgé d'environ quarante-trois ans. Tutusaus se fit la remarque qu'il avait à peine trois ans de plus que lui, mais qu'il paraissait en avoir dix de plus : vieilli prématurément, incapable de garder les lèvres closes, il avait les yeux fatigués, distraits. Tutusaus ne doutait pas que cet homme aux larges épaules puisse être le fils d'un roi d'Espagne, mais il pensait, avec un certain mépris, qu'il ne voyait pas bien comment il pourrait arriver à être le nouveau roi de l'Espagne du 18 juillet. Peut-être ne le rencontraient-ils pas dans un bon jour. Il était toutefois évident, et même dans cette pénombre, que l'homme ne se portait pas bien. Tutusaus savait pourquoi. Il s'en souvenait parfaitement : à cause de l'hémophilie, qui avait tué deux de ses frères. En plus de pouvoir le liquider en quelques heures par une blessure insignifiante, cette maladie pouvait aussi le tuer lentement, à coups de petites hémorragies chroniques qui finissent par entraîner une anémie aiguë. Malgré tout, la vitalité dont faisait preuve M. Heredero dès qu'il se mettait à parler était surprenante. De fait, tout le temps qu'ils passèrent ensemble, il n'arrêta pas, et sa conversation semblait toujours dominée par un certain charme naturel et un regard ironique qui désorientaient Tutusaus. Le général Pozos le présenta comme son assistant et principal responsable de l'administration pour toute cette affaire du Livre d'or des industriels. Heredero le regarda un instant, lui tapota l'épaule et lui dit avec une cordialité de collègue de bureau :

— Enchanté, Pepe ! Le général m'a beaucoup parlé de vous et en fort bons termes... J'espère que vous n'avez pas été trop importunés par les mesures de sécurité. Mais que voulez-vous, ici, à l'heure du goûter, il y a la moitié des cadres supérieurs du Gouvernement civil et de la Députation. Qu'est-ce que vous prenez ? Demandez ce que vous voulez, c'est la S. A. Heredero qui vous invite.

Le général commanda un whisky et Tutusaus un *chinchón.*

Heredero fit signe à l'une des jeunes femmes qui s'était approchée diligemment :

— Bien, Olga, un whisky et un *chinchón* pour ces messieurs. Et pour moi un cognac, le même que d'habitude.

La serveuse s'éloigna aussi silencieusement qu'elle s'était approchée. Tutusaus s'aperçut que les jeunes femmes se tenaient prêtes, debout, à l'autre extrémité de la salle. Ce devait être une consigne de la maison : rester bien à la vue de tous, à leur place, en s'exhibant presque, même si le dernier client des tables que chacune avait à sa charge s'en était allé. La voix flûtée d'Heredero ne marquait pas de pause :

— Dites-moi, mon général, comment le ministre s'est mis en tête cette idée d'écrire sur les entreprises ? Aujourd'hui, au train où vont les choses, ça ne mériterait même pas une brève en dernière page du journal.

— Opération de propagande. Publicité du régime vis-à-vis de l'étranger. Célébration des vingt-cinq ans de paix. Vous pouvez refuser, évidemment, répondit le général un peu agacé.

— Mais qu'est-ce que vous dites... Mon Dieu, cher ami... Si c'est une décision du ministre, cela veut dire que c'est

peut-être même une suggestion de son Excellence... Refuser ?
Vous me prenez pour un imbécile ?

— Quelques-uns de vos collèges l'ont fait.

— Qui ?

— Je ne sais pas.

— Bien sûr que vous le savez, mais vous ne voulez pas
me le dire. Enfin, ça m'est égal. Ces collègues n'ont pas
soixante pour cent de leur chiffre d'affaires engagés avec
l'État.

— Quatre-vingt-cinq, le coupa brusquement le général.

— Bon, d'accord, soixante-dix... reconnut Heredero dans
un sourire.

— Je ne pense pas admettre moins de quatre-vingts.

Heredero devint soudain sérieux, puis éclata de rire et dit
à l'attention de Tutusaus :

— Entendu, c'est une furie ton général, hein ? (Avant
d'ajouter à l'attention du général :) On dit que le client est
roi, n'est-ce pas ? Et puis on ne sait jamais...

La serveuse était revenue sans que les trois hommes ne
s'en soient rendu compte. Quand elle se pencha pour poser
son plateau sur la table, ses seins se tendirent légèrement. Ils
attirèrent le regard de Tutusaus comme un aimant, chose qui
ne passa pas inaperçue aux yeux d'Heredero, qui n'en perdait
pas une miette.

— Vous pouvez les toucher, si vous voulez, je vous l'ai
déjà dit...

En guise de démonstration, il passa lui-même à l'acte. Il
empoigna un des seins, sans regarder la jeune femme, comme
s'il allait traire la mamelle d'une vache.

— Vous voyez, dit-il, tout content. Allez, à vous de jouer.
Touchez, touchez, c'est de la marchandise de première
qualité...

Tutusaus vit que la jeune femme offrait un sourire de circonstance, coincée dans une position plutôt inconfortable. Le
général Pozos et Heredero le regardaient et il comprit qu'il
devait « toucher ». Il approcha donc sa paume vers l'un des
seins et le soupesa comme s'il s'agissait d'un melon. Il laissa

aussitôt la jeune femme se redresser et la remercia. Elle s'était déjà retournée quand Heredero lui donna une petite claque sur les fesses tout en disant :

— Qu'est-ce que t'es joliette, Olga...

La jeune femme lui dédia un autre sourire et disparut avec son plateau.

— Joli brin de femme, n'est-ce pas ?

— Oui... répondit Tutusaus.

— Je vois que vous ne vous laissez pas impressionner.

— Non.

Heredero l'observa de nouveau quelques secondes en silence, avant de s'adresser au général :

— Il n'est pas très bavard, votre ami, n'est-ce pas ?

— Non, non, pas très. C'est plutôt un homme d'action. Hein, Céspedes ?

— Céspedes ? dit Heredero, amusé.

— C'est Tutusaus, mais je l'appelle Céspedes, répondit le général.

— Et ça ne vous dérange pas ? demanda l'homme d'affaires à Tutusaus.

— Non.

Sans s'en apercevoir, Tutusaus gardait les yeux fixés sur Heredero. Il était en train de s'interroger, une fois de plus, sur la façon dont il le tuerait. Il se souvint que, dans ce cas, il n'aurait peut-être pas à le faire, et le personnage perdit un peu de son intérêt. De toute façon, tuer un hémophile n'est pas plus difficile que de tuer un poulet, pensa-t-il. Un petit groupe de gens qui venaient d'entrer dans le local le déconcentra. On aurait dit des fonctionnaires. L'un d'eux reconnut Heredero et le signala à ses collègues. Tous le saluèrent avec effusion, mais aucun d'entre eux ne l'appela Felipe, monsieur Heredero, ou quelque chose d'approchant. Tous l'appelaient « Monería ».

— Sans indiscrétion, pourquoi vous appellent-ils ainsi ? demanda le général, piqué par la curiosité.

— C'est un surnom. Vous appelez bien Tutusaus Céspedes ! Et vous aussi, vous en avez sûrement un, de surnom.

— Non, pas que je sache, rétorqua Pozos, une pointe d'agacement dans la voix.

Le silence s'installa. Heredero le rompit pour ajouter :

— C'est comme au collège, vous savez ? Ça date de mon service militaire. Deux ou trois de ceux qui m'ont salué l'ont fait avec moi. Nous avions un supérieur qui, pendant six mois, a cru de bonne fois que mon nom était Monedero – le Monnayeur. Vous imaginez comment ils bichaient, les copains ! De Monedero, il n'est resté que Mone, qui a fini par donner « Monería ». Voilà pour le surnom. Des années plus tard, je les ai retrouvés ici et le vieux surnom a ressuscité. Cela dit, ne croyez pas que cela implique un manque de respect...

— Ah non ? dit Tutusaus, incrédule.

— Non, lui répondit sèchement Heredero.

— Et qui sont vos clients habituels ? interrogea Pozos.

— De hauts fonctionnaires, des ministres en visite, quelques consuls honoraires, des industriels de toute confiance, des policiers, des militaires. Discrétion totale. Ce club fonctionne un peu comme une coopérative. Nous l'avons fondé il y a quelques années avec une bande d'amis pour avoir un peu d'intimité, enfin vous me comprenez, et un bon service – un club des plus privés.

— Et les filles avec les seins à l'air ? demanda le général.

— Un petit caprice. Un plaisir pour la vue. Et vous, Pepe, vous n'aimez pas le *strip-tease* ?

— Non, répondit Tutusaus.

— Moi, ça ne m'enthousiasme pas non plus, croyez-moi, répliqua Heredero, mais ça, c'est différent. J'ai écumé les meilleurs cabarets d'Europe. Et le *strip-tease* est ce qui m'ennuie le plus. La première fois, parce que c'était une nouveauté, j'y ai pris un certain plaisir. La seconde, je me suis endormi. C'est une fiction, un rêve inutile. Tous ces hommes qui crient, rient, trinquent et boivent en même temps qu'ils regardent des femmes qui se déshabillent... Des femmes avec lesquelles aucun d'entre eux, en fin de compte, n'ira jamais, même par hasard. Ennuyeux, n'est-ce pas ?

Le général le toisa avec un certain mépris et dit :

— Je ne sais pas. Vous me parlez d'étrangères. La femme espagnole...

— Toutes celles d'ici sont espagnoles, le coupa Heredero.

— Ah oui ?

— Oui.

— Et pourquoi font-elles ça ?

— Il n'y a pas de nationalité pour ça, mon cher Pozos ! Le destin de n'importe laquelle de ces filles est, à dix-huit ans, de travailler dans le métro, de devenir vendeuse en mercerie ou, en ayant un peu de chance, secrétaire. Et qu'on ne leur demande pas non plus ce qu'elles en pensent. Il est probable que les hommes de leur famille, à eux tous, gagnent en un an moins d'un tiers de ce qu'elles gagnent, elles. De sorte que si quelqu'un a une opinion bien tranchée, il se la garde et se la bouffe. Je vois que vous ne trouvez pas ça bien, n'est-ce pas ?

— Je ne trouve rien, répondit le général, renfrogné.

— Et vous ? demanda-t-il à Tutusaus dans une ébauche de sourire.

— Non plus.

Parler de femmes faisait particulièrement souffrir Tutusaus. Et ça n'était pas nouveau. À la caserne, en Afrique, il s'était battu une fois parce qu'un de ses camarades avait insinué qu'il était homosexuel, et Tutusaus avait bien failli le tuer. Pour beaucoup, un type qui ne dépensait pas son pognon pour aller aux putes une fois par semaine était un type qui n'aimait pas les femmes.

Pendant ce temps, au club Palomo, les gens continuaient à faire la fête en se tapant dans le dos ou en s'apostrophant par leurs petits noms d'un bout à l'autre de la salle. La plupart connaissaient Heredero et l'appelaient Monería.

— Je vois que vous semblez préoccupés, et il n'y a aucune raison de l'être : ici, la sécurité est totale. Ça me coûte cher d'entretenir un clapier comme celui-ci. Mais je vous comprends. Nous sommes à Barcelone, en plein printemps 1962. Ça ne cadre pas, hein ? lança-t-il au général.

— Absolument pas, non.

— Il existe des clubs comme celui-ci dans les principales villes d'Europe. Pourquoi pas chez nous ? Ça ne fait de mal à personne. Et soyez tranquilles, dix pour cent des membres sont des notables, et même bien plus. Et puis, ne vous y trompez pas, général, ce club n'est pas un bordel déguisé. C'est le principal et seul accord que nous avons passé dès le départ : les histoires de queue, dehors. Les filles ne sont que des serveuses, et comme elles sont très aimables, elles se laissent tripoter un peu pendant qu'elles servent. Rien de plus.

Tutusaus redevint nerveux, il pensa que c'était une chose que son Excellence n'approuverait pas, et qu'il devait en parler en privé avec le général Pozos. Il s'effrayait presque, Tutusaus, à chaque fois qu'il songeait que, parallèlement à leur monde, à son monde, il en existait mille autres cachés, qui cohabitaient et qui, tels des cercles concentriques, tournaient autour d'eux-mêmes et ne se rencontraient jamais si ce n'était par hasard. Concernant le régime, la chose était entendue. Ces derniers temps, il croisait sans arrêt des gens qui, bien que se déclarant franquistes, n'avaient à rien à voir avec le régime. Et maintenant ce clapier, ces serveuses déshabillées... Il songea qu'il n'épouserait jamais une femme qui passerait sa vie à montrer ses seins et à se laisser tripoter. Il s'en foutait, lui, de savoir si celle qui faisait ça était ou non une salope. Et s'il s'agissait ou non de putes déguisées...

Un bonhomme gras aux cheveux blondasses s'était planté derrière Heredero et l'interrompit. Il lui cacha les yeux de ses grosses mains, sans rien dire. Heredero se lécha l'index, le redressa comme s'il cherchait la direction du vent et dit :

— Le vent m'apporte une sale odeur de bleuets...

Le type aux cheveux blondasses frappa amicalement Heredero à l'épaule, et lui dit en riant :

— Comment va « Monería » ? T'as une sale gueule, aujourd'hui. Un de ces jours, on va te confondre avec une de tes foutues figurines !

— Et toi, Ortopèdies ?

— On fait que ça aille mal au tribunal, comme toujours.

— Je te présente le général Pozos et le capitaine Toussaint.

61

— Tutusaus.

— C'est ça, Tutusaus.

Tutusaus et le général échangèrent un coup d'œil. Aucun des deux n'avait dit à quiconque qu'il était capitaine. Et si Heredero le savait, cela voulait peut-être dire qu'il savait beaucoup d'autres choses. Ce dernier rompit le silence :

— Au ministère du Commerce, ils préparent un livre d'or de l'industrie espagnole, après vingt-cinq ans de paix. Et ils m'ont choisi comme un des chefs d'entreprise modèle du régime. On verra si tu...

— Toi ? Chef d'entreprise modèle ? Pour un tas de foutues figurines ? Alors ça, elle est bonne, celle-là !

L'homme commença à rire aux éclats tout en fixant Heredero.

— Bon, allez, je te laisse, ajouta-t-il, j'ai une réunion dans cinq minutes. J'étais ravi de te voir, Monería, chef d'entreprise modèle ! Enchantés, messieurs...

Et il s'en alla en riant de bon cœur. Heredero tenta d'expliquer au général qui étaient les gens autour d'eux, pour le rassurer. Tutusaus s'était déjà fait sa propre opinion du personnage. Des hommes comme Heredero, il en avait déjà vu quelques-uns. Il connaissait aussi par cœur la tactique du général pour aborder ses proies sans éveiller les soupçons. Et c'était exactement ce qu'il était en train de faire avec Heredero. De sorte que Tutusaus se concentra, dans l'obscurité, sur son *chinchón* et sur ses pensées. Il fut distrait une seconde par le flash d'un appareil photo, éclairant scandaleusement la pénombre. Un client avait souhaité être pris à côté de la charmante Olga. Les gens applaudirent. L'homme de la photo glissa discrètement un billet de cent pesetas à la serveuse. Il paraissait content. Il allait pouvoir en imposer. Pozos et Heredero continuaient de parler en faisant abstraction de Tutusaus. Auquel l'épisode de la photo avait remis en mémoire une Marocaine, connue à Sidi Ifni, avant la guerre. Ce devait être au début de 1957. Il avait rencontré cette veuve d'un soldat du Tabor des Réguliers, un jour, à la caserne, réclamant à cor et à cri la pension de veuve à laquelle elle pouvait prétendre.

Leur relation était restée secrète. Si quelqu'un de sa famille l'apprenait, disait-elle, ils se feraient tuer tous les deux. Bien que fonctionnaire du nouvel État marocain, elle refusait d'être prise en photo : elle croyait que l'appareil volait les esprits. Tutusaus pressentait que c'était en réalité pour des raisons plus prosaïques : soit elle ne se plaisait pas en photo soit, plus vraisemblablement encore, elle ne voulait pas qu'il puisse subsister dans la ville la moindre preuve de leur relation... Elle vivait et travaillait à Agadir, et ils se retrouvaient à Sidi Ifni deux ou trois fois par mois, quand elle s'y rendait avec l'excuse de mettre en règle les papiers de son défunt mari. Un Marocain qui avait une dette envers Tutusaus leur prêtait sa maison quelques heures durant. De ces rencontres, en plus du souvenir brûlant de ce déchaînement sensuel, Tutusaus gardait celui de l'odeur : ils s'aimaient toutes fenêtres fermées, la maison se trouvant en pleine zone de tannage et de foulage de peaux de mouton. Certains jours, la puanteur exhalée était telle que l'air en devenait irrespirable. Une fois, entre la chaleur, la puanteur et la passion, la femme s'était évanouie en plein acte sexuel. Tutusaus l'avait crue morte. Il s'en allait déjà, bien disposé à l'abandonner sur place et faire porter le chapeau au propriétaire de la maison, quand la femme était revenue à elle et avait regardé son amant, un sourire très doux sur les lèvres. Il y pensait souvent. Elle s'appelait Albaida, claquait sa langue contre ses dents toutes les trois secondes, comme un berger qui rappelle une chèvre ; une façon d'acquiescer en dialecte hassani, le dialecte du Sahara. Albaida mourut à Agadir trois ans plus tard, dans un tremblement de terre qui coûta la vie à douze mille personnes.

Pozos et Heredero continuaient leur discussion animée. Heredero lui désignait, juste à ce moment-là, l'homme grand et corpulent qui se dirigeait vers la sortie :

— Un brave type, celui-ci. C'est le juge Estebanell. On l'appelle l'Ortopèdies ; il y a quelques années, quand les gens de la police lui amenaient un type un peu détraqué, il leur disait toujours que, tant qu'à faire, ils pourraient monter une boutique d'orthopédie, et qu'ainsi le commerce tournerait bien : d'abord on les cassait, ensuite on les rafistolait. Un peu exagéré, vous ne trouvez pas ? Je l'appelle aussi Blauet – le « Petit Bleu ». Il a fait partie des phalangistes révolution-naires, il y a longtemps... Enfin, vous me comprenez, hein ? Désormais il est des nôtres. Il voulait être juge, et pour être juge, il y avait certaines conditions requises.

— Vous voulez dire une fidélité politique et personnelle envers son Excellence le Généralissime ? s'enquit le général.

— Pardon ? répondit Heredero, soudain déconcerté. Oui, bien sûr, bien sûr. Mais il n'y a pas que ça, vous savez, il ne faut pas mettre le Généralissime à toutes les sauces, mon ami. Comme il le dit lui-même, il a assez de travail à nous offrir les lumières de Trente.

— Vous vous foutez de son Excellence ? lui demanda Tutusaus en le fixant du regard.

En compagnie du général, il se sentait sûr de lui, et cela lui permettait de mener à bien ses observations. Le général bavardait, lui regardait. Mais c'était la première fois qu'il arti-culait plus de deux mots à la suite, à voix haute, raison pour laquelle Heredero s'inquiéta un instant, avant de prendre aus-sitôt la mouche.

— Mon Dieu, bien sûr que non ! Pour qui me prenez-vous ? Écoutez, laissons tomber. Et ne faites pas cette tête-là, je voulais juste vous dire que quelqu'un comme son Excel-lence est unique. C'est le grand timonier qui barre son navire, toujours sur le pied de guerre... Il accomplit un travail tita-nesque, bien au-dessus des problèmes bassement matériels et mondains... Je vous parlais d'un autre genre de conditions requises... Vous voyez, ici, celui qui ne court pas a des ailes. On ne peut pas tout avoir, dans cette vie, vous me suivez, n'est-ce pas ? Ce qui nous intéresse c'est qu'un certain ordre général se maintienne. Le juge Estebanell lui-même, sans aller plus loin, a une armoire bourrée de films et de revues pornographiques danoises les plus dégueulasses qu'on puisse imaginer. Eh bien, il a tout de même été capable de faire fermer pendant un mois le kiosque du pauvre type qui lui apportait le matériel de France. Il l'a arrêté pour scandale sur la voie publique à la frontière de la Junquera, avec deux ou trois revues érotiques dans la boîte à gants de sa voiture.

— Mais pour quelle raison ? demanda le général.

— Parce qu'à ce moment-là, cela l'intéressait d'avoir de bonnes relations avec l'évêque...

— Pourquoi m'expliquez-vous tout ça ? le coupa le général.

— Vous m'inspirez confiance.

— Je ne vois pas pourquoi, grommela Pozos à mi-voix.

— Pardon ?

— Je dis que je ne vois pas pourquoi.

— Je n'ai pas l'habitude de me tromper dans mes premières impressions. Regardez, vous voyez cet homme, à l'autre table, aux petits yeux et à la face de singe ? Il s'appelle Isidro Leyva, et c'est le patron de l'entreprise Malesa. Il a des bureaux à Badajoz et son usine est située à mi-chemin entre Badajoz et Mèrida. Le premier mai, il a volontairement demandé à déposer le bilan. Il dirigeait une boîte de manutention et de transformation de bois de première qualité. C'est un escroc professionnel. Un délinquant en col blanc, un requin redoutable, fils du général Leyva, sous les ordres duquel a servi son Excellence en Afrique. Isidro Leyva est un bon exemple de franquiste décidé et entreprenant, un cynique qui ne cherche qu'à gagner toujours plus d'argent et de pouvoir, toujours plus de classe et d'honneur. Il ne faut jamais se fier à lui. Il serait capable de vendre père et mère pour grimper d'un échelon dans la hiérarchie. Il a démantelé son entreprise entre le vendredi soir et le dimanche dans la nuit. Le lundi matin, quand les ouvriers sont arrivés, ils ont trouvé leur usine littéralement vide. Il ne restait plus que les murs. Il n'avait même pas laissé les revêtements des sols. Tout le monde s'est retrouvé à la rue. Les machines, vendues à bon prix, doivent à l'heure qu'il est se trouver dans les cales d'un cargo en partance pour un port africain quelconque. Je suis certain que le juge devant lequel il a présenté son dépôt de bilan, à Badajoz, est son associé, vu que, via un homme de paille, le juge possédait également des parts dans l'entreprise. Vous me suivez ? Une procédure claire et sans bavures. En ce moment, Leyva est à Barcelone pour parler avec Paco Ulldemolins, patron des Transports Ulldemolins. Il doit être en train de convenir de la manière de lui payer l'immense faveur qu'il lui a accordée. On ne démonte pas une usine entière en deux nuits. La principale passion d'Ulldemolins est de collectionner les amis bien placés, et les lettres de recommandation. Ses ambitions secrètes : travailler chaque jour un peu moins et être chaque jour un peu plus riche. Ça n'est pas incompatible, je vous assure. Politiquement, sa philosophie de base est d'une grande simplicité : pas d'histoires et personne ne bouge. Ulldemolins va probablement présenter Leyva au juge Estebanell – pour quelle raison, sinon, viendrait-il courir ici en ce moment ? – et ces trois-là finiront par ficeler une affaire lors d'une partie de chasse ou de l'une de ces fêtes privées organisées par le président de l'INI, qui est l'ami des trois. Vous voyez ce que je veux dire ? Aujourd'hui, il faut avoir des amis ; nous nous accordons tous des petites faveurs. Et le régime béni de son Excellence nous permet de faire aller.

— Je refuse d'admettre que cette sorte d'individu soit un produit spécifique de la société espagnole, et encore moins que cette société soit la résultante de notre régime, dit le général d'un ton méprisant.

— Il en va ainsi, pourtant.

— Vous dites ça comme si ça n'arrivait que chez nous ! Par malheur, le pouvoir corrompt depuis toujours, et partout.

— Corruption ! Quel sacré mot... Vous avez tout à fait raison, mon général. Cependant, il y a une légère différence. En Europe, on peut être corrompu, mais c'est un peu plus dur. La démocratie a quelques moyens de contrôle, à commencer par celui qui relève de la compétence politique. De sorte que pour corrompre, il faut être plus malin, plus imaginatif, c'est un peu plus difficile... Mais aussi plus stimulant.

— Assez ! cria le général. Je crois que nous nous sommes trompés sur votre compte.

— Allez, allez, ne prenez pas ça si à cœur... Je vous présente mes excuses, au besoin... Mais sachez que je vous ai parlé en toute connaissance de cause ; j'ai longtemps vécu en Suisse. Ici, en Espagne, avec de bons amis bien placés au bon endroit, même un débile mental peut devenir riche. De fait, je pourrais vous donner des exemples. Le risque est faible. Il faut juste veiller à ne pas mécontenter deux ou trois personnes, et conserver quelques formes...

Tutusaus n'était pas certain d'avoir bien compris ce qu'il venait d'entendre. Il se bornait à tout enregistrer dans son cerveau.

— Vous êtes un mécréant, laissa-t-il échapper.

Heredero, qui ne s'attendait pas à cela, répondit :

— Pour l'amour du ciel ! Tutusaus, vous et le général utilisez de ces mots...

— Et vous n'avez pas peur de tout perdre dans un changement de régime ? s'aventura le général, déjà plus calme, d'un ton légèrement ironique.

Tutusaus connaissait ce changement d'attitude, son supérieur avait décidé que le moment de sonder Heredero était arrivé.

— Pourquoi me demandez-vous ça ?

— Je ne sais pas... Son Excellence commence à prendre de l'âge.

Pozos répéta comme un perroquet, presque mot pour mot, ce qu'il avait confié à Tutusaus deux jours plus tôt, avant d'ajouter :

— Il semble que lui-même y songe, comme s'il commençait à considérer la possibilité d'un futur sans lui.

— Je vois que ça vous préoccupe, n'est-ce pas ?

— Oui. Ça nous étonne, hein, Céspedes ?

— Oui, répondit le susnommé.

Le général continua :

— Et puis le Généralissime n'a pas encore nommé celui qui doit lui succéder à titre de roi... Et vous savez ce qu'on dit...

Le visage d'Heredero ne bougea pas d'un millimètre.

— Eh bien non, je n'ai pas les antennes bien orientées, ces derniers temps...

— Il semble que l'affaire mijote... Et que la table sera bientôt mise.

Soudain, Heredero sourit et dit :

— Chers amis, vous m'ouvrez l'appétit avec vos comparaisons gastronomiques ! Et qu'en dites-vous, monsieur Tutusaus ? Je vois qu'il n'y a pas moyen de vous délier la langue. Alors que d'habitude le *chinchón* fait des miracles.

Le cœur de Tutusaus sursauta, il lui sembla qu'Heredero avait prononcé ces dernières paroles d'un ton à la fois léger et moqueur. Il s'efforça de répondre quelque chose, mais Heredero l'avait déjà devancé :

— Vous savez quoi, messieurs ? Je propose de porter un toast en l'honneur du Généralissime, qui veille sur nous tous... Allons-y, levez votre verre avec moi... Et même mieux : nous allons tous trinquer.

Il se leva prestement et demanda le silence à tous les clients présents. Cela lui prit presque une minute, mais il y parvint. Le général était stupéfait et Tutusaus conservait une attention passive qui ne présageait rien de bon ; une vingtaine de visages s'étaient tournés vers eux, dans l'expectative. Heredero, très sûr de lui, lança :

— Mes amis, attention, tout le monde ! Criez tous après moi : « Longue vie à Son Excellence ! »

— Oui ! crièrent-ils à l'unisson.

— Vive le Généralissime !

Un « *Viva !* » aussi fort que le cri précédent lui répondit. Heredero se rassit et s'adressa à ses invités avec un nouveau sourire de sphinx, indéchiffrable :

— Vous voyez, chers amis ? Personne ne lui veut du mal, à son Excellence...

La dénommée Olga s'était approchée en silence, un téléphone dans les mains. Elle laissa entendre sa voix, très grave, pour la première fois :

— Un appel téléphonique pour vous, monsieur Heredero. C'est votre secrétaire. Voulez-vous lui répondre ?

— Oui, oui, passez-moi l'appareil.

La jeune femme se pencha pour lui remettre le téléphone.

Ses seins se tendirent de nouveau et, pour l'empêcher de se redresser et la garder penchée vers lui, Heredero ne prit que le combiné. Tout en parlant, il donnait de petites pichenettes, du bout de l'index de sa main libre, sur l'un des mamelons de la jeune femme, comme s'il jouait avec un balancier d'horloge :

— Je vous écoute, Josefina... Comment ? Maintenant ? Merci de m'avoir prévenu... Passez-moi l'appel du ministère d'ici dix minutes... Oui, dans mon bureau, évidemment.

Heredero raccrocha et Olga s'éclipsa dignement. Il but alors une bonne gorgée de cognac et dit :

— L'alcool m'est formellement interdit. Mais on doit bien claquer d'une chose ou d'une autre, n'est-ce pas ?

Il consulta soudain sa Rolex en or, laissa échapper un juron et annonça :

— Cela me déplaît souverainement, mais je dois m'en aller.

— Maintenant ? s'indigna le général.

— Un entretien urgent prévu pour demain qui a été avancé à ce soir. Je vous prie de me pardonner, général. Vous savez ce que nous allons faire ? Passez me prendre au siège social de mon entreprise vers les vingt et une heures, et nous irons dîner ensemble. Nous pourrons alors parler, ma nuit est assez calme... Qu'est-ce que vous en pensez ? Ne vous fâchez pas, général. Si ça peut vous consoler, le coup de téléphone que j'attends est celui du ministre de...

— Ne me le dites pas, je vous crois. Bien... Vingt et une heures précises, d'accord, répondit le général.

— D'accord, ajouta Tutusaus d'un ton aussi inexpressif que possible. Heredero s'était déjà levé et leur tendait la main.

— Alors à tout à l'heure. Terminez vos boissons tranquillement, personne ne viendra vous embêter... Prenez votre temps.

Puis il ajouta d'un ton narquois :

— Et ne tentez rien avec Olga, elle est lesbienne !

Il s'en alla en riant, saluant les gens d'un geste de la main. Tutusaus se retrouva à siroter son petit verre de *chinchón* avec répugnance. Il observa Olga servir un whisky à un hippopotame qui transpirait malgré la climatisation, et soupira. Il n'avait plus envie de *chinchón*. Le général Pozos lui donna un coup de coude et lui demanda de se lever. Ils saluèrent Olga et se retrouvèrent à nouveau dans la rue. Il n'était pas cinq heures de l'après-midi. Le général gribouillait en silence sur un petit carnet sorti de sa poche. Tutusaus comprit la teneur de ces notes en l'entendant marmonner entre ses dents :

— Estebanell, juge ; Leyva, industriel ; Ulldemolins, transporteur...

Il était de mauvaise humeur et Tutusaus savait pourquoi : il n'avait pas l'habitude d'être traité de la sorte, et encore moins en présence de témoins. Il savait également, par expérience, qu'il contractait un ressentiment quasi fatal pour les civils qui ne s'adressaient pas à lui en l'appelant « général ». Si bien que ces trois-là n'avaient plus qu'à bien se tenir. S'il le voulait, il était facile de leur faire payer les pots cassés en cas de problème.

Ils se séparèrent contrariés, se donnant rendez-vous à neuf heures à la porte du siège social d'Heredero S. A. Le général arrêta un taxi, s'engouffra dedans et ordonna au chauffeur de démarrer à toute vitesse. La voiture freina brusquement quinze mètres plus loin, et tout le monde se retourna. Tutusaus regardait la scène, aux aguets, au cas où il lui faudrait intervenir, lorsqu'il vit la main du général sortir par la vitre et lui faire signe de s'approcher. Il le rejoignit en quelques enjambées. Il était à un mètre du taxi lorsque le visage de Pozos apparut pour lui demander :

— Céspedes, tu crois qu'Heredero sait qui il est ?

— Non, mon général.

— C'est bien ce que je pensais.

Et il obligea le taxi à s'arracher de nouveau du bitume avec encore plus d'impétuosité que la fois précédente.

Tutusaus n'avait envie de rien. Il se dirigea vers le centre. Plus que se promener, il marchait. Il se déplaçait dans Barcelone comme il l'aurait fait dans Osaka.

Brusquement, il prit un taxi et se rendit au parc zoologique. Il avait envie d'aller voir les serpents. Il les connaissait bien et aimait les regarder. Il entra dans le zoo et demanda tout de suite les reptiles. Rien d'autre ne l'intéressait. Ils étaient enfermés dans des compartiments aux parois en verre. C'était un après-midi, en semaine, et il n'y avait personne. Tutusaus avait longuement étudié les serpents, à Madrid, lors de ces années d'expérimentations en vue d'obtenir de nouveaux poisons. Il avait fini par se prendre d'affection pour eux. Il avait vécu à Madrid presque dix ans, une fois revenu d'Allemagne, en 1944, avec le grade de sergent de l'armée de terre. Cinq années passées parmi les Allemands lui avaient permis d'acquérir toutes les connaissances sur sa spécialité ; il était devenu une sorte de spécialiste de la mort : sans jamais s'énerver, sans jamais se presser, il se comportait avec une froideur qui, malgré ses vingt et un ans d'alors, donnait la chair de poule. Il avait mué de peau et d'âme. Il était, dans l'Espagne de 1944, l'homme qui en savait le plus sur les poisons d'origine végétale, mais il ignorait absolument tout des poisons d'origine animale. Lorsque le général Pozos s'en aperçut, il piqua une colère comme peu de fois dans sa vie :

— Putain de merde, Céspedes ! Je me casse le cul pour que tu deviennes un spécialiste des poisons, t'as compris ? Des poisons, globalement !

— Oui, mais...

— Alors ne viens pas me chercher avec des subtilités idiotes. Qu'est-ce que tu viens m'expliquer, à moi ! Son Excellence désire un expert en poisons de toutes sortes. C'est ce qu'il veut, et c'est tout. Compris ? T'as cinq semaines pour te mettre au parfum. Et pas une minute de plus. Et si, quand tu reviens me parler, tu ne fais pas de merveilles avec le venin de ces putains de serpents que je viens de t'acheter, je te jure que tu t'en souviendras !

— À vos ordres.

C'est ainsi que Tutusaus entra en contact avec le monde des reptiles. S'il s'agissait de la volonté de Son Excellence, il n'y avait pas à discuter. Il eut recours à l'un de ses anciens professeurs de Berlin, réfugié incognito à Madrid, qui lui offrit un petit cours rapide et basique de toxicologie animale.

Les serpents du général arrivèrent à temps. À cette époque-là, il était assez facile de se procurer des animaux exotiques dans des boutiques spécialisées. Il n'y avait aucun contrôle, il suffisait juste de payer le prix. Le premier arriva dans une petite caisse et faisait déjà peur avant qu'on l'ait vu. Il en avait oublié le nom. Cela dit, c'était l'un des plus venimeux. Le général apporta son aide à Tutusaus en le mettant en relation avec un gitan du Cirque international, recruté de force pour lui enseigner l'art d'extraire le venin. Le type proposait un numéro avec des serpents et on pouvait supposer qu'il les connaissait bien. L'animal était d'une extrême dangerosité, difficile à attraper, et comme ses crochets à venin se trouvaient en arrière de sa bouche, il s'avérait très laborieux de le « traire ». L'homme du cirque y parvint, au prix d'une bonne crise de nerfs. De son côté, Tutusaus, grâce à l'enseignement de son ami allemand, obtint un succès décisif. Il expérimenta des dilutions de venins mélangées à des substances fixatrices, et put se présenter à temps, juste au terme échu, devant le général, avec un inventaire convaincant, dont un poison agissant par simple contact cutané. Selon la dose, il endormait simplement, mais, dans certaines circonstances, pouvait être mortel. Quelques jours plus tard Tutusaus reçut l'ordre de comparaître dans le bureau du général Pozos. Contrairement à ce à quoi qu'il s'attendait, il n'avait jamais vu son supérieur si content.

— T'es une ordure géniale, Céspedes ! J'étais sûr que je pouvais te faire confiance. Son Excellence m'a personnellement félicité et m'a chargé de te transmettre sa satisfaction pour ton travail.

— Merci beaucoup, mon général.

Mais Pozos était tout excité, et ne l'écoutait même pas :

— Si je te connaissais pas, tu me ferais peur. Je viens de l'étrenner, si tu veux le savoir... J'ai enduit la garniture de cuir du volant de la voiture d'un salaud de traître à l'aide d'un pinceau trempé dans ton produit. Ce type devait mourir pendant le voyage qu'il allait entreprendre, huit ou dix minutes après avoir démarré. J'ai ajusté les doses selon tes instructions pour que le produit agisse au bon moment. Tout a marché comme sur des roulettes. Il a perdu connaissance dix minutes plus tard, s'est écrasé contre un arbre avant de tomber dans un ravin. Mort accidentelle. On va en fabriquer des litres et des litres ! Les gens vont vite apprendre à nous connaître... Tiens, prends un petit cigare...

— Merci beaucoup, mon général.

Les essais durèrent quelques années. Mais il était difficile d'obtenir de grosses quantités de ce poison, et un changement ministériel, ajouté au désintérêt soudain de Franco, stoppa net les expériences aux alentours de 1951.

— Je viens de recevoir un appel du cabinet de Son Excellence, Céspedes. J'ai tenu à être le premier à t'en informer. Le Généralissime considère que cette nouvelle arme n'est pas assez sophistiquée, impropre à un pays qui a vocation impériale et qui est capable d'étonner le monde entier avec des innovations telles que le Talgo, inauguré il n'y a pas un an. Tu me suis, Céspedes ?

— Oui, chef.

— Les essais avec les serpents sont suspendus. Tu continueras désormais tes recherches uniquement sur les plantes. Mais sur des plantes espagnoles. J'ai reçu des instructions, en direct du Pardo, de tout recentrer sur du matériel et des plantes nationales. Des plantes qui poussent en terre espagnole. Notre arme sera espagnole à cent pour cent. Compris ?

— Compris. Et la Guinée Équatoriale, mon général ? demanda Tutusaus davantage poussé par une curiosité scientifique que par tout autre chose.

— La Guinée ? Putain, qu'est-ce que tu veux dire ? lui répondit le général Pozos aussi surpris qu'irrité.

— C'est en Afrique... Est-ce qu'on considère que c'est aussi l'Espagne ? Les plantes guinéennes...

— Et Ceuta et Melilla, est-ce que ces enclaves ne sont pas en Afrique et en même temps plus espagnoles que la basilique du Pilar ? Quelle question...

Ce furent des années d'une grande intensité.

Un serpent heurta la vitre de la cage à l'instant même où Tutusaus revenait de son incursion dans le passé. L'animal s'était jeté sur lui, sans tenir compte de la paroi vitrée. Cela effraya Tutusaus, qui se mit à transpirer. Il jeta un coup d'œil à droite et à gauche ; il n'y avait personne. Le serpent le défiait, dressé, face à lui, de l'autre côté de la vitre. Tutusaus était comme hypnotisé. La voix d'un des gardiens du zoo le ramena à la réalité.

— N'ayez pas peur, Monsieur, ils sont inoffensifs. Quand ils ont faim, ils ne savent pas quoi faire pour attirer l'attention. Vous ne vous sentez pas bien ?

— Si si, bien sûr.

Tutusaus écarta l'homme d'un geste de la main et sortit de l'enceinte du bâtiment. C'était la première fois que pareille chose lui arrivait. Rester paralysé. Dans son métier, c'était mortel.

Il fit quelques pas dans le parc de la Ciutadella. Il voulait respirer un peu. Il s'assit sur un banc. Il devait reprendre des forces avant le second round de la journée. Finalement il retourna à l'hôtel et attendit l'heure de l'entretien.

À neuf heures moins cinq, il était déjà à la porte de Ceràmica y Porcelanes Heredero, un bâtiment neuf sur l'avenue de Rome.

Il s'identifia et le portier lui tendit deux enveloppes à son nom. Il s'agissait pour la première d'un message d'Heredero et pour la seconde d'une note du général. Heredero lui disait qu'il ne pourrait pas dîner avec eux. Une nouvelle urgence... « Mais je vous promets solennellement que je vous emmènerai en virée cette nuit, dès que je serai libre. Vous ne pourrez pas nier que je fais tout ce que je peux pour vous aider... Je ne veux pas que le général dise ensuite à Madrid que les gens de Barcelone manquent de sérieux... »

Tutusaus n'en croyait pas ses yeux. Il était évident que ce type se foutait d'eux. Il venait de planter le général pour la deuxième fois consécutive. Il n'osait même pas imaginer la tête qu'allait faire son supérieur. Mais ça ne lui fut pas nécessaire. Dans le second message, le général s'excusait, lui aussi. C'en était presque comique. Il avait voulu poser un lapin à Heredero pour lui rendre la monnaie de sa pièce, vu ce qui s'était passé quelques heures plus tôt, mais en vain : il avait de nouveau été devancé. Tutusaus ne savait que faire. Devant lui se découpait le visage impassible et néanmoins impertinent du portier. Il en avait assez fréquenté pour savoir que la dernière chose à faire était de blesser leur susceptibilité en réclamant des éclaircissements. De sorte qu'il lui demanda, s'il vous plaît, si quelqu'un se trouvait encore dans les bureaux de M. Heredero.

— Bien sûr, répondit le portier, très sérieux.

Il décrocha le téléphone et fit savoir que Tutusaus était là tout en l'examinant de la tête au pied. Ce dernier s'attendait à ce qu'il lui tende le combiné, mais l'homme raccrocha et lui dit :

— Mlle Josefina va descendre.

Tutusaus en déduisit que l'énigmatique demoiselle était la secrétaire d'Heredero. À quelle heure terminaient-ils leur travail ? Il put au moins jouir du spectacle de la secrétaire descendant l'escalier en lui adressant un sourire tout ce qu'il y avait de professionnel. Une femme d'une quarantaine d'années, bien conservée, qui semblait se complaire dans ce plaisir malsain de la fonctionnaire qui se sait attirante mais reste boutonnée jusqu'au cou et a des problèmes avec sa jupe fourreau. Elle confirma le message de son patron, s'excusa de nouveau en son nom et lui jura formellement qu'on ne prévoyait aucun empêchement à leur rendez-vous nocturne, mais que s'il le désirait, il pouvait annuler l'entretien et le remettre à plus tard. Puis elle ajouta :

— D'après mes calculs, vous n'aurez pas le temps de faire grand-chose. Donc, si vous m'en faites l'amabilité, et si vous le désirez, nous pouvons convenir d'un rendez-vous supplémentaire pour la semaine prochaine. Nous serons à Barcelone.

Tutusaus était d'accord. Ils réservèrent un jour et une heure et se quittèrent en échangeant une vigoureuse poignée de main. Après lui avoir rappelé que M. Heredero prendrait contact avec lui vers vingt-trois heures, la femme remonta les escaliers aussi majestueusement qu'elle les avait descendus.

Tutusaus était en train de regarder, ravi, la série *Furia* sur le téléviseur de l'hôtel lorsqu'on l'avisa :

— Monsieur Tutusaus ? Il y a une Mercedes, dehors, dans la rue. Un chauffeur à casquette dit qu'il vient vous cher-cher... annonça le réceptionniste.

— À casquette ? répéta stupidement Tutusaus.

— Oui, Monsieur. De la part de M. Heredero.

Tutusaus consulta sa montre : à peine dix heures et quart. Trois quarts d'heure d'avance. Heredero faisait et défaisait à sa guise. À la porte de l'hôtel, le chauffeur et la Mercedes offraient une image pittoresque. Il s'engouffra dans la voiture et se heurta au visage souriant d'Heredero. Devant, à côté du conducteur, était assis un de ses gorilles.

— Vous pensiez que j'allais vous oublier ? Si Felipe Here-dero a promis de vous emmener en virée, il vous emmène en virée, c'est sûr ! Le général a téléphoné cet après-midi pour dire qu'il ne pourrait pas nous accompagner. Ça ne fait rien, nous sommes bien assez de deux, non ? Je sais que nous nous étions donné rendez-vous pour un peu plus tard, mais je me suis dit : Peut-être que Tutusaus n'a rien à faire. Et puisque je me suis libéré plus tôt... À propos, comment avez-vous pu avoir l'idée de vous loger dans un endroit qui porte un nom pareil ? Hôtel « Numancia International »... On dirait une de ces boutiques celtibères qui veulent se montrer cosmopolites et se rebaptisent de noms aussi ridicules que Manolo's, Bar-tolo's...

Puis il ajouta :

— Je vous laisse choisir ce que vous préférez : le riz et le poisson de la Barceloneta, les tavernes des Ramblas ? Vous ne dites rien ? Bon, alors nous allons faire un tour puis nous irons souper dans un endroit qui va vous en boucher un coin. J'y ai commandé un mélange explosif qu'on ne prépare que pour moi : sophistication française et austérité castillane...

Ce type est incroyable, un vrai cinglé, pensa Tutusaus tout

en se rangeant à son avis. Il pouvait arriver n'importe quoi. Il le sentait capable de tout.

Ils commencèrent leur virée par un célèbre *tablao* de la plaça Reial, claquements de mains et accords de guitare s'entendaient jusque dehors. En ce mois d'avril, curieusement, la salle était pleine de touristes.

— Les touristes doivent respecter leur horaire de travail et s'adaptent difficilement aux endroits qu'ils visitent, disait Heredero légèrement mélancolique. Peu de Barcelonais viennent se fourrer dans ces endroits-là : sur la plaça Reial, il n'y a que des touristes.

— Je suis un touriste, moi, lâcha laconiquement Tutusaus.

— Bien sûr, bien sûr, mon cher, alors allons-y !

Il y avait déjà là un groupe d'Allemands et la sangria faisait son effet. La plupart n'avaient pas touché l'assiette d'oignons farcis à la viande hachée qui entrait dans le prix convenu avec l'hôtel organisateur du « Barcelone by night ». On devait les avoir prévenus dans leur pays d'origine du manque d'hygiène des tavernes ibériques, et ils avaient suivi la consigne. Tutusaus se contenta de commander une petite assiette de tripes et une cruche de vin, et les observa. Les Teutons regardaient avec concupiscence les cuisses de la danseuse, et les Teutonnes avaient les yeux rivés sur les organes génitaux du joueur de guitare, bien dessinés dans son pantalon noir aussi moulant que celui d'un torero. C'était partout pareil...

Rien n'arrêtait Heredero et ses ressources semblaient inépuisables. Ils écumèrent toutes les tavernes, en variant les plats. Avec ce système-là, avant même d'avoir soupé, s'étaient entassés dans l'estomac blindé de Tutusaus tapas de poissons, friture, tripes, veau, crevettes, escabèches diverses, fromages variés, moules, saucisses... Le tout évidemment arrosé du petit verre de vin correspondant, le *chato*. Puis ils allèrent souper. Heredero commanda un *cochon de lait à la ségovienne*. On aurait dit qu'il voulait en crever. Tutusaus ne comprenait pas comment il arrivait à ingurgiter toute cette nourriture.

— Ah, mon ami... lui dit soudain Heredero en lui tapant

sur l'épaule, je mange pour oublier ma peine... Et vous allez me demander : Mais n'est-ce pas en buvant que l'on oublie sa peine ?

— Exact.

— Vous voyez ? Ça, c'était avant, mon cher. C'était avant. Maintenant, non. Ça fait pauvre. Ça n'est pas moderne. Vous ne voulez pas être moderne, vous ?

— Je ne sais pas.

Heredero paya et ils sortirent. Ses deux gardes du corps le soutenaient discrètement. Dans la voiture, il rota de manière ahurissante et cria :

— Direction le Club. Nous y prendrons le dernier verre !

Il était près d'une heure et demie du matin lorsque l'automobile freina devant le Club Palomo. Heredero dormait profondément. Tutusaus essaya de le réveiller en le secouant comme s'il voulait ranimer un éléphant chloroformé. Il pressentait que ce type était capable de venir le tirer du lit et de l'obliger à finir leur laborieuse nuit... Mais ce fut sans succès.

— Vous inquiétez pas pour lui, on le ramènera jusqu'à sa villa. Vous voulez qu'on vous raccompagne à votre hôtel ? lui demanda un des gorilles.

Tutusaus accepta. Au moment de les quitter, il les salua et s'apprêtait à sortir lorsque Heredero se réveilla, le regarda et lui dit d'une voix pâteuse :

— Vous vous en allez déjà, Pepe ? Je ne sais pas pourquoi. Vous avez la tête de quelqu'un de persévérant. Je les aime, moi, les persévérants...

Il ébaucha un geste, comme s'il allait tirer au fusil et ajouta :

— Ils choisissent leur cible, ils visent, ils tirent et ne s'arrêtent que lorsqu'ils l'ont touchée... Pan ! Pan ! Pan ! (Il faisait mine de viser et de tirer sur un oiseau qui passait en volant au-dessus du toit du véhicule.) Pan ! Pan ! Pan !

Puis il retomba aussitôt endormi. Tutusaus sortit de la voiture et claqua la portière. Il était énervé. Un agacement sourd irriguait son corps depuis qu'il avait fichu les pieds à Barcelone, et il n'en savait pas vraiment la cause. Ce devait être Heredero. Ou peut-être la ville. Ou des deux à la fois.

Il était de nouveau à Barcelone, après vingt-trois ans d'absence. Elle ne lui avait pas manqué. Et il n'y avait pas vu tant de changements, ni tant de nouveautés. Les tramways avaient disparu sur les Ramblas, le kiosque à côté de la fontaine de Canaletes aussi. Il circulait en revanche des trolleybus à deux étages et il y avait davantage de stations de métro. Pas grand-chose de plus. Peut-être une augmentation du nombre de taxis. Et un tas de triporteurs. Barcelone vivait sa vie. On y parlait désormais castillan[1]. Et si, pour une question de camouflage, Tutusaus faisait usage du catalan, les gens, qui notaient son accent étrange en raison du manque de pratique, se mettaient à parler castillan comme si de rien n'était, au bout de deux ou trois minutes. Il était à Barcelone depuis vingt-quatre heures, mais au lieu de bénéficier de la luminosité printanière habituelle du mois d'avril, il se heurtait à un de ces jours tristes qui ressemblent à l'automne, avec un ciel gris comme un plafond crasseux qui ne laisse passer qu'un peu de clarté.

Vingt-trois ans hors de Barcelone et les hasards du travail l'y ramenaient. Cela faisait longtemps qu'il n'y avait pas vécu, et Barcelone lui plaisait toujours aussi peu. Il n'aimait ni la ville ni les gens. Ni ce temps lourd et humide, ni cette merde de Sagrada Família qui n'était toujours pas achevée. Il n'avait pas vu la mer depuis des années. Il retourna la voir, sur le port, et elle lui fit la même impression que d'habitude : il la trouva trop vaste. Et les quartiers des Ramblas et du Barrio Chino trop sales, celui de l'Eixample trop carré, les Barcelonais trop bizarres, et les putes, il y mettait sa main au feu, trop chères.

— Ah si, il y a le nouveau terrain de foot du Barça. Mais

---

1. Avec l'arrivée du général Franco au pouvoir, en 1939, la langue catalane est interdite dans tous les moyens de communication, la seule langue officielle étant alors le castillan. (*N.d.T.*)

ça, ils peuvent bien se le foutre où je pense, se surprit-il à dire à voix haute.

Non, vraiment, ce qui l'irritait, c'était la personnalité même de Felipe Heredero. Il ne savait pas ce qu'il y avait chez ce type qui provoquait en lui une sorte d'humiliation continue.

Il demanda du bicarbonate de soude au concierge du Numancia International.

— On n'en a pas, lui répondit l'homme d'un ton ironique. À propos, vous avez...

Il s'agissait d'un message du général Pozos. Tutusaus attendit d'être dans sa chambre pour le lire. Comme tous les messages du général, il était clair et concis. Il lui ordonnait d'emménager à Barcelone dès le lendemain, ou au plus tard dans les quarante-huit heures. Et son supérieur avait joint une coupure du journal *La Vangardia* avec l'annonce suivante, aux mots soulignés : « Chambre à louer. Balcon. Rue Asc. Tél. 5 mn. métro. Confort. Econ. » Et, dessous, l'écriture manuscrite du général : « C'est en face de chez Heredero, de l'autre côté de sa rue. Loue-la. Centre opérationnel. Resterons en contact. » Il était comme ça, le général. Ils s'étaient vus avant déjeuner et il ne lui avait rien dit. Tutusaus avait l'habitude. Les ordres étaient les ordres, et il s'adaptait en fonction de la situation.

Deux ou trois coups frappés à la porte le dérangèrent. Il tarda quelques secondes à comprendre ce qui se passait. La vision du général Pozos s'évanouit pour laisser place à celle d'une jeune fille, petite et négligée, qui lui disait venir de la part du patron, que s'il se sentait seul, que s'il s'ennuyait, qu'avec cinquante pesetas... Il la fit entrer en silence et referma la porte derrière eux à clef et au verrou. Pendant que la jeune fille était dans la salle de bains, il fouilla son sac à main. Il ne contenait presque rien : un peigne, un préservatif, un crayon à maquillage et une image de la Sainte Vierge du Pilar. Il glissa son pistolet sous son oreiller, se détendit et ôta ses chaussures. Brusquement, il y repensa. Si le général voulait qu'il soit installé dans les quarante-huit heures, il devait retourner à Montsol chercher ses instruments de travail. Il appela la réception et le veilleur de nuit mit du temps à répondre. Il devait s'être assoupi. Tutusaus lui donna l'ordre de préparer sa note. L'homme, évidemment, fit le lien avec la jeune fille, qui se trouvait encore dans la salle de bains. Tutusaus n'eut pas le courage de démentir. S'il devait se rendre à Montsol, le plus vite était le mieux. Il avait juste le temps d'y faire un saut. Il ramassa ses affaires, laissa cinquante pesetas sur le lit et s'en alla.

Conduire de nuit ne dérangeait pas Tutusaus. En se rendant à la ferme, il surprenait souvent des animaux qui traversaient la route. Ils demeuraient là, hypnotisés par les phares de la voiture, et s'immobilisaient, les yeux pareils à deux boules brillantes. Tutusaus éteignait alors les lumières et klaxonnait pour les effrayer.

Ces pièges-là n'étaient pas de ceux qu'il aimait. Ceux qu'il aimait, c'étaient les siens, ceux qu'il fabriquait de ses propres mains, aussi bien pour les gens que pour les animaux.

CHAPITRE 5

Il arriva à Montsol à cinq heures du matin bien sonnées.
Un papier avait été agrafé sur son portail. Il l'arracha,
ouvrit la porte de sa maison et alluma la lumière. Il s'agissait
d'une note du caporal de la garde civile de Montsol lui recom-
mandant la plus grande prudence : il rôdait actuellement dans
cette zone au moins deux groupes de chiens sauvages plutôt
virulents « ils ont récemment attaqué l'enclos d'une ferme,
près de Montsol, et ont tué une douzaine de moutons. Dans
une autre, plus près, on a dénombré plus de trente bêtes tuées,
et les chiens ont même tenu tête au paysan... » Le message
s'achevait en expliquant que quelques jours plus tôt, ces
mêmes bêtes avaient obligé un cueilleur de champignons à se
réfugier à l'intérieur de sa voiture pendant un bon moment.
Tutusaus sourit. C'était à lui qu'on venait parler de ces
chiens ! Le caporal n'avait sûrement pas vu les deux cadavres
jetés dans le bourrier derrière la ferme. Tutusaus n'avait pas
besoin d'être prévenu. Les chiens et lui étaient de vieilles
connaissances et chacun savait à quoi s'en tenir. Les chiens
savaient toujours quand Tutusaus était là, et Tutusaus savait
toujours si les chiens rôdaient dans les parages. Au cours de
ces années passées à la ferme, et elles n'étaient pas si nombreuses, les chiens sauvages semblaient s'être transmis d'une
génération à l'autre la haine qu'ils éprouvaient à son égard.
Cela venait peut-être de cette fois où le général Pozos avait
téléphoné à Tutusaus, peu de temps après son installation,

82

pour lui dire de préparer quelques chambres, et de lui fournir trois bêtes de taille moyenne :

— Des moutons, des porcs... Ce que tu veux...

Tutusaus ne chercha pas à savoir pourquoi il en avait besoin, il ne discutait jamais les ordres. Il lui demanda simplement si des chiens convenaient. Le général lui répondit oui et raccrocha après lui avoir dit de les tenir prêts pour le lendemain matin. Tutusaus venait d'en attraper trois. Il avait ouvert un piège à loups : un enclos avec un couloir en spirale au centre duquel se trouvait un mouton. Les chiens y pénétraient et s'enfonçaient dans la spirale. Quand ils s'en rendaient compte, ils ne pouvaient déjà plus en sortir. À un endroit, le chemin était barré. Les chiens n'atteignaient jamais le mouton et ne pouvaient que le flairer sans parvenir à le toucher. Tutusaus les voulait vivants afin de pouvoir les observer, les regarder tout le temps qu'il le désirait et pour qu'eux aussi le voient. Il pensait les libérer aussitôt après, pour la première et dernière fois. Il voulait qu'ils partent en courant vers la montagne et, si leur nature le leur permettait, qu'ils communiquent aux leurs qui était le patron. La fois suivante, il leur ouvrirait le ventre et en répandrait les viscères tout autour de la ferme, pour marquer son territoire.

Le général se présenta de bon matin à bord d'une jeep militaire accompagné de deux individus de nationalité nord-américaine. Après avoir fait les présentations, il lui dit :

— Ils viennent d'arriver dans le port de Barcelone. Ils apportent du matériel intéressant. S'ils font le poids, on leur passera commande d'une valeur d'un bon paquet de millions. Nous sommes venus tester leur matériel...

Tutusaus aida au déchargement de quelques caissons de bois soigneusement emballés. Ils les ouvrirent à l'aide d'un pied-de-biche. Ils contenaient des armes, des armes bien particulières.

— Les Américains ont inventé une cartouche spéciale de calibre 22, Céspedes. Ce projectile est en réalité une balle explosive miniature dans une douille en métal. C'est brutal. Et on peut tirer avec un simple pistolet ! Le problème, à ce qui paraît, c'est qu'elles n'ont pas un grand pouvoir de pénétration. On va voir ça tout de suite...

Le général donna les ordres nécessaires. Les Américains prirent deux annuaires téléphoniques dans leur jeep, chargèrent leur pistolet, installèrent le silencieux et le tendirent au général avec un geste moqueur. Ils demandèrent à Tutusaus de prendre les deux annuaires, l'un contre l'autre, et de les tenir à bout de bras afin que le général puisse tirer dedans. Il se plaça à cinq mètres de distance. Les Américains se fichaient de Tutusaus en anglais.

— Fais pas attention à eux, Céspedes. Ils disent que t'es foutu.

Et, sans attendre, il appuya sur la détente. Il n'y eut guère de bruit, juste une espèce de « ploc », et les deux mille pages des annuaires téléphoniques volèrent en miettes. Tutusaus n'avait pas bougé d'un millimètre. Le papier déchiqueté lui avait entaillé les mains. Les Américains se tenaient cois, pensant tout d'abord que si le sang coulait, c'était parce que le projectile lui avait arraché les doigts. Ensuite, comprenant ce qui s'était passé, ils se remirent à rire et félicitèrent Tutusaus avec effusion tandis que ce dernier se bandait les mains.

— T'as vu cette merveille ? lui dit le général, avant d'ajouter avec satisfaction : Ces enfoirés de Yankees disent que les projectiles ont des charges subsoniques pour être encore plus silencieux. Qu'est-ce que t'en penses ? Ils disent aussi qu'à dix mètres la balle fait un trou assez grand pour y passer le poing. Mortel, fatalement. Bon, on va faire le deuxième essai. Où sont tes chiens ?

Tutusaus désigna vaguement l'endroit, derrière la ferme. Il avait suivi les indications données par le général au téléphone, il les gardait dans l'enclos, un peu KO sous l'action d'un sédatif.

— Le deuxième essai consiste à savoir si, à une distance donnée, le projectile traverserait une capote militaire ou une vareuse de l'armée russe, puisque je t'ai dit que, en réalité, leur puissance de pénétration est très faible.

Les Américains revenaient de la jeep chargés de vareuses et d'une petite caméra super 8.

— Tiens, enfile ça aux chiens.

— Pardon ?

— Habille les chiens avec les vareuses.

— Que j'habille les chiens ?

— Oui, Céspedes, t'as l'air d'un abruti, là !

Tandis que Tutusaus s'empressait d'exécuter cet ordre, le général poursuivait son bavardage :

— Nous allons utiliser un High Standard avec un silencieux à cinq mètres, une Walther également munie d'un silencieux à dix mètres, et un pistolet-mitrailleur Venus, à quinze. Tu connais les Venus, Céspedes ?

— Non.

— Ils sont capables d'envoyer un tas de rafales à la seconde, et avec un calibre de 22 Long Rifle, en balayage latéral.

Ils eurent du mal à mettre les vareuses aux chiens à moitié endormis. Quand ils enfilaient une patte dans une manche, c'était l'autre qui ressortait. Et ils durent en plus recommencer, car l'Américain qui filmait la scène n'était pas parvenu à l'enregistrer correctement. Enfin, ils y arrivèrent. L'allure des chiens était grotesque, avec leurs vêtements boutonnés sur les flancs. Les Américains riaient aux éclats et disaient des choses que Tutusaus ne comprenait pas. Avant d'abandonner les chiens à leur sort, il leur fit respirer un peu d'ammoniaque pour qu'ils se revivifient un peu.

— Et maintenant, écarte-toi, si tu ne veux pas avoir mal, lui cria le général.

Les bêtes observaient les humains, l'air de ne rien y comprendre. Elles tenaient à peine sur leurs pattes. Pozos tira sur le premier en visant la poitrine. La vareuse n'offrait pas grande protection et, évidemment, la bête mourut instantanément, la panse trouée. Le deuxième chien, qui n'arrêtait pas de bouger, ne fut touché qu'à la patte de devant droite. Et, à la grande surprise de tous, Tutusaus inclus, il mourut également sur-le-champ. L'impact avait été dévastateur : l'animal tomba raide mort, sur ses trois pattes. On ne retrouva jamais la quatrième.

— On peut dire ce qu'on veut, mais spectaculaire, ça l'est un max, hein ? dit le général.

Pour finir, ils chargèrent le Venus. Il avait un double-silencieux et rendait un son sourd, étrange, qu'on n'associait pas à une arme à feu. Pozos tira et, en un éclair, le chien se convertit en une bouillie de chair hachée, quelque chose d'affreux. L'animal avait été littéralement désintégré.

— Cent tirs en 1,2 seconde, Céspedes. T'imagines, à Ifni, si on en avait eu un ? Ce qu'on s'en serait payé, avec les Arabes...

Les Américains criaient « youpi » et se congratulaient. Le général souriait, content, et Tutusaus s'approcha des restes sanguinolents afin de voir s'il pouvait récupérer quelques insignes communistes sur les vareuses russes, en souvenir.

Les hommes burent un verre et s'en allèrent comme ils étaient venus. Ils n'utilisèrent même pas les chambres que Tutusaus leur avait préparées.

Depuis ce temps-là, les chiens haïssaient Tutusaus et semblaient vouloir se venger en permanence.

Il observa de nouveau le message du caporal de la garde civile, le déchira en petits morceaux et le jeta dehors. Tutusaus était cruel avec les chiens. Il les torturait toujours avant de les tuer, mais après avoir lutté d'égal à égal. Avec ses victimes, c'était différent, il avait toujours l'avantage. Tout en pensant à cela, il ferma les volets et se rendit dans la cuisine. Il n'avait pas sommeil. Il avait passé ces quatre dernières années et demie dans cette ferme, au cœur des pré-Pyrénées. Le général, après lui avoir acheté cette maison, lui faisait parvenir chaque mois suffisamment d'argent pour sa subsistance. Tous les dix jours, une jeep lui montait de quoi manger, en provenance de la capitale régionale. Tout le monde, dans le coin, connaissait l'existence de Tutusaus. Et tout le monde pressentait, sans jamais en avoir reçu la consigne, qu'il valait mieux ne pas en parler, et encore moins se poser de questions. La ferme de Montsol était un lieu perdu dans la montagne, idéal pour passer inaperçu, détenir des gens si besoin était, et n'en sortir que pour exécuter implacablement les ordres essentiels. Tutusaus, qui n'avait jamais passé plus de huit heures d'affilée en montagne, s'était rapidement acclimaté. Tant et si bien qu'il lui sembla que la montagne, la forêt, le silence, ses victimes reposant à côté de la fontaine, tout près de là, personne pour l'emmerder ni lui donner des ordres, la non-nécessité de devoir penser à quelque chose, c'était ce dont il avait rêvé toute sa vie.

Il s'assit dans la cuisine et se servit un petit verre de *chinchón*. Le fait de ne pas pouvoir calculer le temps qu'il allait rester à Barcelone l'incommodait, plus que tout parce que cela l'empêchait de préparer correctement sa valise. Il alla dans son petit atelier, là où il gardait ce qu'il appelait ses « instruments de voleur à la manque ». Il les conservait dans un sac en cuir : rossignols et trousseaux de fausses clefs, indispensables pour forcer les serrures les plus diverses. En définitive, on en avait toujours besoin. Il les nettoya à l'aide d'un peu d'huile. Tutusaus pouvait ouvrir n'importe quelle porte sans laisser de trace. Un spécialiste de la police, Hipólito Pareado, le lui avait enseigné au début des années cinquante, à Madrid. Ce dernier l'avait initié à quelques-unes des techniques policières de terrain issues directement du monde de la délinquance. Il vivait dans un minuscule appartement du quartier ancien de la ville. Mince, célibataire, âgé d'une cinquantaine d'années, de grands yeux noirs et les lèvres aussi fines qu'une lame, Pareado possédait plus d'une corde à son arc, mais Tutusaus ne l'avait eu comme professeur que dans l'art d'ouvrir proprement les serrures. L'homme parlait avec l'accent madrilène, fumait des *Ideales* et crachait par terre les miettes de tabac qui restaient coincées dans sa bouche.

— « Ouvrir », Tutusaus, tu entends ? lui disait-il toujours, « ouvrir », pas « défoncer ». Il est quasiment impossible de défoncer ou de forcer une serrure en passant inaperçu. N'importe quel spécialiste peut déceler la plus petite manipulation. Or la plupart du temps, si nous pénétrons dans un lieu interdit, nous voulons aussi que personne ne s'en rende compte après qu'on a foutu le camp. La clef du problème, pardon pour la redondance, est d'arriver à obtenir une copie de la clef.

Là, Pareado se mettait à rire. On avait l'impression qu'il allait entonner d'une minute à l'autre un solo de *La Verbena de la Paloma*, une zarzuela bien connue.

Pareado expliquait comment faire sauter les serrures les plus difficiles. Il avait fabriqué lui-même une maquette de démonstration qui consistait en un mécanisme de serrure monté sur un morceau de bois. D'un côté on voyait les vis, de l'autre les yeux concentrés de Pareado. Ce dernier introduisait dans le pêne une tige de fer terminée en crochet et, en se mordillant la langue, tâtonnait avec une dextérité toute professionnelle. Parfois il parlait pendant la démonstration :

— Vous devez réussir à appuyer sur le premier cran du barillet de la serrure jusqu'à ce que vous sentiez qu'il bouge. Vous savez alors qu'il y en a déjà un d'aligné. Il faut maintenir la pression jusqu'à ce qu'ils s'alignent les uns derrière les autres...

Penché ainsi sur sa grosse planche de bois de démonstration, avec sa tige de fer, on aurait dit un violoncelliste bricoleur.

— Tu as des questions à poser, Tutusaus ? Tu as vu ? Je ressemble à un vulgaire cambrioleur...

Un soir, après la classe, Pareado invita Tutusaus à boire une bière chez lui. La visite valait le coup d'œil. Un petit appartement, d'environ quarante mètres carrés, avec une pièce entièrement consacrée à l'art de pénétrer dans la maison et dans le coffre d'autrui.

— T'aimes bien ma cambuse ? C'était l'appartement d'un rouge qui s'est barré après la guerre. On l'a réquisitionné et on me l'a donné. Ils ont vu de tout, ces quatre murs, Tutusaus... Si tu savais...

Il possédait une collection complète de clefs, classifiées et numérotées, pendues au mur, dans un cadre au fond de velours rouge. Elles étaient disposées selon les modèles, il y en avait peut-être deux ou trois cents.

— Chaque fois que la police ou moi-même faisons l'acquisition d'une nouvelle clef, d'où qu'elle vienne, nous l'enregistrons et nous lui donnons un numéro. Beaucoup de clefs s'adaptent sur différentes serrures. Et souviens-toi de la règle numéro un : Quand tu veux entrer dans une maison, tu ne dois t'attaquer à la serrure que si tu n'as pas d'autre solution.

Tutusaus était fasciné. Il lui demanda si aucune serrure ne lui avait jamais résisté.

— Évidemment, triple andouille ! Beaucoup ! Énormément. Par chance, ça n'est pas une science exacte, sinon ça perdrait tout son intérêt. Quand tu commences à trifouiller une serrure, tu ne sais jamais si tu t'en sortiras ou non... Viens voir...

Ils traversèrent la salle à manger, puis une petite alcôve, et il le traîna jusqu'au balcon qui donnait sur la rue. Il lui désigna un coffre-fort, pas très grand, la porte défoncée, et un peu rouillé à force de rester dehors, exposé aux intempéries.

— Tu vois ça ? Je garde cette saloperie en souvenir. C'est un coffre-fort de bijouterie, avec une serrure Burmah. Impossible à forcer. Les pênes se déplacent horizontalement. J'ai dû l'emporter sur mon dos, et la faire sauter à la dynamite. Et ne fais ça cette tête-là, imbécile, qu'est-ce que tu crois ? Que les policiers ne braquent pas les bijouteries ?

Tutusaus ne savait jamais comment prendre ce genre de plaisanterie.

On lui avait dit que Pareado vivait désormais retiré à Barcelone. Il allait téléphoner à sa famille pour obtenir sa nouvelle adresse, et il irait lui rendre visite.

Il essuya ses clefs et ses rossignols, enveloppa le tout dans un chiffon, le glissa dans sa sacoche en cuir, et partit dans sa chambre. Il plaça soigneusement la petite sacoche dans sa valise puis s'endormit aussitôt, comme toujours.

Le lendemain, il se leva de bonne heure. Lorsque Tutusaus entrait dans une dynamique de travail, il avait assez de trois heures de sommeil. Le jour qui pointait était froid et clair, le ciel d'un bleu généreux et apaisant, promesse d'une belle matinée printanière. Tutusaus s'activa de nouveau sur sa mallette, prépara ses armes, vérifia les différents petits flacons de poisons en poudre qu'il gardait toujours prêts. Il utilisait l'un ou l'autre, selon les cas. Les uns agissaient à retardement, mais de manière fulgurante ; les autres agissaient immédiatement mais occasionnaient une mort lente ; certains laissaient des traces évidentes, et d'autres moins. Tutusaus s'était fabriqué un coffret en bois qui lui servait de laboratoire ambulant. Il le rangeait dans une valise d'aspect ordinaire qui semblait faire partie de ses bagages. Après avoir tout préparé, il prit ses outils de travail et s'en alla jeter un dernier coup d'œil à son cimetière, dans le bois. Il n'était pas encore dix heures et le givre semblait se cramponner aux feuilles des arbres qu'il recouvrait. Tutusaus les épousseta en passant. Le bois d'Entraigües n'avait plus de secret pour lui. Au premier coup d'œil, tout semblait en ordre. Près des petits tumulus entourés de pierres, il enleva les feuilles que l'air de la nuit avait fait tomber. Une des sépultures avait été remuée, le monticule de terre gratté. Ils étaient venus fouiller. Les pierres avaient changé de place. Il reconnut aussitôt les empreintes : les chiens. Il ne comprenait pas. Pourquoi étaient-ils venus fouiller la tombe la plus ancienne ? Tandis qu'il la remettait en état, il se souvint de son occupant, un communiste catalan clandestin infiltré, du nom de Peremartí. Il menait une vie apparemment normale dans un quartier ouvrier à la périphérie industrieuse de Bilbao. Tutusaus avait observé que chaque soir, en rentrant du travail, l'homme s'asseyait un moment sur son balcon et buvait un coup à la cruche. Il lui prépara donc trois grammes de digitale en poudre, entra chez lui pendant son absence, glissa le poison dans la cruche, puis s'en alla tranquillement. Ce pauvre type vivait ses dernière heures. Le lendemain, très tôt, Pozos téléphona. Le général, hors de lui, l'informa à grands cris que l'homme était encore en vie et qu'il lui donnait une heure pour résoudre le problème d'une manière pleinement satisfaisante. Lorsque Tutusaus, troublé par son erreur de calcul, arriva chez Peremartí, le général était là, lui aussi. Il l'attendait, arborant une mine terrible.

— Il n'est qu'à moitié endormi. Heureusement, j'avais placé un homme pour le surveiller. Je t'ai demandé de venir

parce que je veux que ce soit toi qui le liquides, en personne...
Ça t'apprendra... À propos, il n'était pas tout seul.

La dose n'avait pas fait son effet parce que, ce soir-là, les parents de Peremartí étaient justement venus lui rendre visite, et avaient partagé avec lui l'eau de la cruche. Tutusaus se rendit immédiatement compte que non seulement sa victime était agonisante, mais ses parents aussi, tous les trois gisaient dans des positions différentes, à moitié morts. Il reverrait toute sa vie ce vieux, assis, essayant en vain de reprendre son souffle. Tutusaus s'était retourné. Le général l'observait :

— On peut savoir ce que t'attends, espèce de connard de pédé de merde ?

— Mais qu'est-ce que je dois faire ?

— Qu'est-ce que tu dois faire ? (Le général criait de plus en plus.) Je m'en vais, et il vaut mieux que, demain matin, on me raconte quelque chose qui me plaise sur la fin de cette histoire... Et si ça n'est pas le cas, pauvre malheureux, n'attends plus jamais rien de moi.

Pour Tutusaus, c'était la pire des menaces. Cela l'aveugla. Le lendemain, on retrouva le vieux sur le canapé, comme s'il s'était assis en attendant qu'on vienne lui porter son café. Il était vêtu d'une veste et d'une cravate. Appuyé sur le côté droit, un seul de ses pieds touchait le sol. Onze coups donnés à l'aide d'un fer à repasser avaient brisé son visage, crevé un des globes oculaires, arraché son nez en déchirant la chair au point de laisser apparaître l'os. Son épouse était dans la pièce d'à côté. Elle gisait à plat ventre. Dix-neuf coups de couteau dans le dos. Un coup en travers de la tête lui avait à moitié arraché le crâne. Peremartí s'était volatilisé. Tutusaus l'avait emporté à Montsol. Officiellement, la justice consigna que l'homme était en fuite après avoir assassiné ses parents lors d'un accès de folie. Lorsque Tutusaus l'enterra dans le bois, il était encore vivant.

— Cette affaire est un vrai gâchis, un exemple des choses à ne pas faire, l'admonesta malgré tout le général Pozos, avant de poursuivre : J'espère que ça ne se reproduira plus, Céspedes. L'efficacité est le secret de notre réussite, mais la discrétion également. Je ne vais pas te dire que je regrette la boucherie que tu as commise. Au bout du compte, ça n'étaient que des rouges, et ils avaient déjà vécu bien plus longtemps qu'ils n'auraient dû. Mais ça n'enlève rien, je ne tolérerai plus jamais une erreur pareille. Plus jamais, t'as compris ?

Tutusaus avait parfaitement compris, et ne faillit plus jamais à son devoir. Mais tout en arrangeant la tombe de Peremartí, le souvenir de la honte qu'il avait éprouvée lui remit les nerfs à vif. Il entendit un frottement sourd à proximité de la fontaine. Il leva la tête et aperçut une couleuvre d'eau. Inoffensive. Elle n'eut pas le temps de se réfugier dans la flaque. En un éclair, presque instinctivement, Tutusaus l'attrapa à mains nues et lui tordit la tête. Soudain, l'animal vomit deux salamandres, dont une encore en vie. Tutusaus avait enterré Peremartí vivant, la couleuvre avait avalé la salamandre vivante. En se rendant compte de ce qu'il venait de faire, il laissa tomber la couleuvre par terre, mais elle était déjà morte. Il la ramassa, la fit voltiger et la jeta au loin. Qu'est-ce qu'il lui arrivait ? C'était cette histoire qui le troublait profondément, et ce Heredero qui le rendait nerveux. Quelque chose de bien ancré en lui lui disait que cette fois-ci rien ne se passerait comme les autres fois. Il s'étendit sur l'un des rochers gluants et couverts de mousse, près de la fontaine, et parvint à la conclusion que ce qu'il avait de mieux à faire était d'en finir au plus vite. Il se releva et contempla le bassin. À l'ombre, l'eau verte paraissait noire.

Une fois rentré à la ferme, il ferma tout soigneusement à double tour ; cette fois-ci, il ne savait pas dans combien de temps il serait de retour. Il grimpa dans sa 1400 et partit en direction de Barcelone. Comme il roulait, la figure de Felipe Heredero s'incrusta sous ses paupières. Il se le remémorait tel qu'il l'avait vu la veille, fier et satisfait, puissant, malgré sa maladie bien réelle. Tout en lui était excessif. Heredero, roi d'Espagne ? Franco était trop bon. Que pouvait apporter la monarchie à un régime tel que celui du 18-Juillet ? Et pourquoi précisément Heredero ? Quels mérites le simple droit du sang pouvait-il conférer ? À quoi pouvait servir une institution fondée sur le principe héréditaire ? Tutusaus pensait que c'était une perte de temps : si c'est un bon roi, tout va bien. Mais s'il est mauvais, on doit le flanquer de deux trois personnalités importantes pour le surveiller de près afin qu'il ne fasse pas de bêtises. Et puis, tant qu'on y était, pourquoi Franco n'aurait-il pas pu devenir roi ? Il en avait plus le droit que quiconque. Comme Napoléon. Et tant qu'on y était, couronné par le pape. Il avait bien gagné une croisade contre les communistes et l'antéchrist. Tutusaus ne se sortait pas cette idée de la tête : Franco était trop bon. Et après, ses ennemis raconteraient n'importe quoi. Mais on verrait qui aurait assez de couilles pour tousser, à ce moment-là, s'il décidait de fonder une nouvelle dynastie : la maison royale des Franco-Bahamonde... Voilà qui ne manquait pas d'allure ! Il le répéta à voix haute :

— Franciscofranco Ier, de la dynastie Franco-Bahamonde...

Et si Franco ne voulait pas être roi, il n'y avait qu'à en inventer un parmi les gens de son entourage. Il en avait le pouvoir. Le général Pozos lui avait expliqué que chez les anciens barbares, la monarchie n'était pas héréditaire et que lorsqu'un roi mourait on choisissait le nouveau en votant. Son Excellence pourrait nommer roi le général Pozos ! Quelle idée fantastique ! Napoléon aussi avait été un pionnier en la matière. Le descendant d'un de ses généraux était encore roi de Suède aujourd'hui ! Ce serait un bon roi, le général Pozos... Mais non, il s'en souvenait maintenant, le général n'était pas franchement monarchiste. C'est lui qui le disait :

— Et puis, Céspedes, il y a de moins en moins de rois, en Europe. C'est une espèce en voie de disparition. Nous, nous ne serons pas différents. Après la Seconde Guerre mondiale, les rois d'Italie, de Bulgarie, de Roumanie et d'Albanie ont été rayés de la carte. Ils sont allés grossir les rangs d'un groupe dans lequel figuraient déjà, au moins, les prétendants au trône de France, Portugal, Autriche, Hongrie, Allemagne et Russie. Ces rois en exil sont pathétiques, Céspedes, ils font figure de décoration lors des fêtes de la haute société. Madrid en est plein ; le Généralissime les protège, surtout ceux qui viennent des pays de l'Est, puisqu'ils sont désormais communistes... Doña Carmen en personne a un faible pour la famille royale albanaise et invite souvent au Pardo la reine Géraldine, la reine mère d'Albanie. C'est curieux de voir le traitement que Franco accorde à toute cette troupe, et qu'il refuse à l'héritier d'Alphonse XIII. Mais enfin, vu que jusqu'à présent toutes les décisions prises par Son Excellence se sont révélées providentielles, on peut avoir confiance, celle-ci le sera également.

Voilà ce à quoi songeait Tutusaus en route pour Barcelone. Il songeait aussi que, finalement, s'il devait liquider Heredero, indépendamment de son intérêt dynastique, l'Espagne n'y perdrait pas grand-chose. Soudain, une petite voix lui dit que si quelqu'un le liquidait, lui, l'Espagne n'y perdrait pas non plus grand-chose. Il sourit : seul comme un linceul, sans personne à qui faire appel, pas même le général. Depuis des années, Tutusaus concentrait tous ses efforts sur la façon de se soustraire à la mort et à l'adversité. Et il était conscient qu'un jour ou l'autre, il devrait tomber. Il n'avait pas le pouvoir de conduire son destin et se cognait d'un côté et de l'autre. La seule chose qui le guidait était la survie fondée sur la loyauté. Il avait un peu de passé et aucun avenir. Mais il ne se plaignait pas. Il savait que beaucoup avaient fini bien plus mal que lui. C'est dans cet état d'esprit proche de la mélancolie qu'il arriva à Barcelone. Il s'arrêta dans un bar pour boire un café et appeler au numéro de téléphone de l'annonce. Une voix de femme très aimable lui répondit, si bien qu'il en resta d'abord muet. Puis il lui lâcha un peu brutalement qu'il désirait la chambre pour le soir même.

Il s'agissait d'un bâtiment situé sur les hauteurs de Barcelone, la location était au deuxième étage d'une maison de ville. C'est la femme qu'il avait eue au téléphone qui lui ouvrit la porte. Âgée d'environ cinquante-cinq ans, portant de grosses lunettes, elle était grassouillette, avec une figure rougeaude et un regard effronté. Elle s'appelait Mme Vilallonga. Elle baissait de temps en temps ses lunettes et le regardait par-dessus d'un air amusé. Elle avait mis son collier de perles Majòrica pour le recevoir, et portait un sweater et une jupe qui ne cadraient pas avec la somptuosité surannée de la maison. Elle insista avant tout pour lui montrer la chambre :

— Vous voyez, comme l'annonce le dit, c'est une chambre superbe. La salle de bains est dans le couloir, deux portes plus loin en direction de l'entrée.

Tutusaus lui désigna le balcon fermé et lui demanda s'il donnait sur la rue.

— Bien sûr...

Elle courut ouvrir. Ce qui apparut devant lui était exactement ce qu'il attendait : la maison de Felipe Heredero. Des rameaux bénits étaient accrochés à la balustrade.

— Si ça vous dérange, je les enlève...

— Ça ne sera pas nécessaire.

— Je préfère. Vous savez que les Barcelonais disent qu'une maison avec des rameaux bénits est protégée de la foudre.

Ils se mirent aussitôt d'accord : six cents pesetas par mois, pour le coucher et le petit déjeuner.

— Mais vous êtes sûr que vous ne voulez pas réfléchir un peu ?

Tutusaus répondit que non, et qu'il allait descendre chercher ses affaires.

Chapitre 6

— Bonjour, vous avez bien dormi ?

— Oui, merci...

Tutusaus profita de l'occasion pour demander à la patronne s'il y avait d'autres hôtes dans la maison.

— Non, vous voyez. Pas en ce moment. Pour tout vous dire, vous serez seul. Je vais être franche : j'espère que vous ne resterez pas trop longtemps. Je vais prochainement liquider ma retraite et j'ai l'intention de fermer mon établissement. Il y a un mois, j'ai donné congé à la jeune fille qui m'aidait et, si tout va bien, je vais bientôt pouvoir me retirer. J'ai loué des chambres pendant des années, mais je manque de caractère. J'avais beau me dire : « Tu ne dois pas te laisser intimider », rien n'y a fait. Avant, avec mon mari, c'était différent. Mais moi, toute seule, je n'ai pas assez de caractère. Ça, les gens se le disent, et à un moment donné, ici, on aurait dit une succursale des petites sœurs des pauvres. Pensez, la facture n'était présentée qu'aux pensionnaires qui me la demandaient. Bien sûr, ils en profitaient. Il y a deux ou trois mois, j'ai eu les deux derniers, des cas désespérés. Le premier était un employé de bureau, un comptable, quelque chose dans ce genre. Il essayait de me cacher qu'il était malade. Il avait une tonne de mouchoirs qu'il lavait lui-même, dans sa chambre, parce qu'il avait honte qu'on les voie pleins de sang. Les derniers temps, il a vendu ses livres. Un jour, il a toussé toute la nuit. Le lendemain, je l'ai retrouvé mort. C'était assez désagréable : il n'avait pas de famille, personne pour s'occuper de lui. Il a fini à la fosse commune de Montjuïc, le pauvre. Le second pensionnaire était un pharmacien sans pharmacie. Il avait été « épuré » après la guerre et avait perdu sa boutique. Il s'était donc mis à travailler pour le compte d'un laboratoire et passait ses journées par monts et par vaux, avec une mallette bourrée d'échantillons de médicaments. Il ne buvait pas trop, mais tout de même pas mal. Je l'ai foutu dehors quand l'autre est mort. Mon idée, c'était de fermer, mais après j'ai fait mes comptes, et j'ai vu que je ne pouvais pas. C'est pour ça que je vous ai pris. Cela dit, pour parler franchement, dès que ma situation s'arrangera, et Dieu fasse que ça ne tarde pas, vous devrez libérer la chambre.

— Ça sera pour quand ? lui demanda Tutusaus.

— J'ai calculé que, au bas mot, je vais bien en avoir pour deux ou trois mois, quatre au maximum si on tient compte des vacances tout de suite après. Vous pouvez donc tabler sur fin septembre.

Tutusaus respira, soulagé, et lui dit de ne pas s'inquiéter, qu'il n'aurait pas besoin d'autant de temps pour terminer ce qui l'avait amené à Barcelone.

— Puisque vous parlez de ça, justement, je voulais vous poser la question. Pas par curiosité, c'est pour remplir la fiche de police. Votre dévouée ne veut pas d'embrouilles avec la Garde civile, et elle est la plus sérieuse de Barcelone. Comme je dois présenter mon registre la semaine prochaine...

Mme Vilallonga posa des questions et prit des notes tandis que Tutusaus lui répondait selon la personnalité fictive que lui avait établie le général Pozos. Il était supposé être un commerçant se rendant à Barcelone en vue d'y effectuer des démarches, accomplir des formalités pour obtenir principalement des licences d'importation et d'exportation, tenter de décrocher des crédits bancaires et honorer des rendez-vous avec d'autres commerçants de la ville, censés déboucher sur d'éventuelles collaborations. Il finit par lui expliquer qu'il avait besoin de cette chambre un petit bout de temps : il ne savait pas, en effet, quand et combien de jours il resterait à Barcelone...

— Bien sûr, vous voulez un endroit calme pour pouvoir entrer et sortir en toute tranquillité, n'est-ce pas ?

— Oui...

— Vous n'êtes pas dans un hôtel ici, je veux dire que, pour ce qui est des femmes...

— Ne vous inquiétez pas, l'arrêta-t-il brusquement.

Soudain, toute la montagne de mensonges si bien ficelés se mit à trembler sur sa base lorsque Mme Vilallonga lui dit, très innocemment :

— Alors, vous êtes commerçant ? Tout comme mon défunt mari. Et dans quelle branche ?

Pozos avait oublié de lui dire dans quoi il commerçait. Tutusaus se bloqua une seconde et cracha la première chose qui lui vint à l'esprit :

— Drogues. Droguerie industrielle. Matériel pour la fumigation des champs. Raticides. Produits chimiques désinfectants.

Il venait de tracer le portrait de son père. C'était la seconde fois en peu de temps qu'il lui revenait en mémoire. Le père de Tutusaus avait été voyageur de commerce pour des produits de droguerie destinés à l'agriculture : sulfates, engrais, mort-aux-rats... Il possédait une droguerie à Barcelone, de vente au détail, que tenait son épouse, secondée par le jeune Tutusaus, alors âgé d'une douzaine d'années. L'homme voyageait dans toute l'Espagne en vendant ses produits, dont beaucoup étaient le fruit de ses propres recherches. Il avait même gagné un prix de la mairie de Barcelone pour sa contribution lors d'une campagne de dératisation de la ville. Le début de la guerre le surprit dans une foire aux bestiaux près de Burgos. Il fut accusé d'être un terroriste uniquement parce qu'il était catalan et avait le coffre de sa voiture rempli de produits capables de tuer un régiment entier. Après avoir vérifié qu'il n'était qu'un commerçant, on lui offrit la vie sauve s'il consentait à être envoyé jouer les agents doubles en zone républicaine. Et ce fut Pozos Bermúdez, alors commandant, qui se chargea de le convaincre. Le père de Tutusaus, terrifié, ne parvenait qu'à répéter qu'il n'était pas un espion, qu'il ne saurait pas bien faire. Mais on n'avait pas beaucoup de temps à perdre, et ni le cas ni l'individu n'étaient intéressants. De sorte que Pozos se lassa et le laissa pourrir dans la prison de cette province. Vers la fin de la guerre, un peloton de phalangistes vint le chercher et le fusilla avec une quinzaine d'autres prisonniers. Ce fut ce même Pozos qui apprit au jeune Tutusaus la fin tragique de son père. C'était un des derniers jours d'avril 1939. Le commandant se présenta à la Maison de charité de Barcelone et demanda à le voir. Lorsqu'ils furent seuls tous les deux dans le bureau du directeur, Pozos lui expliqua :

— Ton père, tu vois, n'a rien compris... Je l'ai interrogé plusieurs jours de suite. Un homme pusillanime, ton père, une merde incapable d'évaluer correctement sa situation...

Pozos avait approché son visage de celui du jeune Tutusaus. Ce dernier rétorqua dans un cri que c'était faux, et Pozos répondit d'une gifle qui le jeta à terre. Et cela quatre ou cinq fois de suite. Pozos le provoquait, Tutusaus répondait non, et l'autre lui flanquait une gifle.

— C'était un traître de merde ! L'Espagne nouvelle a besoin d'attitudes généreuses. Il aurait simplement mis toutes ses connaissances à notre service, il aurait peut-être pu sauver sa peau...

— Non.

Une gifle.

— Il a refusé parce qu'il avait de la merde dans les oreilles. Et c'est sa propre merde qui lui est montée au cerveau, et qui l'a empêché de distinguer ce qui était le mieux pour son propre intérêt.

— Non !

Une gifle.

— Avec toi, sûr que ça sera différent, hein ?

— Non !

Une gifle.

— Mais si, évidemment, on voit bien que t'es plus dégourdi que ton père. On a gagné la guerre, et il faut à présent gagner la paix. T'as que seize ans, mais je suis sûr que tu me comprends. Ton père, tu vois, n'a rien compris... C'était un imbécile...

— Non !

Une gifle.

— Si je suis ici, c'est qu'avant de se laisser stupidement descendre, il m'a parlé de toi. Il m'a dit que tu travaillais déjà avec lui, que la plupart des choses qu'il connaissait, tu les avais déjà apprises... Qu'il ait été le meilleur dératiseur d'Espagne, on s'en fout. Pour tuer les rats, les troupes nationales ont démontré qu'elles étaient aussi efficaces. Mais il m'a dit qu'il était spécialisé dans les poisons, et que tu serais encore meilleur que lui. C'est vrai, ça ?

Tutusaus reçut deux ou trois gifles supplémentaires avant de réagir. Il regarda Pozos sans émotion particulière, et répondit fermement :

— Oui.

— Très bien. Maintenant, il y a trois catégories de citoyens : ceux qui sont opposés au régime, ceux qui y sont indifférents, et ceux qui le soutiennent. Les premiers sont soit à l'étranger, soit en prison, les deuxièmes vont crever de faim parce que personne ne leur donnera de travail, et les troisièmes... tout le monde veut appartenir au troisième groupe. Et beaucoup de rouges même, qui ont eu assez de chance pour échapper à la prison, donneraient leur chemise pour qu'un curé, un militaire, un garde civil ou quelqu'un du même genre, signe une caution certifiant qu'ils soutiennent le régime. Ça, ce sont ceux qui restent. Parce que, bon, il y a un quatrième groupe, celui de ceux qui sont sous terre, comme ton père. J'ai mené ma petite enquête. Ta mère aussi est morte. Tu n'as pas de foyer. Tes parents les plus proches ne le sont pas vraiment puisqu'ils ne veulent même plus entendre parler de toi...

Pozos sortit son pistolet et visa la tête de Tutusaus :

— Si, là, j'appuyais sur la détente et que je te collais une balle dans la tête, tu sais ce qui se passerait ? Rien, absolument rien. Je pourrais te tuer ici même, et personne ne s'en apercevrait. T'es moins que rien. Alors maintenant, écoute-moi : Est-ce que tu veux sortir de cette taule de merde sans avenir et venir travailler avec moi ?

Tutusaus le fixait en silence, les yeux exorbités. Pozos se rapprocha de lui et lui hurla sur un ton effrayant :

— Est-ce que tu veux travailler avec moi, oui ou non, espèce de salopard ?

Alors Tutusaus se détendit comme jamais il ne s'était détendu et répondit :

— Oui.

— Tu le veux sans savoir ce que je vais te demander ?

— Oui.

— Parfait. Je savais bien que je m'étais pas trompé à ton sujet. J'ai besoin de quelqu'un de ton acabit. Tiens-toi prêt, on viendra te chercher demain matin. Nous partirons dans la soirée pour Madrid. À propos, autre chose : ton nom, il m'énerve. C'est un nom stupide et imprononçable, on dirait une plaisanterie. Tutusaus, c'est un nom de merde. À partir de maintenant, je vais t'appeler autrement. Voyons voir... Voilà, j'ai trouvé, je t'appellerai Céspedes. Trois syllabes aussi, que demander de plus... T'es d'accord ?

— Oui.

— Très bien. À demain, Céspedes.

Et c'est ainsi qu'un jour de fin avril 1939 Tutusaus disparut et personne ne le revit plus. À Barcelone, à cette époque-là, des gens disparaissaient de temps en temps. Quelques-uns, les plus chanceux, réapparaissaient des années plus tard, barbus, la peau bronzée et avec un accent français. Beaucoup disparaissaient dans le sens strict du terme : ils se désintégraient, fusillés à Montjuïc ou au camp de la Bota. Et quelques autres, comme pour Tutusaus, cessaient brusquement d'apparaître, chez eux ou dans l'institution publique qui les accueillait, et étaient presque aussitôt oubliés, plutôt tôt que tard. On le disait à voix basse dans la rue, la guerre était finie depuis un mois à peine et être vivant ou mort, c'était souvent pareil : l'appel n'avait pas encore été fait.

La voix flûtée de Mme Vilallonga ramena Tutusaus à la

réalité. Elle vantait les mérites du secteur et il ne l'avait même pas écoutée :

— ... c'est un quartier tranquille, et ça n'est pas pour dire, mais vous vous êtes sûrement rendu compte qu'il est assez chic. Il y a peu de circulation, et vous ne trouverez dans notre escalier aucun couple avec enfants, si bien que le calme est total. Vous voudrez prendre vos repas ici ?

— Non.

— Vous m'ôtez presque un poids. Au fond, c'est peut-être mieux. Vous serez plus tranquille, et moi aussi. Ça sera toujours un souci de moins. À propos, j'ai failli oublier, on est venu vous porter cette enveloppe, ce matin de bonne heure.

Il s'agissait d'un message chiffré du général qui lui communiquait un nouveau numéro de téléphone de contact, lui disait qu'il n'y avait rien de neuf, et qu'il devait se tenir prêt, en cas de besoin. Que l'affaire suivait son cours. Il y avait aussi une autre enveloppe, plus petite, et portant le nom d'un expéditeur pour le moins suggestif : Industrie Heredero. Une petite note du général, attachée avec un trombone, l'informait qu'Heredero lui avait fait parvenir ceci, en lui priant de le livrer à M. « Múndez ». Ça oui, c'était une bonne surprise ! Il ouvrit l'enveloppe à l'aide d'un couteau plein de beurre séché. Il trouva à l'intérieur une carte de visite manuscrite et signée de la main même d'Heredero. Ce dernier s'excusait de n'avoir pu prendre convenablement congé de lui l'autre nuit. Pour compenser, il lui donnait, confidentiellement, l'adresse et le numéro de téléphone de la belle Olga, la serveuse du Club Palomo. Tutusaus la déchira.

— De bonnes nouvelles ? interrogea Mme Vilallonga.

— Ni bonnes ni mauvaises, répondit Tutusaus sans lever la tête.

— Bon, je vous laisse à vos affaires.

Tutusaus se dirigea vers le téléphone mural qui se trouvait dans le couloir. Un petit cadenas bloquait le cadran.

— Ça n'est pas par manque de confiance, mais dès le départ, j'ai pensé qu'il était préférable de mettre les choses au clair. Pour qu'il n'y ait pas de malentendus. Le cadenas n'est là que pour que je puisse noter les fois où vous voulez téléphoner. Je vous l'enlève tout de suite. Et vous savez, ne vous inquiétez pas, je ne le remettrai pas. Vous pouvez me faire confiance.

— Merci, répondit Tutusaus, imperturbable.

Mme Vilallonga libéra aussitôt le cadran du téléphone.

— Vous voyez ? Ça y est, vous pouvez parler. C'est pour Barcelone, n'est-ce pas ?

— Oui.

— Bon, alors je vous laisse. J'ai encore un tas de travail à faire.

Tutusaus téléphona à son ancien maître Hipólito Pareado, avec Mme Vilallonga qui balayait aussi près que possible du combiné. Il lui dit qu'il était à Barcelone et qu'il désirait le voir. Ils se mirent d'accord : Tutusaus passerait le chercher un peu avant la fin de son travail, et ils pourraient aller dîner ensemble :

— Depuis que je me suis retiré de la police, lui dit Pareado, je travaille comme vigile pour des studios cinématographiques. Ça t'étonne pas que je gagne ma croûte en surveillant toute cette bande de pédés du cinéma ?

— Non.

Tutusaus n'avait pas l'habitude de s'étonner, ni de se laisser surprendre. Il accepta le rendez-vous avec Pareado, prit congé et revint dans sa chambre. Il sortit la tête sur le petit balcon. Des géraniums de trois couleurs différentes étaient accrochés à la rambarde. Devant lui, la demeure d'Heredero irradiait de fraîcheur et de confort. Cinq minutes d'observation lui suffirent pour découvrir les hommes du général Pozos chargés de la surveillance. On les voyait de loin. Un jour, Tutusaus avait conseillé au général de louer les services de quelques femmes. La tâche d'espionner ou de filer quelqu'un impliquait de rester la plupart du temps à la vue du public ; dans les bars, les boutiques, en marchant dans la rue... Un homme et une femme étaient moins suspects qu'un couple d'hommes, qui attiraient aussitôt l'attention, surtout ceux-là, habillés quasiment à l'identique. Même des couples de femmes étaient plus adéquats selon le travail à effectuer. Le général l'avait écouté attentivement et avait admis qu'il pouvait avoir en partie raison, mais refusa l'expérience. Des couples mixtes ? Des femmes policières ? Impensable. Ils n'en reparlèrent plus. Tutusaus continua à observer les plantons et ceux-ci ne regardèrent pas une seule fois dans sa direction. Ils ne semblaient pas être au courant que lui aussi était dans la place. Typique du général Pozos. Qu'ils se débrouillent, pensa-t-il. Les ordres du général étaient clairs : attendre, attendre et attendre, tandis qu'on décidait du sort d'Heredero. À l'affût. Un jour prochain, il recevrait un message où on lui demanderait de ramasser ses affaires et de rentrer à Montsol, ou bien, au contraire, on lui ordonnerait de traverser la chaussée et de liquider Heredero. Il attendrait, donc. Exactement comme certains jours dans le bois, où il était capable de rester des heures entières, immobile, à guetter sa proie.

Il n'avait rien d'autre à faire et continua à observer les hommes chargés de surveiller Heredero. Ils étaient plus maladroits qu'il ne l'avait tout d'abord pensé. Vers quinze heures, il y eut un changement d'équipe. Un nouveau couple d'hommes arriva et le premier s'en alla, sans même changer de voiture. Ils se contentèrent de se transmettre les clefs et ceci pratiquement devant l'entrée principale de la maison concernée. À quinze heures trente, Felipe Heredero surgit au volant de sa spectaculaire Mercedes 200. Il klaxonna et quelqu'un accourut pour lui ouvrir le portail. Il disparut puis les portes se refermèrent sur lui aussi silencieusement qu'elles s'étaient ouvertes. Une voiture de police, parfaitement identique à celle qui était garée là pour la surveillance de la maison, arrivait juste derrière, elle s'arrêta au milieu de la chaussée et ses occupants transmirent aux plantons les rapports concernant l'activité d'Heredero, avant de s'en aller aussitôt. Ils étaient si sûrs d'eux qu'ils ne prenaient aucune précaution. Quelqu'un avait dû leur expliquer que faire l'objet d'un contrôle par la police était la dernière chose qu'un magnat tel qu'Heredero aurait pu imaginer.

Tutusaus descendit vers seize heures. La maîtresse de maison lui avait confié un trousseau contenant trois clefs : celle du portail, celle de la maison et celle de sa chambre. Il passa devant les policiers et continua en remontant le trottoir, tout en suivant le mur qui entourait la maison. Ce qui l'obligea à tourner au premier coin à gauche, en restant sur le même trottoir. Là, il perdit les deux hommes de vue. La demeure était bien plus vaste qu'elle ne le paraissait de l'entrée. Elle donnait visiblement sur trois rues, puisque Tutusaus, toujours sur le même trottoir, tourna de nouveau à gauche. Il n'avait pas terminé qu'il aperçut une petite Volkswagen pointer le bout de son nez à la porte du garage de la villa d'à côté. Dedans, se trouvait Heredero. Tutusaus se colla contre le mur pour ne pas être reconnu. Heredero jeta un coup d'œil à droite et à gauche, et s'en alla tranquillement. Les policiers devaient être en train de l'attendre à la porte d'entrée principale. Qu'ils se débrouillent, ça n'était pas de son ressort, mais Tutusaus enregistra que, de deux choses l'une, ou bien Heredero savait qu'on le suivait, ou bien, s'il ne le savait pas, il y avait des endroits où il désirait se rendre discrètement si ce n'est incognito. Tutusaus retourna dans sa chambre, pour passer le temps. Il sortit ses jumelles de sa valise et passa lentement toute la demeure au peigne fin. En suivant le chemin qui partait de la grande porte donnant sur la rue, on parvenait à l'entrée de la maison. À côté se trouvait la porte d'un garage. Plus loin, un court de tennis, partagé avec la villa d'à côté. Heredero s'était sûrement mis d'accord avec ses voisins et pouvait accéder à sa deuxième voiture en passant par le terrain de tennis. Il laissa tomber. Ça ne le concernait pas. Il était également possible que les policiers soient au courant du stratagème d'Heredero et se fassent passer pour des abrutis afin de donner le change et pouvoir mieux le surveiller. Qu'ils se débrouillent, répéta-t-il. Il s'allongea un moment sur son lit et se rendit compte qu'il n'avait pas déjeuné. Il s'en fichait, il n'avait pas faim. S'étant relevé une heure plus tard pour aller aux toilettes, il regarda machinalement dans la rue : la Mercedes d'Heredero sortait par la grande porte. Il avait dû revenir par où il était parti. Un homme intelligent. Avec une certaine paresse, Tutusaus se décida à noter tout ce qu'il venait de voir sur un bloc. C'était une des premières recommandations du général, au tout début de leur collaboration :

— Ouvre l'œil, Céspedes. Note tout ce que tu vois de bizarre, même ce qui te paraît le plus anodin. Et surtout, fais-le tout de suite. Plus ces notes sont prises rapidement après les événements, plus elles se révèlent exactes.

— Je me souviens toujours de tout.

— Tais-toi, il ne s'agit pas de ça. On sait bien que si on remet ça à plus tard, la mémoire, au lieu de simplement rappeler les faits, commence à les analyser, et parfois, ça n'est pas satisfaisant. Tu comprends ?

Dès lors, il avait toujours agi de cette manière. Il se demanda un instant s'il devait téléphoner au général pour lui demander quelques éclaircissements sur le système de surveillance de l'industriel. Finalement, il décida que non, se doucha, et partit rejoindre son ami Pareado. Il avait du temps à revendre, et décida de se promener sur les Ramblas. Malgré les inconvénients qu'il y trouvait, il devait reconnaître que Barcelone était vaste, qu'elle avait grandi, qu'elle était propre et fourmillante, que le marché de la Boqueria débordait de nourriture et qu'il n'y manquait rien : poisson, viande, légumes, on y trouvait de tout. La circulation aussi avait de quoi étourdir : voitures, fourgonnettes, triporteurs, autobus, tramways, taxis ; de nouvelles stations de métro, des quartiers flambant neufs, des femmes élégantes, des restaurants chics... Il se trouvait dans une ruelle, près de l'Arc du Théâtre, lorsqu'il vit passer un chiffonnier qui criait en contrefaisant sa voix : Aaaiiiaaaeee.

— Eh toi, le glandeur, qu'est-ce que tu cherches ? entendit-il dans son dos.

La voix, cette fois-ci, appartenait à un cul-de-jatte, sur sa petite charrette. Sans âge, la peau brune à force d'être exposée à longueur de journée au soleil, il lui manquait à peu près la moitié des dents, mais les gens s'arrêtaient à l'image globale qu'il offrait de lui et ne s'en apercevaient qu'en recevant les premiers postillons. Sa charrette était munie de rênes clouées sur la partie avant, fabriquées à l'aide de rubans de store. Tutusaus le dévisagea et lui demanda s'il était invalide de guerre.

— T'es bourré ou quoi ? De quelle guerre tu parles ?

— De la nôtre.

Ce n'est qu'à ce moment-là que Tutusaus découvrit que sous les couches de croûtes ça n'était pas un vieux, mais un jeune qui ressemblait à un vieux. Il lui demanda comment il avait perdu ses jambes.

— Un accident. Une explosion de dynamite quand je travaillais à l'usine de ciment de Garraf. Satisfait ?

Tutusaus le toisa et pensa : « Si c'est ça, alors va te faire foutre. »

— Tu me donnes rien ?

— Non.

Il s'éloigna, tandis que l'estropié commençait à l'insulter de la manière la plus insolente qui soit, de ses gencives vides et sombres pareilles à celles d'un chien. Tutusaus se retourna un instant et vit que l'homme changeait de cible et se mettait à houspiller une femme fort étrange. Celle-ci, sans s'émouvoir, avait empoigné les rubans de store qui pendaient de la charrette, les avait passés sur son dos et sous ses aisselles, et commençait à le tirer comme un bœuf ou un cheval l'aurait fait d'une carriole. Le cul-de-jatte, de sa position presque à ras de terre, avait sorti un fouet très fin, et lui cingla les fesses. La femme redoubla aussitôt d'énergie. Les gens assistaient à la scène en se moquant d'eux, tandis que l'infirme les insultait en les menaçant de son fouet. Ils se perdirent dans une ruelle adjacente.

Malgré la saison, le soleil tapait assez fort. Tutusaus vit même, en plein cœur du Barrio Chino, quelques vieux en train de boire l'eau d'une cruche, assis sous un portail. Cela lui rappela un épisode analogue, vécu en Afrique. Des images de cette époque lui revenaient souvent. Deux vieux Arabes impassibles. Il était déjà lieutenant. Accompagnés de trois caporaux et sous le commandement d'un capitaine, ils avaient arrêté leur jeep à quelques centimètres d'eux, en freinant.

Exprès. Pour leur foutre la trouille. En vain. Ils n'avaient pas bougé d'un pouce. Cela avait déjà passablement énervé le capitaine. Leur jeep était chargée d'armes et de munitions. Eux, armés jusqu'aux dents, mouchoir sur la bouche, sur la tête et autour du cou, avaient les nerfs à fleur de peau ; ils devaient livrer ces munitions, et ne savaient pas contre qui, ou quoi, ils allaient devoir se battre. À chaque contrôle ou devant chaque groupe de Marocains, ils sautaient de la jeep et adoptaient une position de combat. Un jeune garçon à bicyclette pouvait être une menace, une femme avec un panier sur la tête risquait de transporter une grenade. Deux vieux comme ça, assis au milieu de la chaussée, c'était un piège, à coup sûr. Soudain réapparut un groupe d'Arabes. Envoyés comme messagers quelques jours plus tôt, ils n'avaient pas donné de nouvelles. Le capitaine décida que c'étaient des traîtres. Il ordonna de les mettre en joue avec les mitraillettes et les interrogea. Les Arabes, blancs de peur, ne savaient que dire ni que faire. Le capitaine cria : « Vous êtes des traîtres ! » et les fit fusiller sur place, immédiatement, sauf un, qui fut reconnu par l'un des caporaux : ils avaient servi ensemble à Villa Cisneros. Pendant tout ce temps-là, les deux vieux n'avaient pas ouvert la bouche. Ils n'avaient pas bougé d'un millimètre, pas esquissé le moindre geste. Mais ils avaient tout vu. Le capitaine devint furieux et les tua lui-même d'une balle dans la tête.

— Pour recel de terroristes !

Puis, après avoir demandé à Tutusaus et aux caporaux d'enterrer tout ce monde, il leur avait fait jurer de garder le silence. Ce qui fut superflu : la guerre s'acheva, et personne ne les interrogea jamais sur cet épisode. Ces vieux le lui avaient remis en mémoire.

Tutusaus se fatigua des Ramblas, héla un taxi et se fit conduire à Montjuïc.

Les Studios Cinématographiques Orphea étaient installés dans l'un des pavillons de l'Exposition internationale de Barcelone de 1929, celui de la chimie. Il demanda M. Hipólito Pareado à l'entrée. On le fit patienter cinq minutes. Ils ne s'étaient pas revus depuis une dizaine d'années, et l'homme avait beaucoup vieilli. En même temps, avec son uniforme, il portait encore beau. Il avait encore l'insigne phalangiste du joug et des flèches sur le revers de sa veste.

Il arriva en compagnie d'un berger allemand qui tirait comme un diable sur sa laisse. Tutusaus trouvait que la figure de son ancien maître, plutôt petit et chétif, ne cadrait pas avec ce si beau chien. Ils se serrèrent la main, et Pareado lui demanda de l'accompagner pour attacher l'animal. Les yeux de l'homme brillaient lorsqu'il parlait de cette bête.

— Qu'est-ce que tu veux, Tutusaus, c'était une bonne occasion et j'ai pas pu refuser. J'en avais marre de passer ma vie à défoncer des serrures pour le compte de la DGS. Qu'est-ce que tu penses que cette superbe bête ? Elle est pas à moi, je l'ai trouvée en arrivant ici. Elle appartenait à l'ancien vigile en chef. Ça fait trois ans que je garde les studios. Aucun problème. Quand ça bouge beaucoup, je loue des gardes civils qui font des heures sup. Je les déploie de la même manière que lorsqu'on devait se charger de la protection d'un lieu pour assurer la sécurité du Généralissime, il y a des années de ça. Je termine dans une heure, et aujourd'hui je n'ai personne. On va aller dîner ensemble et je t'emmènerai ensuite dans un endroit qui va te laisser comme deux ronds de flan... Ah, Tutusaus, Tutusaus... Et toi alors ?

Tutusaus était obsédé par le chien ; une bonne bête, efficace, ça se voyait. Un complément idéal pour Pareado, qui avait pris un coup de vieux.

— Tu ne m'as pas entendu ? T'as pas changé, toujours aussi idiot, il t'en faut pas beaucoup pour être dans la lune... T'as fait des dégâts, ces dernières années ?

— Des dégâts ?

— Façon de parler...

Tutusaus lui glissa deux ou trois petites choses : qu'il était allé en Afrique, qu'il travaillait désormais pour la sécurité de l'État, qu'il vivait dans une ferme...

— Et les femmes, alors ?

— Quoi, alors ?

— Rien, rien, dit Pareado. Tu dois être toujours aussi coincé. Je t'ai réservé une surprise. C'est pour ça que je t'ai demandé de venir me chercher. Prépare-toi ! Aujourd'hui, dans les studios, ils sont en train de tourner une réclame pour des sous-vêtements féminins. Viens...

Il y avait, à l'arrière des studios, dans une cour, une espèce d'immense cage réservée au chien, pourvue d'une niche à l'intérieur. Il le fit entrer et l'enferma.

— C'est un chien du tonnerre. En réalité, je n'en ai pas besoin, mais j'ai convaincu l'entreprise de ne pas le vendre. Je m'en occupe moi-même, qu'est-ce que tu crois ! En échange, on dirait qu'il comprend, et il n'accepte de patrouiller qu'avec moi...

Il avait changé. Tutusaus ne savait pas où était le changement, mais cet homme ne ressemblait plus à celui qu'il avait connu des années plus tôt. Il ne savait pas pourquoi. Enfin, il trouverait bien. Cinq minutes plus tard, il se trouvait non seulement dans les studios, mais sur un coin du plateau, observant, fasciné, les allées et venues du personnel. Il se rendit soudain compte de la façon dont les publicités étaient fabriquées. Quelle misère, c'est rien que du carton-pâte, songeait-il. Cela dit, les choses étant ce qu'elles sont, les filles, elles, étaient bien en chair, tellement bien en chair et tout en rondeurs qu'elles en paraissaient irréelles. Quant aux hommes, on ne les voyait même pas.

— Voilà, elles passent des heures et des heures devant les caméras, ajouta Pareado, avant de poursuivre : Aujourd'hui, c'est juste une séance photo... Mais l'actrice principale a fichu un de ces merdiers, incroyable !

— Pourquoi ? demanda Tutusaus, intéressé.

Pareado n'eut pas besoin de lui répondre. L'actrice elle-même s'en chargea, dans un hurlement à la cantonade.

— Je ne veux pas de chaussures noires. Elles me portent malheur !

— Ouais, eh bien, il y a que des noires, lui répliqua un assistant.

— Alors t'as qu'à aller te faire voir, avec tes photos !

110

— Elle n'a qu'à poser pieds nus ! suggéra un des électriciens en éclatant de rire.

— Qui a dit ça ? cria-t-elle.

Personne ne répondit.

— Personne ne veut prendre ma défense ?

Silence total, petit rire moqueur dans un coin.

— Bon, alors je m'en vais. J'ai pas l'habitude qu'on me traite comme une pute.

— Calme-toi, s'il te plaît, dit un individu surgissant de derrière la lumière des projecteurs.

Mais la jeune femme était furieuse et menaçait, d'une façon un peu grotesque :

— Je ne ferai rien tant que vous ne m'aurez pas changé les chaussures.

Tutusaus écoutait et n'en croyait pas ses oreilles. Il suivait toute cette excitation avec une incrédulité grandissante. Il n'avait jamais vu de femmes pareilles, et n'en avait jamais eu autant autour de lui, si peu vêtues. Quelqu'un était en train d'engueuler son interlocuteur au téléphone. Il l'insultait et exigeait qu'il lui explique pourquoi il n'y avait pas de chaussures de différents coloris dans les studios. Les voix résonnaient terriblement. Au même moment, deux des projecteurs qui illuminaient la scène explosèrent. Le directeur de la photographie chuchota à sa secrétaire :

— Qu'elle s'en aille : elle veut des chaussures blanches, les projos pètent, les corsages ne sont pas arrivés...

Puis il s'adressa à haute voix à l'instigatrice de l'incident :

— Pourquoi tu ne vas pas te reposer un peu, ma jolie ? Le temps qu'on t'apporte de petites chaussures blanches.

— Enfin, quelqu'un qui commence à être raisonnable !

La jeune femme se laissa tomber sur une des chaises du plateau, dans un peignoir léger qui laissait ses cuisses découvertes. Le photographe, dont le visage n'exprimait rien d'autre que l'ennui, en profita pour crier aux autres filles :

— Allez les filles, un peu plus de grâce, vous n'êtes pas à un enterrement !

Tutusaus était toujours aussi tendu. Il ne s'était même pas

rendu compte que Pareado avait effectué une ronde complète et revenait déjà.

— Bon, c'est fini pour aujourd'hui. Et essuie ta bave, espèce d'idiot, tu vas avaler de travers... lui dit-il en souriant.

Pareado possédait une Renault 4R avec laquelle il allait et venait. Ils descendirent l'avenue du Paral·lel, passèrent devant Colom et remontèrent les Ramblas. Pareado vivait en plein Barrio Chino. Il se gara à la hauteur de la rue des Escudellers et ils traversèrent pour se rendre de l'autre côté. Il semblait se déplacer sans crainte.

— J'ai décidé de m'installer dans ce quartier parce que c'est celui qui ressemblait le plus au mien, à Madrid. Au bout de trois jours, tout le monde savait déjà que j'étais flic. Au bout d'une semaine, ils étaient tous au courant que je ne bossais plus. Mais malgré ça, on me respecte pareil que si j'étais encore en activité. Ils se méfient. Au début, même, on m'invitait... Ici, à côté, Tutusaus, il y a des billards fantastiques. Tu y joues toujours ?

— Non.

— Moi, j'y vais de temps en temps. Mais maintenant, on va dîner. Viens...

Ils se coulèrent dans une des ruelles perpendiculaires aux Ramblas. Pareado ne cessait de parler.

— Je vis ici, tu vois. C'est un quartier où tout le monde se connaît. Tout est familier, tout se passe normalement. Aujourd'hui, tu peux entrer dans n'importe laquelle de ces venelles et choisir un de ces petits restaurants. Ce sont des tavernes propres et décentes, avec des mezzanines où on sert une cuisine familiale. Tu peux t'asseoir et déjeuner de calamars à la romaine et de quelques olives. Personne ne vient t'emmerder. C'est vrai que, selon l'heure, c'est plein de putes et de tapettes, mais ils vivent leur vie, et moi la mienne...

Tutusaus l'écoutait à peine. Les odeurs de ces rues le ramenaient involontairement au passé : fenêtres d'où sortaient des arômes de cuisine. Sauce tomate à l'oignon. Poissons au four. Morue frite. Chaque maison avec son odeur. Et chaque rue avec sa puanteur de pisse de chien.

— Tutusaus ! Tu m'écoutes ?

— Quoi ?

— On va aller dîner dans une pension-restaurant que je connais. J'y vais assez souvent. Tiens, tu vois, c'est là.

Tutusaus leva les yeux et lut « Pensión Vicentón, restorán », une enseigne peinte à la main avec des coulures de peinture sèches sous les lettres.

— Ils font des escargots à l'aïoli à s'en lécher les doigts. C'est fabuleux, cet aïoli, même s'il a été inventé par ces salauds de Catalans. Fallait tout de même qu'ils aient quelque chose de bien, hein ?

Il se mit à rire ostensiblement. Tutusaus pensa que Pareado, probablement, ignorait qu'il était catalan. Il s'en fichait. De fait, lui-même ne savait plus vraiment s'il l'était encore. Il pensait aussi que Pareado parlait trop. Avant, il ne bavardait guère, c'est pour cela qu'ils étaient devenus amis. Il regarda en direction du comptoir, les réclames pour les dattes El Monaguillo et le lait Ram. Pareado poursuivait :

— J'ai pas mal réfléchi avant de me décider. Si on m'avait dit que je finirais mes jours à Barcelone... Quand on sait la quantité de Catalans que j'ai pu passer à tabac dans les souterrains de la DGS... C'est ça, la vie...

Il commanda immédiatement une portion de pommes de terre épicées avec de l'aïoli, une autre d'escargots à l'aïoli et une autre de macaronis à la morue et aïoli. Et un *porró* de vin plein à ras bord.

— Mets-toi à ton aise, Tutusaus. Et après dîner, on ira dans un cabaret près d'ici. La patronne me connaît et me fait une ristourne... Tu sais, Tutusaus, je pense de plus en plus au passé. C'est pour ça que je me suis installé ici. Tu vois, je reviens sur mes pas. Je suis un sentimental.

Tutusaus était troublé. Ça n'était définitivement pas le même homme qu'il avait laissé à Madrid, des années plus tôt, fier de son travail et aussi raide qu'un poteau. Il avait dû lui arriver quelque chose de sérieux. Pareado mangeait, buvait et parlait. Tutusaus ne résista pas à l'interroger sur les raisons de son départ.

— Je ne suis pas parti, on m'a suggéré de m'en aller.

— Qui ?

— D'après toi ?

— Un complot de l'anti-Espagne ?

— Un quoi ?

— Le général dit toujours qu'elle a été vaincue, mais qu'elle n'est pas morte.

— Garde ces phrases-là pour toi, Tutusaus, on se connaît ! Tu vois, depuis qu'on m'a foutu dehors, je n'y pense pas. Ni à l'anti-Espagne, ni à la Contre-Espagne, ni à cette putain d'Espagne.

— Avant, vous étiez pas comme ça.

— Non. Mais je suis vieux, maintenant, et j'ai eu mon comptant d'émotions. Le temps a passé, et des choses se sont passées.

— Et c'est mieux aujourd'hui ?

— Ni mieux ni pire. Tu savais, toi, que j'avais fait de la prison ?

— Non !

— J'ai été condamné à dix ans de taule, Tutusaus ! J'ai eu la trouille. Je m'en souviens comme si c'était hier. C'était il y a deux ans et demi, le 3 novembre 1960. Le roi et la reine de Thaïlande effectuaient une visite officielle en Espagne. Lors de leur séjour à Madrid, ils ont été invités à un dîner de gala offert en leur honneur par le Généralissime, au palais d'Orient. J'avais en charge la sécurité d'une des ailes du palais. Ils m'ont piégé. J'étais un phalangiste de longue date, et je suppose qu'ils en ont profité pour faire une purge. Plus de vingt ans de service et trois ans de guerre n'ont servi à rien. Ils m'ont assommé et quand je me suis réveillé, j'étais entouré de militaires. Ils m'ont accusé d'avoir essayé d'attenter à la vie du roi de Thaïlande ! Ils ont trouvé sur moi un tel arsenal qu'il y avait de quoi en rire. Ils m'avaient même fichu une grenade à main dans la poche. Officiellement, ils se sont appuyés là-dessus pour accuser un groupe de phalangistes dissidents d'avoir eu l'intention d'entamer des actions visant à la déstabilisation du régime. Avec moi, ils ont arrêté huit autres pauvres imbéciles. Tous les journaux en ont parlé. Une fois l'effet produit, je ne les intéressais plus du tout. C'est grâce à ça que je ne suis resté que six mois en prison. Quelqu'un de ma famille, à l'archevêché, a effectué des démarches et j'ai été gracié. Cela dit, ils m'ont éjecté du corps de police et m'ont fait comprendre qu'ils ne voulaient plus me voir. Et que je devais fermer ma petite gueule. Grâce à un ancien collègue de la Garde civile, j'ai réussi à avoir ce boulot à Barcelone. Je n'y ai pas regardé à deux fois. J'ai bouclé mes valises et en avant toute ! Les choses sont comme ça. J'ai sauvé ma peau, et c'est déjà beaucoup.

Tutusaus n'en revenait pas. Après quelques secondes de réflexion il lui demanda si cela voulait dire qu'il n'était plus en faveur du régime.

— Mais tu ne comprends donc pas ? Maintenant, ils ne me laisseraient plus l'être, même si je le voulais.

— Et vous seriez capable de passer à l'ennemi ?

Hipólito Pareado l'observa attentivement, lui tapa sur l'épaule et lui dit :

— Quel ennemi, Tutusaus ? Je ne serais capable de rien, mon vieux. Je m'en suis sorti à un poil près, j'ai un bon boulot, je suis toute la journée entourée de femmes qui ont du chien, et d'un chien qui vaut un empire, que vouloir de plus ? Bien sûr, je me sens enterré vivant. Et quand je pense à toute cette bande de fils de pute que je croyais être mes amis, j'ai le sang qui s'échauffe. Mais je me tais et je me retiens. Ç'aurait pu être pire. Quand je me sens un peu nostalgique, je m'occupe en ouvrant les portes des studios avec mes rossignols et mes fausses clefs... Tiens, bois un coup, mon vieux. Ces salauds de Catalans s'y entendent... Regarde ce *porró*, admire ce long col qui permet de boire à la régalade... Le vin entre et tu ne t'en rends même pas compte... Goûte-le celui-là, goûte-le. Il glisse avec classe, s'épaissit un peu dans le gosier et, en arrivant dans l'estomac, il se retourne comme s'il voulait ressortir.

Il lui tendit le porró à moitié plein d'un vin couleur cerise bien mûre. Tutusaus but une large rasade.

— Il est bon, hein ? lui dit Pareado. C'est un assemblage qu'ils préparent spécialement pour moi : du batea avec une petite part de priorat. Beaucoup de gens procèdent de la sorte, par ici ; ils achètent des assemblages de vins. Bon, assez parlé de moi. Et toi, alors, Tutusaus ? Je me souviens quand tu as dû te barrer en courant de Madrid. Une histoire de jupons, c'est ça ?

— Oui.

— Tu l'avais bien cachée. T'as fichu un de ces bordels, putain ! Heureusement que t'avais Pozos, sinon, ils te les coupaient sur place. T'es resté avec lui, toutes ces années ?

— Oui.

— Et après l'Afrique, alors ? Tu ne m'as pas dit.

Tutusaus demeura silencieux.

— Qu'est-ce qui se passe ? Tu ne veux pas m'expliquer ? Secrets d'État ? Tu te tais ? Tu n'as plus confiance en moi ?

— Si.

— Alors ?

Il lui dit qu'il était chargé de travaux spéciaux pour le général Pozos, depuis quelques années. Qu'en quatre ans et demi, en plus de mener à terme avec rapidité, efficacité, promptitude, tout le travail de routine dont il avait la charge, il avait même été en deux occasions chaleureusement félicité par ses supérieurs, et...

Pareado lui coupa la parole :

— Arrête ton char, je ne suis pas né de la dernière pluie. Travaux spéciaux, tu dis ? Sous les ordres de Pozos ?

Tutusaus était stupéfait. Il professait pour Pareado une admiration et un respect presque aussi grands que ceux qu'il éprouvait pour le général. L'ex-policier semblait de mieux en mieux comprendre :

— Aïe aïe aïe... Mange, mon vieux, mange... Et surtout ne m'explique rien. Maintenant, c'est moi qui ne veux rien entendre, pas même la moitié d'un traître mot.

On entendit soudain un concert de klaxons dans la rue. Pareado cria à l'attention du patron du bar :

— Qu'est-ce que c'est que ce bordel ?

— Je ne sais pas...

— Et pourquoi tu ne vas pas voir ?

L'homme jeta un coup d'œil à sa femme et alla jusqu'à la porte. Pareado l'observait en souriant à moitié. L'homme revint derrière son comptoir et, sans un regard pour Pareado, il débita, comme s'il s'agissait d'une information d'intérêt général :

— Il y a un embouteillage. Une charrette qui ne va pas assez vite et qui gêne.

— Une charrette ? Mais ça n'existe plus !

— Ça doit être la dernière, alors...

Tutusaus se leva et passa sa tête par la porte.

— Il a raison, c'est une charrette.

— Et quoi d'autre ?

— Quoi d'autre ? dit Tutusaus. Eh bien...

— Je veux que ça soit lui qui le dise. Eh toi, là, décris-moi la charrette...

L'homme jeta de nouveau un coup d'œil à sa femme, posa le torchon qu'il avait dans les mains sur le comptoir et repartit vers la porte. Puis il débita, de la même façon qu'auparavant :

— C'est une charrette chargée de salades et de légumes. Elle est tirée par un vieux cheval mastiquant de la luzerne, laquelle se trouve dans les besaces passées autour de son cou. Elle est conduite par un paysan à l'allure fatiguée et ennuyée qui doit venir du Born... Vous voulez plus d'informations ?

— Non, merci, répondit Pareado. Tu as été très aimable.

Le concert de klaxons cessa aussi brusquement qu'il avait débuté. La charrette devait avoir laissé le passage aux voitures et aux triporteurs. Tutusaus ne comprenait pas cette démonstration de pouvoir de la part de Pareado. Il n'eut pas besoin de poser de question, ce dernier clarifia lui-même la situation :

— Alors, t'en penses quoi ? T'inquiète pas pour ce type, c'est un salaud de rouge qui sait que je l'ai reniflé. J'ai appris par hasard qu'il avait un frère derrière les barreaux. Il nous hait à mort, Tutusaus. Je lui ai expliqué que s'il se comportait comme un bon gars, je pourrais m'arranger pour que le séjour en taule de son frère se passe dans de meilleures conditions.

Il m'a envoyé balader. Imagine un peu ! J'ai dû lui démontrer qu'il avait tort. Oh, rien, un petit coup de téléphone à la prison Modelo. Le lendemain, il était très très poli. Au point qu'il m'invite chaque fois que je viens ici. Qu'est-ce que t'en dis ? Et ne me regarde pas avec cette tête-là, Tutusaus, je reste dans des limites tout à fait raisonnables avec lui. Il a de la chance que je n'aime pas sa cuisine, à l'exception de ses aïolis, évidemment. Je viens de temps en temps. Mais quand je viens, surtout si je suis accompagné, je veux que ça se sache... Bon, allez, foutons le camp...

Ce que Pareado appelait cabaret – Lluna de Llana, disait l'enseigne – ressemblait à une sorte de tube. C'était un espace relativement étroit et allongé où, en entrant de la rue, on découvrait successivement un comptoir, des tables pour le public et, finalement, la scène. Pareado expliqua que cette salle appartenait à une étrangère, une artiste à demi retirée, qui y chantait à présent quand elle en avait envie et s'employait à faire payer les entrées et à servir à boire en salle.

— L'attraction de la maison, c'est un travesti du nom de Sterling Ramírez. Il imite Varda d'Abril.

— Qui ?

— Varda d'Abril, putain, Tutusaus, la célèbre actrice et artiste de variétés...

— Ah...

Ils prirent place à une table et commandèrent une bière. Les rares personnes qui se trouvaient là se retournèrent et les regardèrent un moment avant de reprendre leurs occupations. La séance devait commencer dix ou quinze minutes plus tard. Tutusaus observa les allées et venues. Les propriétaires de ce cabaret étaient si pauvres qu'ils devaient se passer de personnel. Pareado réclama son attention :

— Certains soirs, il y a un étudiant en musique qui vient en plus. Il joue du saxo en échange d'un sandwich et de la possibilité d'écluser gratis. À propos, dans ce genre d'endroit, on flaire un flic à vingt bornes, donc tu n'as pas à te comporter d'une manière particulière. Ça n'en vaut pas la peine, ajouta-t-il tout en hélant la patronne.

Un couple sélectionna une chanson dans le juke-box, glissa la monnaie dans la machine et, au son de la musique, commença à danser. À première vue, les tables étaient en vrai marbre. Tutusaus passa ses doigts dessous. Ils s'agissaient de pierres tombales réutilisées, probablement acquises à bon prix. L'aïoli montait et descendait dans son estomac avec une virulence digne des meilleures causes.

Même si la salle n'était pas très grande, elle paraissait vaste et vide. Peut-être à cause des miroirs sur les murs qui agrandissaient l'espace. Le saxophoniste arriva. Il ne dit rien à personne, se dirigea au pied de l'estrade, où il y avait une chaise, s'y assit, sortit son saxo et s'apprêta à jouer. Sans préambule, la patronne monta sur scène, fit un signe au musicien et se mit à chanter une chanson lente, profonde et tendre. Elle avait pris place sur un tabouret de velours grenat qui contrastait avec le marbre blanchâtre des tables. À ce moment-là, il devait y avoir une quinzaine de personnes dans le cabaret. Trois couples, et pour le reste, rien que des hommes, les yeux rivés sur les jambes bien galbées de la femme qui, en raison de sa position sur le tabouret, les gardait légèrement écartées, sans s'apercevoir que sa jupe s'était relevée plus haut qu'à mi-cuisse.

L'absence de personnel obligeait à maintenir ouverte la porte donnant sur la rue. On entendait donc dans la salle les voix des enfants jouant au ballon dehors, jusqu'au cœur de la nuit, autant que celles des putes asticotant quelques pauvres types. L'atmosphère était sombre, concentrée. La voix de la femme enveloppait la salle tout entière. Elle acheva sa chanson saluée de quelques applaudissements paresseux. Elle parlait à son public avec cette familiarité typique des cabarets :

— Merci beaucoup, messieurs dames. Vous êtes bien gentils. Mais vous ne croyez tout de même pas que vous arriverez à me tromper un instant. Je sais bien ce que vous voulez, pour de bon, ce que vous attendez, ce qui vous a amenés ce soir à Lluna de Llana... Cinq minutes de pause pour que vous pussiez vous rincer la dalle et... Tout de suite, avec vous, en direct, la bombe de Lluna de Llana ! La révélation de l'année : le grand Sterling Ramírez !

Elle disparut parmi le public et glissa elle-même une pièce de monnaie dans le juke-box ; une chanson à la mode s'en échappa, et, une seconde plus tard, elle circulait entre les tables un plateau à la main.

La salle s'obscurcit d'un seul coup, la musique d'ambiance déclina. Roulement de tambours. Les lumières inondèrent la petite scène. Moment d'expectation. Soudain, une mélodie, un genre de blues. Sterling Ramírez apparut sur scène au milieu des applaudissements du public. Tutusaus demeura littéralement bouche bée. Il n'avait jamais vu une chose pareille : ça n'est pas qu'il lui ressemblait, non, c'était la réplique exacte de la célèbre Varda d'Abril. Pareado l'observait du coin de l'œil et souriait d'un air narquois.

Face à son public, Sterling se lécha un doigt, se recolla une boucle sur le front, puis se mit à chanter. La salle le suivait, muette.

Il acheva sa chanson quelques mesures plus tard et, sans interruption afin d'empêcher le public d'applaudir, commença son show. Le saxophoniste continuait à jouer en sourdine, le travesti parlait par-dessus. En soupirant avec affectation, il débuta, comme chaque soir, en disant :

— Mesdames et messieurs, avez-vous regardé le ciel, avant de venir ? Non ? Si vous l'aviez fait, aujourd'hui, en ce jour d'avril 1962, vous auriez vu briller quelques étoiles de manière bien particulière, surtout une, une étoile bien vivante... et bien triste. Varda d'Abril, la célèbre Varda d'Abril...

Tutusaus laissa quelques pièces de monnaie sur la table et se leva.

— Qu'est-ce que tu fais ?

— Je m'en vais.

— Maintenant ? Mais ça vient juste de commencer...

— Au revoir.

— Putain, qu'est-ce qui t'arrive ?

— Rien.

— Tant pis pour toi. Moi, j'ai pas envie de rater ça. T'es toujours aussi têtu. Tu ne me dis pas où tu vis ?

— Je vous téléphonerai demain.

— Très bien, mon vieux, très bien. Salut.

Tutusaus en avait assez. Toute cette racaille lui donnait la nausée. Il en avait eu marre, d'un seul coup. C'était pour entretenir des parasites pareils qu'ils avaient gagné la guerre ?

En sortant, il vomit tout son dîner dans un coin. Sur sa route vers les Ramblas, une pute d'une cinquantaine d'années s'offrit à lui pour trois balles. Même un fou n'en aurait pas voulu. Il l'entraîna sous un portail, la fit agenouiller et enfonça violemment son sexe dans sa bouche. Elle étouffait presque. Il pensait à Varda d'Abril, à son sosie Sterling Ramírez, aux belles demoiselles, félines et tout en courbes qu'il avait vues l'après-midi aux studios Orphea, chairs de luxe qu'il ne goûterait certainement jamais. Et plus il y pensait, plus il enfonçait son sexe dans la gorge de la femme tout en observant la rue à travers l'ouverture de la boîte aux lettres du portail, sous la lumière des réverbères : de la mousse couvrait une partie de la bâche sous laquelle devait se trouver une moto, garée là depuis des années. Brusquement, la femme s'écarta et tomba sur les fesses en toussant. Elle avait eu un haut-le-cœur et s'était étouffée. Tutusaus la repoussa et l'envoyer bouler plus loin encore. Puis reprit son chemin.

Avant d'arriver sur les Ramblas, sortant d'un bar, une odeur très agréable l'arrêta : quelqu'un, en pleine nuit, faisait griller du poisson. Tutusaus avait de nouveau faim, il entra et se fit servir un bon plat de sardines braisées accompagné de pain frotté à la tomate. Il n'y avait personne, le patron les avait préparés pour lui.

— Pas de problème, mon cher Monsieur ! C'est pas pour une sardine... Alors quoi, vous êtes de passage ? lui dit le patron du bar.

— Non.

— D'habitude, à cette heure-ci, il y a que les gens qui sortent du cabaret qui viennent. Ça vous a plu ?

— Non.

— J'ai compris. Je vois bien, je parle trop, et vous, ce que vous voulez, c'est manger vos sardines tranquille. Sinon vous allez me dire que vous allez me couper la langue, c'est ça ?

Tutusaus leva la tête, le fixa droit dans les yeux et lui dit que oui. Et que ça ne serait pas la première fois, qu'il l'avait déjà fait en Afrique.

L'homme resta pétrifié. Il ne savait pas s'il s'agissait d'une plaisanterie ou si c'était sérieux. Et le client qui se tenait devant lui avait une allure de bête au regard vitreux, vide et pénétrant à la fois. Il ne trouva rien d'autre à dire que :

— C'est beau l'Afrique, avec son désert et ses palmiers.

Et il s'éloigna tout en essuyant un verre à l'aide d'un torchon.

Finalement, la journée ne se termine pas si mal que ça, pensa Tutusaus tout en se léchant un doigt... Il n'y a vraiment rien de mieux que de manger tout seul, sans personne autour pour venir vous emmerder.

CHAPITRE 7

Dix jours enfermé chez Mme Vilallonga sans aucune nouvelle du général. Tutusaus devenait nerveux. Il avait eu largement assez des cinq premiers pour élaborer son plan d'action, dans l'hypothèse où on lui ordonnerait de liquider discrètement Heredero. Il avait d'abord, de nuit, surveillé la maison aux jumelles, et pu ainsi vérifier que l'homme ne rentrait jamais dormir deux soirs de suite à la même heure. Les deux personnes qui l'assistaient dans son travail ne vivaient pas sur place. Ce qui signifiait que lorsqu'il se mettait au lit, il était seul. La maison, entourée d'un mur très haut, d'environ trois mètres et demi, offrait curieusement un point faible : le court de tennis. Il permettait à Heredero de traverser la demeure de ses voisins par la porte de communication, et permettait également à n'importe qui d'entrer chez lui en empruntant le même chemin. Il n'avait même pas fait installer d'alarme à l'entrée principale. Il ne possédait pas de chiens. Pour entrer, sauter le mur était la dernière solution à envisager, vu les faibles probabilités de pouvoir s'en sortir en cas de fuite précipitée. Le troisième jour, Tutusaus se glissa dans la cour des voisins d'Heredero. Eux non plus n'avaient pas de chien. Quartier de millionnaires confiants. Il constata que la serrure de la porte qui menait au court de tennis était d'un modèle très spécial – il n'en avait jamais vu de semblable auparavant –, avec une entrée de clef en forme de croix. De deux choses l'une, ou bien il passait des jours et des jours à étudier

123

la manière de la forcer sans aucune garantie de réussite, ou bien il en parlait à Hipólito Pareado. C'est ainsi que le quatrième jour il alla lui rendre visite aux studios Orphea. Il attendit la fin de son travail et faillit le rater, se retrouvant bloqué au milieu de la circulation, dans l'une des ruelles qui donnaient sur l'avenue du Paral·lel. Il sortit la tête par la portière de sa vieille 1400 et vit un mulet en train de tirer un orgue de barbarie. Un gitan tenait les rênes et une femme marchait derrière, tout en maintenant le piano. Ils n'avançaient pas assez vite et il se forma à leur suite une imposante queue d'automobiles et de fourgonnettes. Tutusaus commençait à associer Pareado aux embouteillages et aux tractions animales.

Il héla son ami au moment où ce dernier montait dans sa voiture, habillé en civil.

— Alors ça, Tutusaus, toi par ici ! Comment va ?

— Bien. Et le chien ?

— Quoi ?

— Votre chien, comment il va ?

— Mon chien ? Tu me plantes comme ça, sans une explication, et quand tu reviens, la première chose à laquelle tu penses, c'est de demander des nouvelles du chien ?

— Oui.

— Bon, alors, il va très bien, merci beaucoup... Et si ça t'intéresse, moi aussi. On peut savoir ce qui t'a pris, l'autre jour ? Je ne dis pas que c'est le meilleur spectacle du monde, mais de là à partir en courant... C'est à cause de ce pédé, c'est ça, hein ? J'espère que tu ne crois pas que je...

— Non, non.

— Allez, je t'invite à boire un verre, va...

Ils heurtèrent une vieille qui vendait des tomates exposées par terre, sur une toile cirée, au ras du trottoir. D'après elle, les fruits venaient directement de son propre jardin. Pareado commença à marchander, et la défia en lui disant qu'il l'avait vue les voler au marché de la Boqueria. Finalement, il lui acheta une tête d'ail.

— L'ail est source de vie, Tutusaus... On va entrer ici. Alors, qu'est-ce qui t'arrive ?

Ils se glissèrent dans un bar minuscule où, entre le mur et le comptoir, il ne restait de place que pour les tabourets. Tutusaus lui dit qu'il avait besoin de son aide. Pareado commanda une bouteille de Valdespino. Assis au comptoir, ils discutaient tout en observant la rue. Ils virent passer un groupe de marins brésiliens ivres. Deux d'entre eux étaient accompagnés de filles et s'engouffrèrent sous un portail juste à côté. Pareado, qui avait suivi le regard de Tutusaus, lui expliqua :

— C'est un *meublé*. Hygiène totale. Je te le recommande.

Tutusaus sirotait machinalement son petit verre de valdespino. Il sortit une feuille d'un bloc sur lequel il avait dessiné la serrure en question et la lui montra.

— Vous connaissez ?

Pareado l'examina et commença à lui poser des questions : marque, taille, situation, degré de conservation...

— Une bonne serrure, ça, Monsieur... Il y avait longtemps que je n'en avais pas rencontré. Ou je me trompe, ou c'est une Weissenberger Deluxe... On les fabrique en Suisse, pour protéger les banques. Il en existe très peu... Il doit être très riche, celui à qui tu veux rendre visite... Mais on devrait passer chez moi pour être sûrs.

L'appartement barcelonais de Pareado n'était pas loin et ressemblait comme deux gouttes d'eau à cet autre appartement, à Madrid, dont Tutusaus avait gardé le souvenir : deux petites pièces, un salon-salle à manger, une cuisine et des toilettes minuscules. Pareado conservait dans une des pièces tout son arsenal de monte-en-l'air désormais retraité.

— J'ai toujours ma collection de clefs, tu vois, que ce soit ici ou là-bas. Je crois que ça sera le seul héritage que je laisserai... Entre. On se boit une petite bière ?

Ils s'assirent à la table de la salle à manger. Pareado venait d'ouvrir une valise pleine de paquets et de dossiers. Après avoir longuement fouillé dans cette montagne de paperasse poussiéreuse, il trouva une espèce d'album photo luxueusement relié. Il l'ouvrit et le lui tendit.

— Voyons voir, Tutusaus, concentre-toi. Il y a dans ces feuilles les photos des meilleures serrures suisses. Je les ai emportées des archives de la police. Puisque c'est moi qui les avais faites, je n'allais pas leur laisser, n'est-ce pas ? Celui qui viendra après moi se débrouillera, tu ne crois pas ? Regarde, il y en a deux qui ont une entrée de clef en forme de croix. Identifie la serrure que t'as vue hier.

Tutusaus les examina calmement. À première vue, elles semblaient identiques. Il en choisit une.

— T'es sûr ?

— Oui.

— Parfait. Une Weissenberger Deluxe, c'est bien ce que je pensais. À leur époque, elles ont été inviolables. Mais une fois leur mécanisme divulgué, elles ont disparu du marché.

Pareado décolla la photo, une copie assez agrandie. Il y avait, au verso, un croquis détaillé du mécanisme de la serrure.

Il sortit un moment et revint en possession d'une clef au panneton cruciforme.

— Je te la laisse. C'est une sorte de clef maîtresse que j'ai fabriquée moi-même. Elle sert à ouvrir trois ou quatre serrures de ce genre. Pour une Weissenberger Deluxe, tu auras peut-être besoin de la limer un peu au bout. Abaisse-la d'un millimètre...

— Merci.

— De rien, en souvenir du bon vieux temps. Tu m'en devras une. Je suppose que tu me diras rien de l'affaire, hein ?

— Non.

— Pozos est au milieu de tout ça ?

— Oui...

— Alors je veux pas en savoir plus.

— Faut que je m'en aille.

— Eh bien bon vent, mon vieux. Et t'inquiète pas, dès demain, en arrivant, je dirai à mon chien que tu le salues bien.

Tutusaus passa le cinquième jour à organiser son plan. En sachant qu'il pouvait accéder sans problème à la maison d'Heredero, c'était facile. Il détestait tuer des gens pendant

126

leur sommeil, mais en cas de nécessité, il n'hésitait pas. Face à quelqu'un de plus ou moins malade, comme Heredero, il n'en aurait que pour quelques minutes. Et puis, il ne ressemblait pas à certains de ses collègues, capables d'assassiner dix personnes à la file mais qui déprimaient quand l'une de leur victime n'était pas morte immédiatement et avait souffert. Tutusaus, homme pratique et méthodique, voulait la meilleure mort pour celui qu'il devait tuer, du moment que sa sécurité n'en dépendait pas.

À partir du sixième jour, le temps commença à passer très lentement. Il ne lui était jamais arrivé rien de tel, et la conscience d'être un simple bourreau dans l'attente d'un ordre d'exécution provoquait en lui, plus que tout, un sentiment diffus d'humiliation. Il se sentait désœuvré. Le dimanche des rameaux arriva, et l'ambiance qui régnait sur la ville grise et pluvieuse ne lui remontait guère le moral. L'attente lui devint pénible. Il se souvint alors d'une situation semblable, lorsqu'un jour Pozos était arrivé à la ferme de Montsol accompagné d'un type en loques. Il avait pris Tutusaus à part, lui avait donné de l'argent, l'adresse d'un hôtel à Ripoll et la mission de s'y installer jusqu'à nouvel ordre. Pozos tarda une semaine et demie avant de le prévenir. Lorsque Tutusaus revint à Montsol, Pozos ne le reçut même pas. Il s'était enfermé dans une des chambres avec son prisonnier. Tutusaus les entendait parler et discuter. Le général menaçait et l'autre répondait en haussant le ton. Il n'apparut que pour aller aux toilettes et ne le salua même pas. Un peu plus tard, deux policiers de la Brigade sociale sortirent de la chambre, les visages fermés. Les cris du prisonnier résonnaient dans toute la ferme ; Tutusaus se contentait de les écouter. C'est dans la soirée de cette même journée que le général l'appela et lui dit, juste avant de partir :

— Bon, Céspedes, à toi de jouer. Je veux que tu t'occupes de ce salopard. Fais-en ce que tu veux, du moment que le plus gros morceau que tu laisseras de lui ne dépasse pas la taille de mon ongle. C'est compris ?

Bien sûr qu'il avait compris. Il resta un bon moment à

réfléchir à la manière de procéder. Il avait tout d'abord été surpris d'apprendre que, dans la chambre du haut, se trouvait quelqu'un d'officiellement déjà mort. Le couper en petits morceaux ? Certainement pas. Puisqu'il devait le tuer et le faire disparaître, il agirait à sa manière. Il aurait un bien joli cadavre pour sa collection du bois d'Entraigües. À cette époque-là, il expérimentait une préparation de bacille botulique obtenue des services secrets américains, et décida donc d'éliminer sa victime tout en procédant à des essais. Il avait entendu parler du bacille botulique pour la première fois à Berlin, à la fin de l'année 1944. Les Alliés l'utilisaient à petite échelle en tant qu'arme létale dans la guerre biologique. Les nazis avaient prévenu qu'ils se trouvaient devant l'un des matériaux les plus toxiques jamais vus, produit par une simple bactérie, et dont on ne connaissait, de plus, aucun antidote. Avec 0,12 microgramme mélangé aux aliments, il y en avait déjà assez pour tuer un homme. La même quantitée pulvérisée dans l'air tuait toute une armée. Les charcuteries et les conserves constituaient des vecteurs idéaux, la bactérie s'y développait rapidement. Tutusaus passa une dizaine de jours à travailler sur deux fronts : d'un côté, il soigna et alimenta son prisonnier afin qu'il retrouve une meilleure condition physique. Il eut un peu de mal parce que les hommes de la Brigade l'avaient bien amoché, mais il y parvint. Il lui administrait des somnifères dans la nourriture puis, la nuit, désinfectait ses blessures, changeait ses bandages, etc. De l'autre côté, il s'enfermait dans le petit laboratoire de la ferme, avec ses seringues et ses tubes à essais. Ce qui l'intéressait était d'obtenir une préparation incolore, inodore et insipide. Une fois satisfait, il en inocula une quantité infime dans une boîte de sardines. Le prisonnier, qui jeûnait depuis presque vingt-quatre heures, les dévora en un instant. Tutusaus resta dans la pièce d'à côté, à attendre tranquillement. Deux heures plus tard il entendit le prisonnier commencer à se plaindre. Il mit en marche son chronomètre et observa, à travers le judas de la porte, les symptômes provoqués par le poison. L'homme se tordait par terre en se prenant le ventre et en se frottant les yeux. Ses muscles se paralysèrent immédiatement et sa transpiration diminua jusqu'à disparaître. Tutusaus entra alors dans la pièce avec une gourde et fit couler un peu d'eau dans la gorge du moribond. Le malheureux fut incapable d'avaler la moindre goutte. Il nota « gorge bloquée, pareille à une intoxication par strychnine ». Finalement, après une baisse générale du tonus, l'homme mourut d'un simple arrêt respiratoire. Tutusaus stoppa son chronomètre et nota encore : « essai réussi. Résultats très intéressants. Agonie de quarante-trois minutes. Peut, dans certains cas, s'avérer trop longue ». Il déshabilla aussitôt le cadavre, le nettoya, le photographia et l'emporta vers son cimetière. Le boulot était terminé. Ces jours d'attente avaient valu la peine.

Mais, à présent, c'était différent. Depuis plus de dix jours, le général ne donnait pas signe de vie. Tutusaus se levait de bonne heure, petit-déjeunait et sortait – jamais à la même heure – afin de ne pas éveiller les soupçons de la patronne de la pension. Le dimanche des Rameaux, il fit un tour à la foire aux palmes sur la Rambla de Catalogne, puis se rendit à la cathédrale, où il vit l'évêque bénir les palmes et les branches d'oliviers brandies par les fidèles. Une véritable foule s'était agglutinée malgré la petite pluie fine qui tombait et le vent froid qui soufflait sur la ville. On approchait de la Semaine sainte, avec ses processions et tout le tralala. Tout cela ne lui plaisait pas et le déprimait. Il se méfiait de l'exagération ecclésiastique rituelle. Tutusaus ne l'avait jamais dit à personne, mais il doutait parfois de l'existence de Dieu. Et en supposant qu'Il existe, il n'avait pas l'impression qu'Il se préoccupait beaucoup de lui. Cela dit, bien sûr, en raison de cette relation si étroite qui le liait à Son Excellence – Franco étant le chef de l'État par la grâce de Dieu –, Tutusaus en avait déjà bien assez et se trouvait pleinement réconforté. Il tuait les ennemis du Généralissime, qui étaient eux-mêmes des ennemis de Dieu. De sorte que si la justice humaine le tolérait, la justice divine se montrerait, à n'en pas douter, tout aussi compréhensive. Tutusaus avait rapidement appris que le commandement « Tu ne tueras point » s'accompagnait d'une légère nuance qui disait « mais tout dépend de la personne, de la manière et du moment ». Il entra dans un bar, fuyant la pluie et le froid. La salle était pleine, et de la vapeur d'eau se dégageait des manteaux humides. Il y avait là surtout des hommes, qui écoutaient la retransmission radiophonique du match de football entre le Barça et le Reial Madrid. Nous étions le dimanche 15 avril 1962, et tout était en ordre. Le matin : bénédictions des rameaux ; l'après-déjeuner : football. Le grand match de la saison, en direct de Madrid. Tutusaus commanda un *chinchón*. Sur la télé du bar on pouvait voir Mademoiselle Hertha et ses marionnettes à fils, mais le son avait été baissé afin que l'on puisse suivre le match. Or Mademoiselle Hertha était ventriloque ; sans le son, on avait réellement l'impression que c'était sa petite chienne Marilyn qui parlait. Une femme et ses deux enfants regardaient. Son mari, près de la porte, écoutait la retransmission. Les enfants avaient demandé un Colacao et leur mère leur débarbouillait le museau après chaque gorgée avalée. En ce dimanche de rameaux, il y avait de l'ambiance dans la rue, malgré le froid. Le Barça marqua et il y eut une clameur. Tout le monde semblait tranquille et content. Tutusaus retourna à la pension. Mme Vilallonga, de son air digne et de sa voix atone, lui dit :

— Vous ne pourrez pas vous plaindre ! Je suis allée moi-même acheter de nouveaux rameaux pour remplacer ceux de l'année dernière... Ils sont déjà accrochés sur votre balcon.

— Merci.

Pendant ces jours d'attente, Tutusaus se rendit deux ou trois fois au fort de Montjuïc. On y achevait les travaux du futur Musée militaire, qui devait être prêt pour juillet. Il courait même une rumeur selon laquelle Son Excellence en personne viendrait l'inaugurer. Tutusaus se découvrit une fascination pour les petits soldats de plomb. Il observait la manière dont spécialistes et artisans les disposaient ou les restauraient... Quand il en avait assez, il montait à l'étage supérieur du fort. Il s'était identifié en tant que militaire dès le premier jour. On le connaissait désormais et personne ne venait l'importuner. Il aimait beaucoup cet endroit. Il y avait toujours de l'air. Les nouvelles recrues allaient et venaient, très affairées. Certaines le saluaient militairement, au cas où il se serait agi d'un officier en civil. Les tours exposées aux intempéries, les escaliers sans rampe offraient un aspect austère qui cadrait bien avec l'endroit. Tutusaus se rapprochait du mur, laissant glisser son regard au loin, sur les toits, la partie haute des façades et, vers la droite, sur le port et toute son effervescence. On entendait une sirène dans le lointain. Elle pouvait annoncer un changement d'équipe dans une grande usine ou bien l'entrée d'un bateau dans le port... Si la journée était claire, on apercevait, en direction de l'avenue du Paral·lel, ces trois hautes cheminées crachant en l'air des tourbillons de fumée que le vent désagrégeait et convertissait en nuages lents, qui s'en allaient, paresseux, dans un sens ou dans un autre. Tutusaus se sentait très bien tout seul. Il s'était toujours senti très bien ainsi. C'est pour cela qu'il était presque heureux lorsqu'il vivait à Montsol. Il descendit la colline de Montjuïc à pied avant de se retrouver, comme toujours, au même endroit : sur les Ramblas, dans le Barrio Chino, sur les quais... Un jour, pour se mettre à l'abri de ce mois d'avril si pluvieux, il était entré dans la Gare de France, pleine d'une foule de gens bigarrés qui attendaient les trains ou venaient simplement passer le temps. Le sol de la gare était pareil à ceux de toutes les gares, couvert de crachats et de saletés, conférant au lieu cette tristesse que seules les gares possèdent parfois. L'odeur d'humidité s'infiltrait partout. Sur un des bancs de la salle d'attente, trois vieux observaient le mouvement de leurs yeux de pierre tout en écoutant, sans même le regarder, un quatrième homme, maigre et affable, qui évoquait, en parlant lentement, des souvenirs de jeunesse. Il lui manquait l'index de la main droite. Tutusaus s'assit à côté de lui, et y porta le regard, machinalement. L'homme s'en rendit compte et lui dit :

— Qu'est-ce que c'est qu'un doigt ? Peu de chose en réalité.

— Ça dépend. Celui qui vous manque, c'est celui qui sert à tirer, répondit Tutusaus.

131

— J'ai trop tiré à la guerre. Qu'est-ce que vous imaginez ? J'avais quarante ans passés, une femme et trois enfants, et allez hop, à la guerre, avec des galopins de dix-sept ans... Ça m'en a fait passer l'envie, de tirer... Si je vous disais comment j'ai perdu mon doigt, vous seriez mort de rire...

— Alors ne me le dites pas.

— Je vais vous raconter autre chose. Vous savez quoi, mon petit ? Quand j'avais quinze ans, dans la sierra des Encantats, je montais des chevaux sauvages à cru et je chassais les renards à coups de bâton. Qu'est-ce que vous en dites ?

— Que c'est un bobard, lui répondit Tutusaus.

Les autres vieux se tournèrent automatiquement vers lui. L'homme continua :

— Une fois, il y a cinquante ans, je devais en avoir vingt-cinq, dans un coin des Pyrénées, un célèbre chasseur est parti tout seul chasser à cheval. Chasse au gros. Eh bien, il est tombé dans une ravine pendant la nuit alors qu'il traversait un terrain accidenté. Quand son cheval est rentré chez lui deux jours plus tard, sans son cavalier, on est partis à sa recherche. Il faisait vraiment un sale temps. On n'a retrouvé le chasseur qu'une semaine plus tard. Bon, en réalité, on n'a retrouvé que les deux os des jambes, et les pieds. Ils étaient encore enfoncés dans les chaussures, avec les chaussettes bien mises. Le reste ? Dans la panse des animaux du bois. Qu'est-ce que vous en dites, maintenant ?

— Que c'est un bobard encore plus gros que l'autre...

— Vous ne me croyez pas ?

— Non.

— Voilà le problème des jeunes d'aujourd'hui, ils ne croient plus en rien...

Tutusaus se leva et s'en alla. Il préférait la pluie du dehors au bavardage du retraité.

Souvent, quand il se glissait dans les ruelles du Barrio Chino pour observer les putes et boire un *chinchón* avec des glaçons, il croisait ce cul-de-jatte dans sa petite charrette tirée par une femme. À peine le voyait-il arriver que l'homme le couvrait d'injures. Ils s'étaient déjà accrochés plusieurs fois. Tutusaus le trouva un matin en train de fouiller, installé dans sa charrette, les ordures du marché de la Boqueria, tandis que la femme qui lui servait d'âne ou de bœuf, paisible et l'air absent, attendait à quelques mètres de là tout en emmêlant ses doigts dans un curieux collier passé autour de son cou, un collier de perles blanches et irrégulières. Tutusaus s'approcha et elle ne bougea pas. Les perles étaient des pois chiches blancs cuits. Quand il tendit la main pour les toucher, elle poussa un hurlement. Le cul-de-jatte se retourna, reconnut Tutusaus, abandonna ses poubelles et se mit à l'invectiver d'une terrible voix tonitruante. Tutusaus s'écarta. Il n'aimait pas les gueulards, il n'était pas encore huit heures du matin et il n'avait pas bien dormi. La femme se tut, mais pas l'estropié. Tutusaus se dirigea vers lui et lui intima l'ordre de se taire. L'autre cria de plus belle. Tutusaus lui balança un coup de pied en plein sur la bouche. La tête de l'homme partit en arrière comme celle d'une poupée de son, mais sans tomber complètement. La femme ne s'en émut même pas. Pris par surprise, l'estropié n'avait pas réagi et s'était étalé, du sang plein la bouche. Des gens commençaient à arriver et Tutusaus se perdit alors dans le labyrinthe des étals du marché qui venaient juste d'être installés. C'est ainsi qu'il rentra ce jour-là chez Mme Vilallonga avec un peu de sang sur le bout d'une chaussure. Une autre fois, lors d'un de ces jours d'attente, en descendant les Ramblas, il revit la femme de l'estropié adossée à un mur. Elle portait une robe d'été plutôt loqueteuse qui dévoilait les formes de son corps. À côté d'elle, par terre, la charrette du cul-de-jatte, vide. Tutusaus s'approcha, jeta un coup d'œil alentour et ne le vit pas. La femme contemplait le ciel, le regard absent, tout en entortillant son collier dans ses doigts. Près d'elle se trouvaient le portail et l'escalier qui menait à cette salle de billards dont Hipólito Pareado lui avait parlé quelques jours plus tôt. Il eut envie de monter. En passant sous le porche, il examina la femme : sa robe n'était pas à sa taille et bâillait ; il suffisait qu'elle se baisse un peu pour que l'on voie ses seins par l'échancrure du décolleté. Il grimpa l'escalier quatre à quatre. Une douzaine de jeunes hommes jouaient au billard sur trois tables. À sa grande surprise, Tutusaus vit l'estropié, debout, sur une jambe, s'arcboutant à une béquille. Ce qui signifiait qu'il ne lui manquait qu'un membre, en réalité. Il tentait de garder sa stabilité pour arriver à jouer. Il pointait, à moitié assis sur la table, mais perdait l'équilibre, et chaque tentative était vouée à l'échec. Finalement il glissa et tomba. Les gens riaient et se fichaient de lui, tandis qu'il essayait de se relever en les maudissant, eux et leurs défunts ancêtres. Tutusaus commanda une bière et glissa une pièce de monnaie dans le juke-box. L'estropié était la cible de toutes les plaisanteries. Il devait l'avoir été toute sa vie. Les autres garçons n'avaient pas de pitié pour lui mais ils semblaient malgré tout se connaître, et il acceptait tout cela avec une certaine complicité. Ils lui touchaient les fesses du bout de leur queue de billard pour qu'il se relève. Il y parvint en s'agrippant à la table et se prépara à jouer. Il voulait y arriver coûte que coûte. Tutusaus pensa qu'il avait peut-être parié du fric. L'homme, cramponné au billard, visa et porta son coup. Il n'y eut pas de carambolage, mais les autres joueurs l'acclamèrent. Ils l'attrapèrent d'abord par le cou et le secouèrent pour marquer leurs félicitations, puis l'un deux, le plus costaud, le chargea sur ses épaules comme un torero et le promena dans toute la salle. Finalement ils se fatiguèrent et se remirent à jouer. L'estropié, désormais hors du centre d'attention, s'éloignait fièrement lorsqu'il buta sur Tutusaus, qui lui tournait le dos, appuyé au petit comptoir du bar.

— Hé, le taré...

Tutusaus fit volte-face, plutôt par curiosité. L'estropié réclamait son attention :

— Pourquoi tu me regardes ? Pourquoi tu fais cette tête-là ? T'as jamais vu un unijambiste ?

Tutusaus lui dit que, la veille, c'était les deux jambes qu'il lui manquait.

— Eh bien, tu vois, j'en ai une qu'a poussé en quelques heures. Un vrai miracle. C'est fort, hein ? Le minimum que tu puisses faire, c'est de me payer un coup. Tu crois peut-être que tu reverras un jour devant toi quelqu'un qu'a fait l'objet d'un miracle ?

Tutusaus accepta, à condition qu'il ne le traite plus jamais de taré. L'estropié prit bien appui sur sa béquille et lâcha lentement :

— Taré !

Tutusaus sortit de ses gonds. Il fit éclater sa bouteille de bière sur le comptoir, presque instinctivement. Toute la salle devint silencieuse. L'estropié également. Ses amis quittèrent la table de billard et commencèrent à s'approcher. Ils étaient sept ou huit. Tutusaus laissa la bouteille brisée sur le comptoir, y jeta une pièce et s'en alla. Il savait quand il commettait une erreur. Il le choperait à un autre moment.

Comme Tutusaus descendait l'escalier, l'estropié, de la salle des billards, lui cracha le mot « taré » comme une mitraillette, deux, cinq, dix fois de suite, sans s'arrêter ni même respirer. De nouveau dans la rue, Tutusaus passa à côté de la femme qui continuait à regarder le ciel, son collier cette fois dans la bouche, et descendit les Ramblas. Il ne savait pas pourquoi, mais il avait l'impression que les problèmes s'acharnaient sur lui. Tutusaus créait des problèmes sur son passage, il ne s'en rendait pas compte et ne savait que faire pour empêcher ce phénomène. Il s'emplissait de violence. Elle grandissait, lui montait des pieds à la tête et éclatait sans qu'il puisse l'éviter. Quand il y songeait, il imaginait qu'on avait inoculé en lui le germe de la violence qui, tout comme le bacille botulique, ne possédait pas d'antidote et qui, sans doute, le conduirait également à la mort. Tutusaus haïssait Barcelone et priait pour que le général se manifeste très vite d'une manière ou d'une autre.

Chapitre 8

Les jours passaient, monotones. Plus d'une fois, en revenant de ses promenades matutinales, Tutusaus était arrivé à temps pour voir, vers trois heures du matin, la Mercedes 200 d'Heredero apparaître sous son balcon et entrer par la porte principale de sa résidence. Les policiers étaient les mêmes, la voiture de surveillance du même modèle, seule la couleur avait changé. Parfois, pour s'amuser, Tutusaus descendait dans la rue, passait devant les policiers, faisait le tour de la demeure et attendait. Il vit deux ou trois fois, quelques minutes plus tard, la Volkswagen grise sortir par la porte de l'autre maison sans que les policiers en planque ne s'en aperçoivent. Tutusaus ne voulait pas s'en mêler. Les raisons d'Heredero pouvaient être les plus simples du monde : il s'en allait à la Barceloneta partager une paella avec ses amis du club Nàutic et n'aimait pas sortir sa Mercedes de manière ostentatoire. Il ne l'utilisait que pour se rendre dans son entreprise et marquer ainsi l'étendue de son pouvoir. Une histoire de riches, ça. Dans tous les cas, quoi qu'il fît, ça ne le regardait pas. Mais après quinze jours d'attente, même quelqu'un comme Tutusaus, rompu à sublimer la discipline, était capable de succomber à la tentation : une nuit, de retour de promenade avec sa 1400, alors qu'il se garait, il croisa la Volkswagen grise qui arrivait en face. Il fit demi-tour et le prit en filature. C'était inévitable. Il allait désobéir à l'ordre de rester strictement immobile. Il ne l'avait jamais fait. Mais, à sa propre surprise, il trouva à se justifier sans problème ; ça lui serait extrêmement utile, en effet, de mieux connaître les habitudes d'Heredero... Ils sortirent de Barcelone et se dirigèrent vers un quartier de luxe aux alentours d'Esplugues. Il s'agissait d'un lotissement avec de grandes maisons de part et d'autre d'un chemin privé. La Volkswagen emprunta le sentier qui menait à l'une des villas. Tutusaus se gara à environ cinquante mètres de l'entrée et sortit de sa boîte à gants le dossier concernant Heredero. Par déduction, il comprit aussitôt où il se trouvait. Chez des amis chez qui ce dernier se rendait régulièrement pour « bavarder et jouer aux cartes ». Rien de spécial. Le rapport ajoutait : « Il y est resté plus d'une fois à dormir, que ce soit lors d'un dîner ou d'une fête en société, après avoir bu plus que de raison. » C'était visiblement des amphitryons à qui l'industriel faisait assez confiance pour qu'ils lui interdisent de rentrer seul chez lui s'il n'était pas en état de conduire. Un peu déçu, Tutusaus fut tenté de s'en aller, mais il resta quand même. Il s'endormit sans le vouloir et se réveilla brusquement, un moment plus tard, la tête appuyée sur le volant et la bouche ruisselante de salive. Il ouvrit les yeux et demeura abasourdi. À une dizaine de mètres devant lui, assis par terre, à l'angle du trottoir de la villa où il était venu dîner, il découvrit Felipe Heredero. L'industriel, déchaussé, ne portait qu'un peignoir blanc en coton. À contre-jour, en raison des réverbères, Tutusaus pouvait l'observer discrètement sans être vu. Il en fut impressionné. L'homme semblait réfléchir, les yeux clos, tout en tirant sur une cigarette. Quelques instants plus tard, la maîtresse de maison, elle aussi en peignoir et déchaussée, comme si elle sortait de sa douche, apparut, inquiète. Elle lui dit qu'elle l'avait cherché partout et lui demanda s'il se sentait bien. Heredero avait l'air d'un somnambule. Survint alors l'inimaginable : il se mit à pleurer. La femme s'assit à côté de lui et passa un bras sur son épaule tout en lui parlant dans le creux de l'oreille. On aurait dit qu'elle voulait lui donner une sorte d'explication. Il hochait la tête de droite à gauche, jusqu'à ce que, d'un seul coup, il la regarde et se jette littéralement sur elle. La rue était déserte. Toutes les maisons alentour plongées dans l'obscurité. Tutusaus s'attendait à ce que la femme, probablement l'épouse d'un de ses meilleurs amis, le repousse avec fermeté. Mais c'est exactement le contraire qui arriva : ils s'enlacèrent avec force. Les peignoirs glissèrent par terre, et ils se mirent à faire l'amour, nus, au beau milieu de la rue. Tutusaus n'en croyait pas ses yeux. La femme, d'âge moyen, la peau lisse et ferme grâce aux saunas et aux soins des masseurs, aspirait littéralement la bouche d'Heredero. Et si le mari apparaissait ? Mais il n'apparut pas. La scène dura deux minutes à peine, le temps pour les amants de se décider à rentrer dans la maison, afin de terminer le travail dans des conditions plus confortables. Il les vit se relever et rentrer, leurs peignoirs traînant sur le sol. Si l'on tenait compte de la personnalité du mari de la dame, un des magnats du club Palomo, on comprenait qu'Heredero utilise sa Volkswagen. Non parce qu'elle attirait moins l'attention qu'une Mercedes 200 d'importation, mais parce qu'elle lui garantissait l'anonymat. Tutusaus était fasciné. La séquence resta gravée dans sa tête et ne le quitta pas de tout le chemin du retour. Des millionnaires pleurant sur les trottoirs, des millionnaires, hommes et femmes, faisant l'amour au milieu de la chaussée... Pour Tutusaus, il s'agissait vraiment d'un autre monde.

Par chance, deux jours plus tard – c'était déjà le dix-neuvième –, le facteur vint lui porter un télégramme ; une note chiffrée du général Pozos lui disant qu'il viendrait le chercher le lendemain matin pour rendre visite à Heredero. Tutusaus soupira, soulagé. Le contact arrivait au bon moment. La nuit précédente, en effet, Tutusaus, emporté par son anxiété, avait commis l'impensable : entrer incognito dans la maison d'Heredero. Il était même allé dans sa chambre, s'asseyant juste à côté de son lit. Après l'avoir vu faire l'amour dans la rue, vingt-quatre heures plus tôt, Tutusaus avait attendu toute la journée afin de voir s'il retournerait rendre visite à son amie. Mais ce soir-là, Heredero rentra chez lui, dîna, resta un moment devant la télévision, lut le journal, donna un coup de téléphone et partit se coucher. Tutusaus le surveillait avec ses jumelles depuis sa chambre chez Mme Vilallonga, à travers la porte vitrée du balcon. Déçu, il fut sur le point d'aller se coucher, lui aussi. Mais il n'en fit rien. Il prit sa veste, s'assura qu'il avait bien sur lui la clef de Pareado, donna une excuse quelconque à Mme Vilallonga et sortit. Les policiers le connaissaient de vue et le prenaient pour un voisin. Ils lui souhaitaient même bonne nuit. Ils savaient également qu'il se promenait à des heures indues. Arriver au pied du lit de Felipe Heredero lui prit vingt-cinq minutes au total. Tutusaus était plus silencieux que le voleur le plus silencieux du monde. Il s'approcha, sortit son pistolet et appuya pratiquement le canon de son arme sur la tempe d'Heredero, qui dormait, très confiant, puis se laissa tomber sur un petit sofa, dans un coin de la pièce, y demeura une bonne demi-heure, regardant l'homme dormir à cinquante centimètres à peine de lui. Il observa la chambre et l'illustre dormeur, huma l'air et réfléchit. Le luxe ne l'impressionnait pas. Il était nettement plus déconcerté de voir quelqu'un de si puissant prendre si peu de précautions. À cet instant, Heredero aurait déjà pu être mort, ou pris en otage. Ou empoisonné. Tutusaus se rendit dans la salle de bains. Marbre et grands miroirs. Il vit son visage s'y refléter, malgré l'obscurité. Parfois, il ne se reconnaissait pas. Il ne supportait jamais son propre regard. Sur une étagère, des eaux de Cologne étrangères et des lotions, brosse à dents et dentifrice. La chose la plus simple du monde : inoculer du poison dans le tube de pâte. Les muqueuses de la bouche l'absorberaient instantanément. Il avait déjà essayé. C'était parfait, on pouvait causer la mort à distance, des heures plus tard, et s'en sortir les mains propres. Il y avait aussi une baignoire ronde. Dans une petite armoire, tout un arsenal médicamenteux. Et des préservatifs français. La vie et la mort d'Heredero conservées au même endroit. Il revint dans la chambre. L'homme n'avait pas bougé. Sa collection de porcelaines se trouvait au salon, dans des vitrines, avec des étiquettes aux références exotiques : « Dynastie Ming (1368-1643) », « Période K'ang-hi (1622-1722) », « Porcelaine de Dresde (XVIIIe) » « de Sèvres (XIXe) ». Tutusaus avait lu dans son dossier que ce n'étaient que des copies, les originaux que possédait Heredero étaient bien gardés. C'est la raison pour laquelle il dormait si tranquille. Voilà bien un résumé du pouvoir et de l'art. Tout le monde savait qu'Heredero possédait cette collection. En même temps, personne n'en avait jamais vu l'original. Mais tout le monde y croyait. Et pour que tous s'en souviennent, il en avait demandé des copies conformes. Personne ne pouvait y échapper ! Le dossier rapportait que, de temps en temps, Heredero s'enfermait tout seul dans le souterrain blindé de son entreprise où il stockait sa collection. Il y restait des heures...

Avant de sortir, Tutusaus changea quelques affaires de place. Si Heredero s'en apercevait, il ne dormirait peut-être plus aussi tranquillement. Il revint dans la chambre et, durant quelques instants, il dut contenir une irrépressible envie de le tuer.

Cette nuit étrange révéla la morbidité et le trouble dont s'enveloppait l'âme de Tutusaus à ce moment-là. Cela ne présageait évidemment rien de bon, même si le message du général arriva, heureusement, le lendemain matin. Tutusaus demeura perplexe. Il avait relu par deux fois le télégramme, et ce dernier était on ne peut plus clair : il n'y trouva nulle part l'ordre qu'il prévoyait. Dix-neuf jours d'attente, et voilà qu'on ne lui proposait qu'une nouvelle visite à Heredero ? Cela signifiait au moins une chose de sûre : la machinerie du général ne s'arrêtait pas, ce qui lui remonta particulièrement le moral. Enfin un peu de mouvement ! Pourtant, à mesure qu'avançait la journée, Tutusaus devenait inquiet sans en comprendre réellement la raison. Il attendait peut-être un appel du général, qui ne vint pas. Dans la soirée, il se rendit chez Pareado, il désirait lui raconter le succès obtenu avec sa clef, mais il était absent. Il tenta de retrouver le restaurant où son ami l'avait emmené le premier jour, sans succès. Soudain il pensa que le général venait peut-être de l'appeler, et il téléphona à Mme Vilallonga pour lui demander si quelqu'un avait laissé un message pour lui : personne.

Il faisait bon marcher aux premières heures de la nuit, dans le bas des Ramblas où montait une fraîcheur humide saturée d'odeurs mêlées : sel, eau croupie, goudron... Tutusaus restait inquiet sans savoir pourquoi. Sur la frange portuaire, la clarté du jour s'éteignait dans un blanc livide qui se parait de tons bleus ou verdâtres. Tutusaus s'assit sur l'une des bittes d'amarrage noires du quai, au ras de l'eau, près du guichet fermé des *Golondrines* qui assuraient des rotations fluviales dans le port. Il pensa au général qui l'avait laissé attendre dix-neuf jours sans rien lui dire. Mais la raison en était simple : le général n'avait aucun doute à avoir à son sujet, il savait qu'il le trouverait toujours sur le qui-vive, prêt à agir, aussitôt qu'il le faudrait. Et cela remplissait Tutusaus d'orgueil.

La nuit tomba tout à fait sans qu'il s'en aperçoive et, sur les quais, la brume estompa peu à peu le contour des objets. Il ne resta bientôt plus que quelques points de lumière, et de gigantesques grues qui se dessinaient sur sa droite. Un brouillard doré se blottissait sous le halo des réverbères. Tutusaus se retourna et vit le monument dédié à Christophe Colomb. C'est sûrement le monument le plus stupide du monde, pensa-t-il. Colomb, le découvreur de l'Amérique, qui pointe son doigt exactement du côté opposé... Encore une démonstration de cette arrogance barcelonaise...

Au lieu de remonter les Ramblas, il opta pour Santa Madrona et les Drassanes et déboucha directement dans les ruelles du Barrio Chino. Il s'arrêta, par hasard, juste devant le cabaret Lluna de Llana. Il était perturbé et en sueur. Il avait vu de loin l'estropié à la charrette et cette horrible femme le traînant à l'aide de son ruban de store. Pour ne pas avoir à l'entendre, pour ne pas avoir à supporter sa présence, il avait fait demi-tour et s'était glissé dans la première rue qui s'offrait à lui.

La patronne se tenait à la porte du cabaret ; elle semblait s'ennuyer. Le reconnaissant, elle l'apostropha :

— Comment va ? Et pourquoi vous êtes parti, l'autre jour ? Le spectacle vous a pas plu ? Vous auriez préféré un show avec des demoiselles, c'est ça ? Mais qu'est-ce que vous voulez, ce Sterling et son histoire de Varda d'Abril, ça nous va au poil. Depuis que j'ai fait courir le bruit, parmi les clients, qu'elle vient de temps en temps voir le spectacle incognito, la clientèle a doublé. Et même, quand je vous ai vu entrer avec M. Pareado, au début, j'ai pensé que vous étiez journaliste. Après non, je me suis tout de suite rendu compte que vous étiez...

— Flic ?

— Vous fâchez pas, on a de très bonnes relations avec les forces de l'ordre...

— Je ne suis pas policier, je suis militaire.

— Ah oui ? C'est encore mieux, rétorqua-t-elle avec une certaine ambiguïté. Et votre ami ? C'est un bon client de la maison...

— J'en sais rien.

— Vous voulez prendre quelque chose ?

— Non.

— Allez, allez, je vous offre le premier verre...

— Alors un *chinchón* avec des glaçons.

— Ça roule !

Il pénétra dans la salle sur ses talons. Il était juste onze heures du soir, et le show commençait à minuit. Pour un mercredi, ça n'était pas si mal. Il y avait des clients assis à deux ou trois tables, et un homme appuyé au comptoir. Tutusaus prit place au même endroit que le jour où il était venu avec Pareado. La patronne réapparut, le torchon pendu à un bras et le plateau dans l'autre main. Elle essayait de montrer que son affaire tournait bien. Elle lui servit son *chinchón* sans faire de commentaire et s'en alla vers une autre table. Tutusaus but son verre d'une seule gorgée et en commanda deux autres. Plus il y réfléchissait, plus il se soumettait avec respect et discipline à l'idée que Franco ait décidé de nommer son successeur de son vivant. En vérité, il avait l'impression que ça ne portait pas vraiment chance, mais, en même temps, l'image du Généralissime se retirant au Pazo de Meirás l'emplissait de fierté. Il y voyait une ressemblance parfaite et opportune avec le grand empereur Charles V, qui laissa également le trône de son vivant et se retira au monastère de Yuste.

Et si le pouvoir devait passer aux mains de Felipe Heredero, loué soit Dieu ! Le Généralissime savait ce qu'il faisait... Même si le candidat était hémophile, à moitié alcoolique, et se mettait à pleurer au milieu de la chaussée tel qu'il avait pu le constater quelques jours plus tôt... Mais au moins, c'était un mâle, un vrai. Les vapeurs du *chinchón* détendirent Tutusaus. Il en vint à s'imaginer le Généralissime à Yuste, avec ses chausses et son sceptre, et doña Carmen à ses côtés, majestueuse, tous deux vêtus selon l'usage du XVIe siècle (Madame portant néanmoins un collier de perles). Il avait eu l'honneur de les saluer, des années plus tôt, lors d'une réception. Tutusaus aimait rencontrer les Grands Hommes. Il en tirait toujours quelque chose et c'était un peu comme s'il pensait que, simplement parce qu'il les approchait, certaines de leurs qualités pourraient lui être transmises.

Un autre grand homme qu'il avait rencontré, mis à part Son Excellence et sa Dame, c'était évidemment le général Pozos Bermúdez. Il se souvenait de beaucoup de grands moments vécus avec lui. Mais il gardait une affection particulière pour ce jour où, formant son bataillon dans la cour de la caserne, à Sidi Ifni, alors qu'allaient débuter les offensives militaires, il avait adressé à ses hommes une harangue bien sentie qui avait fait, en un rien de temps, le tour de la question : « En tant que délégué spécial du lieutenant général López Valencia, chef des forces armées des Canaries et de l'Afrique Occidentale Espagnole, je pense qu'il est de mon devoir de vous apporter mon témoignage sur le climat de paix qu'il m'a été donné de constater lors de ma tournée d'inspection dans l'ensemble du territoire. Malgré cela, d'ici quelques semaines, d'ici quelques jours ou d'ici quelques heures, ce climat pourra être altéré par des minorités indésirables. Mais mon jugement n'en perdra pas pour autant sa valeur. Ce n'est que par la corruption, par la drogue, par le piège, par la conduite d'individus infiltrés venant de l'extérieur que ces gens se soulèveront, en petits ou grands groupes, contre nous. L'immense majorité de la population a conscience qu'elle est espagnole, et si une nouvelle convulsion devait se produire, ils mourraient à nos côtés, Arabes et chrétiens unis par un dénominateur commun : l'Espagne... »

Ça n'est pas donné à tout le monde de pouvoir dire des choses pareilles.

— Un grand homme, le général Pozos Bermúdez, lança Tutusaus à voix haute, sans s'en apercevoir.

— Si vous le dites, c'est sûr que oui, lui répondit la patronne qui venait de lui apporter son cinquième *chinchón* avec des glaçons.

— Quoi ?

— Ce général, Pozo Bernardos, qui...

Tutusaus l'attrapa par le bras et l'attira vers lui.

— Pozos Bermúdez. Bermúdez !

— À vos ordres, mon ami, je m'en souviendrai !

Le *chinchón* l'échauffait. Lorsque le travesti fit son apparition sur scène, Tutusaus se leva et s'en alla. Tout en lui chancelait. Il avait trop bu. En sortant, il heurta Pareado qui arrivait au cabaret.

— Alors ça, mon salaud ! Tutusaus, quel hasard ! C'est justement toi que j'avais envie de voir. Tu t'en allais déjà ? J'attends toujours que tu m'appelles. Tu ne m'as même pas laissé une adresse, ni un numéro de téléphone. Et la clef ?

— Parfaite.

— Si t'en as plus besoin, rends-la-moi. Je n'en ai pas de copie.

— Bien.

— Je veux parler avec toi, si t'es capable de m'écouter, tu pues l'anis à en tomber raide.

— C'est pas de l'anis, c'est du *chinchón*.

— C'est ce que tu veux, mon vieux. On va aller dans un endroit tranquille.

— Et le chien ?

— Quel chien ?

— Votre chien.

— Enfermé chez lui, aux studios, comme un prince.

— C'est un bon chien.

Ils se retrouvèrent dans le même restaurant que la première

fois. Pareado commanda deux plats de saucisses aux haricots et aïoli et son porró de vin. Tutusaus avait mal au cœur.

— Je me suis servi de la clef...

— Ça, tu me l'as déjà dit, Tutusaus.

Pareado entra tout de suite dans le vif du sujet :

— Tu dois te demander de quoi je voulais te parler, hein ?

— De la clef ?

— Putain, Tutusaus, si c'est pas la clef, c'est le chien ! Quand tu t'es foutu un truc dans le crâne, ça en sort plus ! Je veux te parler d'autre chose, mon vieux... T'as des plans pour le futur ?

— Comment ?

— Je vais te dire ça autrement. Il est temps de regarder devant soi, maintenant, Tutusaus. T'as entendu parler du « plan de stabilisation » ?

— Non.

— Je vais te l'expliquer, moi : ça veut dire que le temps du système D est terminé. Pour beaucoup d'industriels, c'est une manne tombée du ciel. Tout le monde veut faire des affaires. C'est une véritable honte, mais c'est comme ça. Je m'en étais pas rendu compte jusqu'à aujourd'hui. Regarde les phalangistes catalans. Avant la guerre, ils étaient trois pelés et un tondu et, évidemment, quand ils se sont retrouvés du côté des vainqueurs, ils se sont arrangé une vie aux petits oignons. Ils étaient bien peu à partager. À présent, ils ont vieilli et ce sont leurs fils qui commandent, des jeunes loups à chemise bleue. J'ai reçu un coup de téléphone d'un de ceux-là, la semaine dernière, son père connaissait mon histoire, il voulait que je l'aide à préparer une procession rédemptrice, pour laver les offenses et boycotter en même temps leur fête de saint Jordi. Tu sais, ce truc de pédé qu'ont inventé les Catalans, où on offre des livres et des roses. Comme si on savait pas tout ce qui se cachait derrière ! Ils pensent qu'on se rend pas compte de leurs intentions... Ce qu'ils savent pas, c'est qu'on les a tous sous contrôle, Tutusaus, tous. Parfois, quand je me rends à la préfecture de police, on me raconte que... Pardonne-moi, je perds le fil. Je te disais donc qu'un de ces camarades me téléphone et me propose de boycotter les actes catalanistes et tout le tintouin. Je prends rendez-vous avec lui pour en parler, pour lier connaissance, pour fraterniser, pour voir s'il a du cran, et je gratte juste un peu, et je lui fais sortir les racines phéniciennes qu'il a dans le sang. Phalangiste, mais catalan. Fils des héros composant le régiment de Notre-Dame de Montserrat, mais phéniciens. Pour le mettre à l'épreuve, je lui ai dit que oui, j'acceptais de commander une action punitive contre les séparatistes, mais pas avec des massiers, des bâtons et des poings américains : avec des pistolets. Je te le dis, moi, il en a eu les couilles qui lui sont tombées par terre. Après, ça a pas été utile ; Notre Seigneur nous a aidés. Je suppose que tu t'en souviens, c'était pas avant-hier, mais le jour encore avant : il est tombé des trombes d'eau. On les a regardés d'un café. En deux minutes, tous leurs livres et leurs roses sont allés se faire voir chez les Grecs. T'aurais vu ces tapettes en train de replier leur stand et de courir à gauche et à droite : de vraies poules mouillées avec leurs petits livres ! Une autre guerre, il faudrait... Et je dis pas ça pour les catalanistes, je te dis ça pour ces jeunes dont je te parle. Désormais, ils veulent jouer, rien d'autre. Au bout de deux minutes, ils sont déjà en train de pleurnicher que leur idéal est toujours vivant, mais qu'il faut cesser d'être si différent, que le chemin a été semé d'embûches, qu'il a bien fallu réviser quelques concepts en cours de route et en laisser tomber quelques-uns au passage, qui n'avaient pas d'intérêt, et que cela a été fait avec les meilleures intentions, pour que tout le monde en sorte gagnant, et que c'était le tribut à payer pour offrir à l'Europe une Espagne au visage plus propre. Ce qui veut dire qu'avant il était sale ? Et toujours en respectant entièrement la personne de Franco, et sans perdre de vue les fondements de... Au début, j'étais stupéfait et ça me donnait envie, non pas de les dénoncer, vu que ces gens sont très puissants, mais de leur faire un coup de pute, foutre une trempe à un de leurs enfants, effrayer à mort une de leurs filles... Ils m'ont ouvert les yeux, Tutusaus. Maintenant, je vois clair dans leur jeu. J'ai réfléchi et je suis arrivé à la conclusion que, même si je suis pas totalement d'accord, après ce que le régime m'a fait, je serais le roi des imbéciles si j'en profitais pas, comme tout le monde, pour me faire une petite place... Tu dois te demander, hein, si c'est pas en contradiction avec ce que je disais au départ, non ?

— Je suppose que oui.

— Comment ça, tu supposes ? Ce putain d'anis t'abrutit.

— C'est pas de l'anis, c'est du...

— Je m'en fous de ce que c'est ! Laisse-moi continuer : on dirait une contradiction, mais c'en est pas une. L'un n'empêche pas l'autre. Puisqu'il s'agit de tirer des profits du moment présent, autant que ce soit ceux qui ont aimé et aiment vraiment le régime qui le fassent. Je comprends la raison d'État, Tutusaus. Et une fois que le temps a passé, je sais qu'il faut accepter les sacrifices. C'est ce que j'ai fait, moi, quand il a fallu. Je me suis laissé envoyer en prison et je me suis soumis comme s'il s'agissait d'un ordre donné par le Généralissime en personne. Nous sommes de moins en moins, Tutusaus, à être encore prêts à verser notre sang pour le défendre. Et parmi ces gens, justement, on ne trouve pas tous ces fils à papa, qui veulent juste jouer sans prendre de risques. Ils pensent que ça suffit de passer à tabac trois catalanistes pour la saint Jordi, après leur avoir enfoncé leur rose dans le cul, épines comprises. Je m'en méfie. Et me regarde pas comme ça, putain ! Écoute-moi, Tutusaus, l'an prochain, je vais avoir soixante ans. Personne ne va s'occuper de moi. Toi et moi, on ferait un sacré couple, indestructible. L'autre jour, après t'avoir aidé pour la question de la clef, j'ai eu une idée lumineuse. Il y a beaucoup de gens riches, sans scrupule, qui prennent toujours la meilleure place au soleil, en investissant du fric par millions. J'ai commencé à prospecter : on pourrait créer une entreprise de conseil en matière de sécurité.

— On aurait des chiens ?

— Ce que tu veux, imbécile ! Avec les contacts qu'on a, on va gagner des tonnes de pognon. Les entreprises payent ce qu'il faut pour se sentir à l'abri. Et sinon, on peut les convaincre tranquillement qu'ils ont vraiment besoin d'une protection. On pourrait commencer par le mystérieux propriétaire de ta maison avec une serrure Weissenberger Deluxe. Il doit avoir beaucoup de fric et beaucoup de choses importantes à préserver. On y va, et on fout un peu le bordel. Il va chier dans ses bottes, et il nous contactera et fera en sorte qu'une douzaine d'autres types de son acabit y pensent aussi... Bon, ça, ça sera quand t'auras terminé ta mission actuelle. Je ne voudrais surtout pas interférer dans une affaire qui a quelque chose à voir avec le général Pozos. Rien que d'y penser, j'en ai les jambes qui flageolent. Enfin, ça nous coûterait rien d'obtenir un petit crédit pour commencer...

Tutusaus avait l'esprit épais. En premier lieu parce qu'il était en train de mélanger le contenu explosif du porró qu'il partageait avec Pareado à tous ses *chinchóns*. En second lieu parce que les discours sur l'argent finissaient toujours par le dépasser largement. Il n'avait jamais fondé sa vie sur l'argent. Il en avait toujours eu. Peu, mais suffisamment. S'il en avait eu beaucoup, il n'aurait pas su quoi en faire. Il lui répondit que non, qu'il resterait auprès du général Pozos jusqu'à la fin, tant que ce dernier le lui ordonnerait. Qu'il ne voulait fonder aucune entreprise. Et que ce soit la clef où n'importe quoi qui ait une relation avec ça, il ne voulait plus en entendre parler. Et que s'il le fallait, il la lui rendait et qu'ils oublieraient tout ce dont ils avaient discuté. La grimace de déception la plus amère se figea sur le visage de Pareado.

— J'aurais jamais cru ça de toi. Tu me méprises, c'est ça ?

— Non...

— Si. Mais tant pis. Fais comme tu veux, mon gars. Je vois que je me suis trompé. Faudra que je me débrouille tout seul. Mais c'est certain que Pozos te plantera quand ça sera dans son intérêt.

— Il ne fera jamais ça.

— Mais si, bien sûr !

— Non !

— Tu crois que j'en avais pas, moi, des amis importants ? Et tu vois, ils ont disparu du jour au lendemain. Pozos est comme tout le monde.

Tutusaus se leva et prit brusquement Pareado au collet.

— Il ne fera jamais ça !

— Très bien, très bien, alors il ne fera jamais ça. Et laisse-moi tranquille, sinon je vais m'énerver. Je sais pas pourquoi je t'ai dit tout ça. On en reparlera plus calmement un autre jour. Et puis t'es bourré...

Tutusaus le libéra de son étreinte si maladroitement que Pareado perdit l'équilibre et tomba à la renverse, avec sa chaise et tout le reste. Les saucisses firent un vol plané et l'aïoli atterrit directement sur sa chemise. L'homme se releva rouge de colère et sortit son pistolet.

— Fous le camp, Tutusaus. Disparais d'ici. Fous le camp ou je te colle une balle dans le crâne ; on verra si avec un trou, ça t'aère un peu la cervelle...

Tutusaus se leva et s'en alla. Sans crainte. Sans le quitter des yeux, mais sans crainte. Pareado ne tirerait pas. S'il ne l'avait pas fait au premier coup, il ne le ferait plus. Il sortit d'un pas vacillant. Il ne se sentait pas très bien. Il s'arrêta dans un bar et prit deux autres *chinchóns* avec des glaçons. Mais qu'est-ce qui leur arrivait, à tous ces gens ? pensait-il. Il y a trois jours, la seule chose qui comptait était son Excellence. On travaillait à désigner son successeur. Il pouvait arriver n'importe quoi. Une trahison, un complot... Et brusquement, les gens ne pensaient plus qu'à prendre du bon temps, à se faire du fric. Cela ressemblait à un sauve-qui-peut contrôlé pour que, une fois la succession achevée, tout le monde se trouve bien à l'abri. Quelle honte...

Tutusaus marchait une fois de plus vers les quais sans idée précise. Il souffrait d'un mal de tête si violent que cela lui brouillait la vue. Il ne s'en rendit pas compte, mais il était aux portes de la Barceloneta. Cela le stupéfia. Il se frotta les yeux. C'était son quartier et il ne l'avait pas reconnu. Il se souvint des bombardements, pendant la guerre. Évidemment, on l'avait reconstruit... Et, d'un seul coup, il resta pétrifié. Il ne pouvait plus avancer d'un mètre. C'était son quartier, là-bas, à l'autre bout des quais, et il ne comprenait pas ce qu'il lui arrivait. Il s'appuya finalement contre le mur d'un bureau portuaire fermé. Il se sentait mal. Malgré la fraîcheur de l'air, il était encore en sueur. Ses mains en visière pour se protéger du halo des réverbères, il commença à reconnaître certains coins. Il avait réussi à effacer des dizaines de noms et de visages et voilà qu'ils lui revenaient brutalement en mémoire. Mais pourquoi précisément à ce moment ? Malgré ce laps de temps, plus de vingt ans, des bouffées d'odeurs et de voix, de figures et de souvenirs prirent possession de lui. Le monde de naguère ressurgit. Les rues, les lieux et les personnes renaissaient. Il reconnut ses parents, la droguerie et son odeur si concentrée et si variée en même temps, celle de tous les produits, du savon à la lessive en passant par la chaux vive ou la soude caustique. Tout déferla d'un seul coup. Des images d'enfance aussi, lorsque la relation avec ses parents se basait sur une sorte de sévérité tranquille ou de liberté contrôlée. Ils lui permettaient d'aller par monts et par vaux sans problème, tel un vagabond, ne fixant qu'une seule obligation : la ponctualité. C'étaient des gens assez libéraux. Tutusaus avait également hérité de sa mère une qualité énorme qui contribua à lui rendre la vie plus facile : il n'attirait jamais l'attention... C'était une époque heureuse, avec autant de charrettes dans les rues que de voitures ; des charrettes de pêcheurs ou de marchands de poisson en gros qui accouraient chaque jour acheter la marchandise fraîche.

Tutusaus avait l'impression de rêver et de ne plus pouvoir bouger. Il ne cessait de transpirer. Il ne vit pas que deux gardes civils, assurant leur ronde sur les quais, s'approchaient de lui.

— Qui êtes-vous ? Qu'est-ce que vous fichez ici, à cette heure ?

— Allez, vos papiers !

Tutusaus leur demanda ce qui se passait.

— Ça ne vous regarde pas, dit l'un des gardes civils.

— Vérification de routine, ajouta l'autre.

Tutusaus sourit. Les policiers n'expliquent jamais pourquoi ils font les choses, pensa-t-il. C'est peut-être pour cela qu'on finit par raconter que même eux ne le savent pas. Celui qui avait pris ses papiers d'identité se plaça sous la lumière d'un réverbère. Il revint affolé et se mit au garde-à-vous devant Tutusaus. L'autre, voyant le comportement de son collègue, agit de même, par prudence. Tutusaus portait toujours sur lui sa carte de capitaine de l'armée de terre.

— À vos ordres ! dirent les deux gardes, pratiquement en même temps.

Tutusaus, sans un regard pour eux, tendit son doigt devant lui et demanda :

— Et les arènes ?

— Pardon ?

— Les arènes. Là où nous sommes, il y avait des arènes... On appelait ça le Torín.

— Je ne sais pas...

— Maintenant que vous le dites, je me souviens d'en avoir entendu parler. Il a été démoli...

— Depuis quand ?

— Quinze ou seize ans, peut-être.

Tutusaus demeura silencieux. Il avait mal à l'estomac. Les gardes civils, gênés, attendirent deux ou trois longues minutes toujours au garde-à-vous. Tutusaus ne regardait qu'en direction des maisons du quartier. Il se demandait bien pourquoi il se sentait incapable de s'en approcher...

— Il y a du brouillard, hein ? dit le plus jeune des gardes.

— Oui.

On entendit une sirène. Encouragé, il poursuivit :

— Quand on a été de service sur le port un certain temps, on se rend compte que l'humidité déforme même le son des sirènes... Hein, tu crois pas ?

— C'est sûr, répondit son collègue.

— Bien, si vous n'avez besoin de rien d'autre... ajouta le premier.

— Non...

— À vos ordres.

Le silence retomba. Les gardes étaient de plus en plus mal à l'aise. Finalement l'un deux répéta :

— À vos ordres.

Et ils s'en allèrent d'un bon pas ; il fallait récupérer le temps perdu avec cet étrange militaire.

Le Torín... Enfant, Tutusaus avait demandé des centaines de fois à sa mère de lui raconter son histoire. Elle prenait sa plus belle voix et lui récitait alors presque sans respirer :

— La Barceloneta, pionnière de la navigation aérienne ! Oui, mon petit, le premier ballon à avoir volé librement en Espagne l'a fait le 5 novembre 1802 sur notre place du Torín. À cette époque, les gens appelaient ces ballons des « bombes ». Cette « bombe » était pilotée par le courageux capitaine italien Vincenzo Lunardi...

Et sa mère ajoutait chaque fois plus de détails piquants, des détails héroïques de l'événement, probablement inventés. Elle ajoutait notamment des considérations des plus enflammées sur le vaillant et courageux capitaine italien, un si bel homme, qu'elle appelait *Bintchenso*. Son père la mettait en colère en disant qu'il n'y avait pas de quoi fouetter un chat. Et le petit Tutusaus ne comprenait jamais rien. En 1938, lors des bombardements qui devaient la tuer, la mère de Tutusaus s'était remémoré l'exploit du capitaine de l'aéronef. Elle scrutait le ciel en disant :

— Et voilà qu'ils nous ramènent les bombes... Ils ont tardé à revenir, ces Italiens...

Tutusaus demanda à ses voisins ce que voulait dire sa mère. Un vieux éclaira sa lanterne : elle faisait allusion aux lourds et lents bombardiers italiens « caproni » qui arrivaient de Majorque pour bombarder la côte catalane, si lents, mais pas aussi lourds que le ballon du capitaine Vincenzo Lunardi, pour lequel la population s'était agglutinée place du Torín, un siècle plus tôt, afin de le voir voler sans qu'il soit attaché au sol.

Quand la guerre éclata, Tutusaus avait quinze ans et, au début, elle interféra peu dans sa vie. À ce moment-là, une question beaucoup plus importante le préoccupait : il ne retournerait pas étudier en septembre. Son père l'avait réclamé à ses côtés pour qu'il commence à travailler avec lui. Quinze jours durant, avant de partir en voyage et après sa journée de travail, il l'avait emmené dans le laboratoire de l'arrière-boutique et lui avait enseigné quelques notions nouvelles à propos des poisons. C'était un petit espace plein d'éprouvettes, de flacons de verre et d'échantillons qui contenaient des fleurs, racines, insectes disséqués, feuilles, poussières suspectes, matières en suspension dans du liquide...

— Pour combattre le mal, il faut d'abord le connaître... Très souvent, la mort se cache derrière une apparence tout à fait innocente. Tu vois ces feuilles ? lui disait-il tout en attrapant un des flacons, ce sont des digitales pourpres. On peut en trouver en veux-tu en voilà à Montseny et dans les Pyrénées. Les vieux les ont toujours utilisées en tant que stimulant, mais entre deux grammes et demi et trois et demi, c'est déjà mortel... Et cette si jolie fleur blanche, t'as vu ça ? On dirait une espèce d'ombrelle, hein ? Elle est superbe, mais elle te flanque sur le carreau. C'est une fleur de ciguë. La célèbre ciguë de l'Antiquité. N'importe quel médecin te dira qu'à petite dose elle a des effets antispasmodiques et antinévralgiques. Cela dit, six à huit grammes de feuilles fraîches ont raison d'une armoire à glace de cent vingt kilos en six heures, grand maximum. D'abord il a froid aux jambes et au ventre ; puis ses yeux deviennent fixes ; finalement ses muscles respiratoires se paralysent et il meurt par asphyxie. Regarde ces deux bols. Qu'est-ce que tu y vois ? Dans l'un il y a de petits pépins de pomme, et dans l'autre ce sont de simples amandes de noyaux de pêche. La chose la plus normale du monde. Eh bien, ils contiennent un composé organique qui peut émettre de l'acide cyanhydrique capable de tuer rapidement une personne faible. Les anciens Égyptiens l'avaient déjà découvert... Connaître le mal pour le combattre, c'est primordial. Et regarde ça... Prends-la et observe-la, c'est une écorce d'arbre dont on extrait le curare : celui que les Indiens d'Amérique du Sud utilisent pour empoisonner la pointe de leurs flèches. Et ce que tu as, là, ce sont des fleurs de colchique. On les utilise traditionnellement dans le traitement de la goutte, mais les particules infimes de trois fleurs sont mortelles après une intoxication extrêmement douloureuse. Là, il y a du cyanure, et ici de la nicotine. Oui, oui, la nicotine des cigarettes. Une concentration de soixante milligrammes te liquide une personne en bonne santé. Compte de combien de cigarettes tu aurais besoin en sachant que chacune en renferme entre un et un milligramme et demi. Et ça, ce sont des extraits de Belladone. C'est comme dans le cochon, tout est bon. Enfin, dans ce cas, c'est pour tuer. Toutes les parties de la plante sont toxiques, particulièrement les racines. Il y en a des tas dans les Pyrénées. Et ce qu'il y a dans ce flacon, cette poussière noire si fine, tu ne devineras jamais ce que c'est... Une préparation à base de poudre de bupreste, un insecte entre la mouche et le scarabée. Il sèche et s'émiette. Mangé par un bœuf, il te le fait mourir aussi gonflé qu'un tambour...

Lorsqu'il avait abordé les merveilleuses qualités destructrices du sang de taureau en décomposition, le jeune Tutusaus s'était retourné et avait vomi l'intégralité des pain, vin et sucre de son goûter sur un sac de chaux appuyé au mur. Son père l'avait observé avec compréhension avant de lui dire :

— Bon, peut-être que pour un premier jour, ça suffit.

Finalement, ce souvenir, ajouté à l'excès de *chinchón* et à l'odeur forte de goudron et de brai qui montait de l'eau, fit vomir Tutusaus sur les pavés avec autant de vigueur que vingt et quelques années plus tôt. Il jeta un coup d'œil à droite et à gauche. Il n'y avait personne. Il aurait vraiment eu honte d'avoir été vu par les gardes civils. Tout était tranquille. Il se sentit nettement mieux. Il se nettoya à l'aide d'un mouchoir et revint au passé, à ces premiers jours des vacances de 1936. Le 1er juillet, son père prépara soigneusement sa valise, comme d'habitude, et lui dit au revoir. Il partait pour un voyage d'affaires dans une zone d'élevage castillane où il devait faire la promotion, pour le compte de gros laboratoires internationaux, de toute une série de produits contre les calamités naturelles qu'il avait lui-même découverts et brevetés.

— D'ici trois semaines je serai de nouveau à la maison. Pendant ce temps, je veux que tu aides ta mère et, surtout, que tu étudies et que tu t'exerces. Tu seras très prudent, n'est-ce pas ? Dès mon retour, nous continuerons les leçons.

La guerre éclata quinze jours plus tard et son père ne revint jamais plus. Tutusaus demeura auprès de sa mère. Il servait au comptoir de la droguerie et s'esquivait dès qu'il le pouvait dans l'arrière-boutique, pour s'exercer. La guerre ? Elle était au dehors. La révolution ? Elle était également au dehors. L'image la plus forte qu'il gardait en mémoire de ces premiers jours restait celle d'un dauphin en perdition s'échouant mort sur la plage, et qu'on avait affublé comme un syndicaliste, d'un calot rouge et noir, d'une chemise et d'un étui à pistolet. Le jeune Tutusaus n'avait pas d'autre obsession que de mener à bien ses expériences en cachette dans son laboratoire, grâce à la liberté dont il jouissait puisqu'il y avait huit cents kilomètres de distance et un front de guerre entre son père et lui. Le monde s'effondrait peut-être de tous côtés, mais pas sous les pieds du jeune Tutusaus. Il se rendait pourtant bien compte de ce qui se passait. Il observait l'angoisse de sa mère quand elle essayait de prendre contact avec son père par l'intermédiaire de la Croix-Rouge... Et après l'été, quand il se rendit à son ancien collège pour faire bisquer ses anciens camarades à la reprise des cours, il demanda à un des gars les plus dégourdis de lui raconter la destruction de l'église paroissiale de Sant Miquel. Ce dernier lui expliqua, tout souriant, que le recteur avait tenté de s'échapper déguisé en femme. Découvert par des républicains, il avait été fusillé sur place. Et le copain de l'emmener sur le lieu exact de l'événement...

Tutusaus entendit du bruit et se retourna. Une barque à une dizaine de mètres de lui, en contrebas, se balançait doucement. Il se souvint de dizaines de nuits de printemps avec ce même brouillard nocturne, lorsqu'on ne voyait plus de l'autre côté des quais, pourtant si près, qu'une tache grisâtre et allongée, rafraîchissante. Il se souvint de ces matins, où il se rendait à pied au collège, qui se levaient dans une brume légère. Les voitures semblaient circuler sur du coton. Peu à peu, de manière sensible, les rues renaissaient à la vie. Et tout le monde attendait. À la Barceloneta, on attendait par habitude. Lorsque cette brume se dissipait, vers les neuf, dix heures, il y avait toujours quelqu'un, un pêcheur, un commerçant, pour regarder la mer et dire : « Elle retombera dans la soirée. » Et ils avaient probablement raison : à cette époque-là, la Barceloneta était encore pleine de gens qui regardaient la mer ; c'était toute leur vie. Quelques-uns s'appuyaient simplement à la rambarde des bains publics pour la contempler...

Tutusaus vit les gardes civils revenir de leur ronde. Il avait perdu la notion du temps. Il se sentait moite et ses vêtements semblaient gorgés d'humidité. Il se releva et se rendit brusquement compte que la brume s'était dissipée, si soudainement qu'il paraissait incroyable qu'il ait pu dissimuler tant de choses : l'obscurité s'était emplie de scintillements reflétés dans l'eau – on aurait dit des allumettes à la flamme tremblotante tombant en spirale dans la mer depuis les brise-lames. On voyait même clairement le rai de lumière du phare de Montjuïc qui, après avoir tenté de percer la brume pendant si longtemps, projetait désormais sa clarté jaunâtre sur le mouvement tranquille et miroitant de l'eau. Tutusaus se mit à marcher d'un pas rapide, l'air frais l'avait revivifié d'un seul coup. Il avait l'impression de s'être allégé d'un grand poids. Les souvenirs, quelle bêtise ! La plus grosse bêtise du monde. Il avait eu la sensation de voir un extrait de film, comme s'il était quelqu'un d'autre. Et le fait est que Tutusaus se considérait comme quelqu'un d'autre. Il se remémora la discussion avec Pareado... La question n'était peut-être pas tant de savoir ce qui arrivait aux gens, que ce qui lui arrivait, à lui... Depuis le début de cette affaire concernant Heredero, il ne cessait de penser, de réfléchir, de se souvenir.

Il releva le col de sa veste, mit les mains dans ses poches et marcha d'un pas plus vif. Sur la *Ronda* de Sant Antoni, il monta dans un tramway, ce devait être le dernier. Il y eut une secousse et le véhicule s'arracha dans un grincement. Les vitres étaient ouvertes, Tutusaus essaya de les fermer. Les glissières étaient rouillées. Il n'y parvint pas. Il sortit la tête par la fenêtre. Les rues étaient désertes. Barcelone, en pleine nuit, paraissait être une autre ville. C'est peut-être pour cela qu'elle lui plaisait. Il se détendit soudain ; l'image du général Pozos venait de lui apparaître. Ils allaient se retrouver dans quelques heures, il recevrait des explications, et des ordres. Quels qu'ils soient. Avec une raison derrière. Il pensa que les pièces s'ajusteraient à nouveau.

— Et que la Barceloneta aille se faire foutre... dit-il en introduisant sa clef dans la serrure du portail de chez Mme Vilallonga.

CHAPITRE 9

À neuf heures pile on frappait à la porte d'entrée. La maîtresse de maison, au courant, s'empressa d'aller ouvrir. Elle vint le chercher tout essouflée, et lui dit dans un murmure :

— Il y a dehors un homme, ce doit être policier, je ne sais pas si c'est lui que vous attendiez.

— Un policier ?

Il sortit dans le couloir et le vit, assis sur un petit canapé. Âgé d'environ vingt-cinq ans, les cheveux en brosse. Son étrange attitude, sa haute taille et ses épaules carrées, ainsi que ses yeux froids, le signalaient aussitôt comme un policier. Même Mme Vilallonga l'avait deviné. Tutusaus la rassura et lui dit qu'il n'y avait aucun problème. Le garçon se déplia de toute son immense taille. On entendit un déclic.

— Le général m'envoie.

Tutusaus, qui avait entendu le déclic, s'assura que Mme Vilallonga n'était plus dans les parages, et lui dit qu'il ignorait ce qu'il portait sous son aisselle, mais que cela méritait sûrement d'être vu. Le garçon demeura interdit, sourit, ouvrit sa veste et exhiba un pistolet qui semblait tout droit sorti d'un western.

— 44 Magnum, dit-il, très satisfait.

Tutusaus n'avait jamais vu quelqu'un d'assez costaud pour pouvoir porter un tel pistolet sans problème sous son aisselle, et lui demanda s'il pouvait y jeter un coup d'œil. Le garçon sortit l'arme de son étui, enleva les cartouches et la lui tendit.

Tutusaus la contempla quelques secondes. Il se rendit compte qu'elle ne portait pas de numéro de série. Il n'avait été ni limé ni gratté. Elle n'en portait tout simplement pas. De deux choses l'une : soit ce jeune homme était le directeur d'une usine d'armement, ce qui était absurde, soit il s'agissait d'un des hommes de confiance du général Pozos. Les armes spéciales de Tutusaus n'avaient pas non plus de numéro de série. Seuls les gens au service du général bénéficiaient de cette prérogative.

Le général l'attendait dehors, sur la banquette arrière d'une voiture. À l'avant, le policier au gros calibre s'était mis au volant.

— Salut Céspedes, mon salaud, comment ça va ? T'étais dégoûté à mort, hein ? Tu m'en vois désolé. Mais tu sais comment sont les choses. Tu t'es pas trop ennuyé ? Si ? Eh bien c'est ton problème, t'avais qu'à choisir un autre boulot. Et puis, je suis sûr que t'as dû te taper la patronne de la pension, hein ?

Le général était de bonne humeur. Tutusaus le connaissait suffisamment pour savoir que ces introductions indiquaient que tout allait bien pour lui. Et si tout allait bien pour lui, tout allait bien pour Tutusaus.

— Tu connais Maluquer ? dit-il en frappant la nuque du policier conducteur. Il est aussi fort qu'un bœuf et capable de faire parler une statue, je te le jure. Bon, au travail. En premier lieu, pour l'instant, tu n'auras pas à agir. Ça ne sera sûrement pas nécessaire. Nous allons te laisser dans les bureaux de notre ami Heredero. Il nous a invités à l'accompagner à une cérémonie organisée par l'entreprise. Je ne pourrai pas y aller, j'ai d'autres choses à faire. Mais toi, si. Tu feras partie de son cortège et tu me représenteras. Compris ?

— À vos ordres.

— Il faut veiller à ce qu'il se sente tranquille, qu'il ne se méfie pas. À l'heure qu'il est, nous avons déjà recueilli toutes les informations le concernant, nous sommes quasiment certains qu'il ne sait rien de ses origines. Il n'y a pas la moindre zone d'ombre dans sa vie. Et j'ai la moutarde qui me monte au nez, tu peux me croire. Tout le monde à quelque chose à cacher. Tout le monde, sauf Heredero. Il gagne des millions à la pelle, il travaille dix-huit heures par jour, et quand il ne travaille pas, il prend du bon temps. Il a des habitudes de riche, ça oui. Je suppose que t'as déjà lu le dossier : club nautique, quatre voitures dans son garage, collection de porcelaines anciennes, voyages à l'étranger rien que pour acquérir de nouvelles pièces lors de ventes aux enchères... Il a aussi des petites amies. Du genre plutôt sophistiquées, mais jamais payantes, il n'en a pas besoin. De temps en temps, ses amis du club Palomo le tentent pour qu'il se fourre dans des affaires bizarres. Il ne l'a jamais fait, il n'en a pas besoin non plus, il est multimillionnaire et il sait ce qu'il risque. Nous avons vérifié que, malgré son comportement libéral, il est politiquement neutre, il n'appartient à aucune famille politique, il ne fait alliance avec personne et joue toujours à fond de ses connexions directes avec le Pardo. Son Excellence croit que le moment est venu de le sonder. J'ai reçu l'ordre de lui transmettre l'offre et je dois m'assurer qu'il comprenne parfaitement bien ce que le Généralissime lui propose. Nous allons garder l'excuse de cette comédie à propos du Livre d'or des industriels espagnols, et j'ai donc besoin de toi à mes côtés. Il nous a invités à déjeuner. D'après sa secrétaire, ce sera à son retour de cette cérémonie. Je ne sais pas exactement de quoi il s'agit. Une inauguration, je crois. Aucune importance. Toi, tu restes tranquille, et comme toujours : tu regardes, tu écoutes, et tu te tais.

— Et celui-là ? demanda Tutusaus en désignant Maluquer.

— Lui ? Ah, rien. T'es pas jaloux, au moins ? Maluquer m'a aidé ces jours-ci. Bon, Céspedes, à plus. On se retrouve à midi pour déjeuner en compagnie d'Heredero. Et souviens-toi : regarder, écouter, et se taire.

La voiture freina, Tutusaus descendit, et en moins de cinq secondes il l'avait déjà perdue de vue.

Le siège officiel des industries Felipe Heredero, un bâtiment de quatre étages en brique, rénové, se trouvait dans le centre-ville. L'entrée grouillait de monde : voitures officielles, caméras du No-Do [1], fourgonnettes de l'entreprise, et des employés un peu partout. Tout était contrôlé par la secrétaire qui distribuait avec efficacité tâches et missions, aussi sérieusement qu'un général avant la bataille. Il y avait même, reléguée au second plan, une voiture de police qui suivait Heredero. Tutusaus s'excusa au nom du général.

— Mais le déjeuner de travail est maintenu, n'est-ce pas ?

— Oui, oui... répondit Tutusaus, perplexe.

Mademoiselle Josefina lui attribua une place dans l'une des automobiles de l'entreprise. Heredero et d'autres personnalités influentes apparurent trois quarts d'heure plus tard à la porte des bureaux ; ils avaient effectué une visite de l'usine et s'apprêtaient à assister à la cérémonie. Entre les voitures de la mairie, celles de l'entreprise et des divers techniciens, il se forma un cortège composé de six véhicules et d'un fourgon. Tutusaus consulta ses notes, prises dans le dossier que Pozos lui avait remis. C'était une manifestation totalement planifiée : « Prévision pour le mercredi 25 avril 1962. Action sociale. Une fois l'an, Heredero parraine l'un des enfants des *producteurs* les plus pauvres de son entreprise. » Ils prirent la direction de la proche banlieue et ne s'arrêtèrent qu'en arrivant au camp de la Bota, entre Barcelone et Sant Adrià. Les voitures stationnèrent près d'un lavoir public, plein de cuviers en aluminium posés par terre et de femmes en train de frotter. Avec la mer pour toile de fond, et – sous le linge étendu entre deux poteaux dressés sur le sable de la plage – deux petits gitans grimpés sur un vieux tricycle rouillé qui observaient la scène de leurs yeux grands ouverts. Au loin se dessinait l'ancien bâtiment militaire en forme de château, transformé en collège. À cet endroit, le cortège de la mairie de Sant Adrià se joignit au cortège barcelonais. Heredero se fit prendre en photo avec la famille et les deux jumeaux dans les bras, tandis que tout le monde applaudissait et que les opérateurs du No-

---

1. No-Do « *Noticiaris y Documentales Cinematográficos* ». Films d'actualités franquistes, dont la diffusion était obligatoire dans les salles de cinéma, en début de séance. (*N.d.T.*)

Do enregistraient cet instant pour la postérité. Heredero, qui aperçut Tutusaus à ce moment-là, l'invita à le rejoindre. Il le salua avec effusion, mais la tête ailleurs. Sa secrétaire lui expliqua que M. Heredero n'avait pas seulement choisi d'être symboliquement présent à ce baptême puis au banquet, mais qu'il en profitait également pour remettre un don en espèces destiné à offrir au quartier une dérivation à l'installation générale d'eau courante. Tutusaus approuva gravement d'un signe de tête et se mit à suivre le tout d'un peu plus loin : après la cérémonie du baptême, tout le groupe se rendit à la maison des pauvres gens. Ils vivaient au rez-de-chaussée d'une construction semblable à ce qu'on appelait « des maisons bon marché ». Néanmoins, à côté de la file de baraques blanches avoisinantes, on aurait dit un palais. Dans la rue, à l'air libre, une longue table avait été dressée, couverte de petits sandwichs, assiettes de cacahuètes, omelettes, olives et fromages. Les petits sandwichs avaient l'air d'être périmés, les cacahuètes molles, les olives desséchées et le fromage moisi. Seule l'omelette aux pommes de terre semblait correcte. Les gens entraient et sortaient d'un lieu et de l'autre sans s'arrêter. Même Tutusaus, en voyant l'ampleur de la fête, s'interrogeait : comment arrivait-on à faire vivre, juste avec le salaire d'un *producteur* des industries Heredero, deux familles composées de deux couples avec trois enfants, de deux grands-mères et d'un canari ? De plus, il lui semblait absurde qu'ils soient en train de fêter, entre verres et embrassades, l'arrivée de deux jumeaux destinés à se faire une place dans cette turne. Ils étaient peut-être contents de la présence du No-Do, venu tourner quelques images de l'arrivée de M. Heredero et des représentants municipaux. En tout cas, tout le monde lui faisait fête. Et Heredero saluait tout un chacun avec une proximité lointaine, ou un éloignement proche. Ce fut la première fois que Tutusaus vit en lui un roi. Un des représentants de la mairie réclama le silence et, face aux caméras, fit un bref discours dont Tutusaus ne comprit pas grand-chose : l'homme insistait pour obtenir une étape transitoire entre les baraques et les appartements promis, comme un « terrain d'éducation » pour dépasser les moments « critiques ».

— Et je ne dis pas ça pour que l'on se focalise sur ces idées reçues et malintentionnées, telle la présence de lapins dans les baignoires, de poules sur les balcons ou d'ânes sur les paliers...

Tutusaus ne savait pas de quoi parlait le représentant de la mairie, mais les gens autour de lui ne lui semblaient pas pauvres. Seule une jeune femme, probablement une belle-sœur, lui parut peu enthousiaste. Elle mise à part, le reste des convives riait, se racontait des blagues, faisait mine d'être insouciant, comme s'il se moquait du lendemain. L'homme acheva son discours en remerciant M. Heredero de sa générosité. Ce dernier souriait et saluait. Quelqu'un sortit une guitare et se mit à chanter. Tutusaus, qui n'en perdait pas une miette, put saisir au vol le seul moment où le grand homme perdit le contrôle. Cela ne dura qu'une seconde, et même moins, un dixième de seconde. Sa secrétaire voulut manger un des petits sandwichs posés sur la table. Heredero, agacé d'avoir dû, un instant auparavant, reprendre les jumeaux dans ses bras pour la photo, voyant la femme le porter à sa bouche, lui donna un coup sec sur la main et le jeta par terre, comme s'il était tombé de manière fortuite. Personne ne le remarqua. Tout le monde continuait à rire et à parler la bouche pleine. L'ambiance était presque irréelle avec, au fond, ces linges de corps étendus qui s'agitaient sous la brise marine. Les parrains saluaient et transpiraient. Tutusaus supposait qu'à cet instant Heredero devait avoir la tête bien loin de tout ça. Il commençait à l'admirer profondément. Il demeurait là, accomplissant son devoir, résistant sans défaillir. Seuls les grands hommes en étaient capables. Il s'était peut-être trompé à son égard. Peut-être que, finalement, être roi se portait dans le sang et que la charge s'apprenait rapidement. Soudain, tous les enfants présents se pressèrent autour d'Heredero. Des gamins et des gamines, qui criaient et tendaient leurs petits bras. Josefina, secrétaire efficace, qui n'avait plus touché la moindre olive après l'incident du sandwich, parvint, malgré sa jupe fourreau, à ce que la marmaille se taise et se mette en rang, comme pour le départ d'une course. Tutusaus n'entendait pas ce qui se disait mais suivait l'action dans ses moindres détails. À un moment donné, Heredero mit la main dans la poche de sa veste et jeta en l'air une poignée de monnaie, en visant pour qu'elle retombe juste sur les petites têtes tondues – les filles aussi bien que les garçons. Les enfants se précipitèrent instantanément pour ramasser les centimes tandis que les plus vieux applaudissaient Heredero, ce dernier saluant comme une vedette de cinéma. Tutusaus pensait que c'était fini lorsqu'il s'aperçut qu'il manquait encore le second acte. Un des invités, visiblement ivre, se mit à crier :

— Et pour les grands, alors ?

Il répéta la phrase tout en frappant dans ses mains, poussant les autres invités à faire de même. Sept ou huit personnes se joignirent à lui. Josefina, après avoir reçu le feu vert de son patron, leur demanda alors de se mettre en rang, de la même façon que les petits. Hommes et femmes, bien rangés, surveillèrent quelques secondes, visages avides, les gestes d'Heredero. Il les taquinait, il leur donnait l'impression de sortir une main pleine et la sortait vide. Il répéta son geste trois ou quatre fois. Au début, les gens riaient et continuaient à lui demander :

— Et pour les grands, alors ?

Un vieil homme, avec canne et chapeau, s'approcha, se dirigea soudain vers eux et leur dit :

— Pour les grands, rien.

Tout le monde se tut et se dispersa. Le vieux regarda Heredero, le salua en soulevant son couvre-chef et alla s'asseoir sur un canapé qui se trouvait dans la rue, devant la porte d'une baraque. Personne ne lui accorda plus d'importance, et tout s'acheva dans les rires, d'autres toasts portés, et des applaudissements nourris. Puis vint le temps des adieux. Tutusaus se rendit un moment aux toilettes de la maison. Quand il en sortit, Heredero et toute sa clique étaient déjà partis. Il demeura seul, au milieu du camp de la Bota, entouré de gens qui l'observaient avec curiosité. Le vieux à la canne et au chapeau l'aborda et lui dit :

— Qu'est-ce qu'il vous arrive, mon ami, ils vous ont abandonné ? (Il se mit à rire.) Je vous ai bien vu vous cacher, allez...

Tutusaus lui expliqua qu'il ne s'était absolument pas caché, qu'il avait été aux cabinets. Mais l'homme ne l'écoutait pas.

— Je me suis dit, ce type-là, il est flic. Aussi sûr que je m'appelle Manolo. Mais après, les mômes m'ont dit que vous n'aviez pas parlé aux autres policiers, en uniforme ou non, et à personne...

Tutusaus lui sortit la première chose qui lui vint à l'esprit, qu'il travaillait comme garde du corps secret de M. Heredero.

— Voilà, voilà, une sorte de policier privé... Et comment ça se passe, mon petit ? J'espère que tu reçois un bon salaire, parce que, en fait, c'est comme si t'étais un chien de garde. Et faire le chien est un foutu...

Tutusaus prit conscience qu'on venait de l'insulter, mais l'homme n'ayant pas ajouté de qualificatif particulier, il décida de passer outre. À ce moment-là, une quinzaine de personnes s'étaient déjà approchées. Le vieux souriait en découvrant les trous de ses gencives qui marquaient l'emplacement exact du havane qu'il fumait, coincé dans les espaces édentés. Le vent arrivait jusqu'à eux imprégné d'odeurs de poisson et de saumure, et une sensation d'irréalité s'empara du temps et de l'espace. Un homme fit un signe et deux jeunes gens s'éclipsèrent. Trois minutes plus tard, la carcasse de Tutusaus se retrouva coincée dans une petite charrette qui semblait avoir surgi du passé, et il fut transporté ainsi, jambes pendantes de chaque côté, jusqu'à l'arrêt d'autobus le plus proche. Au milieu d'une étrange symphonie de grincements d'essieux, de crissements de bois, et au rythme mesuré des fers d'un âne rachitique, Tutusaus pensa qu'il y avait longtemps qu'il n'avait pas subi pareille humiliation. Il détestait Barcelone.

Il prit un taxi et arriva aux Industries Heredero au moment même où le général, dans l'entrée, saluait l'efficace Josefina.

— Enfin, Céspedes, où étiez-vous fourré ? lui dit le général. La secrétaire s'inquiétait beaucoup à votre sujet...

— Vous n'êtes pas revenu avec nous...

Tutusaus expliqua brièvement ce qui s'était passé tandis qu'elle l'observait, en équilibre sur sa jupe entravée. On devinait ses jambes jolies et musclées, d'une finesse toute germanique. Elle était alors en train d'insérer du papier carbone entre des feuilles vierges. Après avoir égalisé le tout d'un coup sec sur le comptoir de la réception, elle les tendit à une jeune fille et se retourna afin de recevoir ses visiteurs.

— Veuillez me suivre, je vous prie. M. Heredero vous attend, dit-elle en les dévisageant très professionnellement.

Ils montèrent en ascenseur jusqu'au dernier étage du bâtiment. Avant même d'avoir été avisé de leur présence, Heredero venait à leur rencontre.

— Je m'en occupe, Josefina, ne vous inquiétez pas...

Puis se tournant vers eux : Je me réjouis de vous revoir. Passez, passez, mon général, et M. Céspedes.

— Tutusaus.

— Évidemment, évidemment... Il lui donna sa petite tape réglementaire dans le dos et les introduisit dans un immense bureau, de ceux qui font comprendre aux visiteurs l'étendue du pouvoir de leur propriétaire : table en acajou, présence discrète mais évidente d'ivoire. Tutusaus ne put s'empêcher de penser que rien que le meuble bibliothèque en forme de L qui couvrait tout un mur et une partie de l'autre devait déjà coûter le salaire annuel de la secrétaire qui tapait sur sa machine à écrire, derrière la porte. Près de la table, un meuble télévision-bar dernier modèle, muni d'un petit ventilateur. C'était le premier que Tutusaus voyait. Pozos, lui, adoptait l'attitude blasée de celui qui a déjà tout vu. Heredero ouvrit la partie de droite, celle du bar, en sortit une bouteille de vermouth, deux verres et un récipient rempli de glaçons, sans cesser de parler :

— Qu'est-ce que vous en pensez ? C'est le dernier cri. On me l'a rapporté de Suisse. Vous désirez un apéritif ? Vous

166

voyez ça ? Un meuble qui sert à tout : téléviseur, bar, biblio-thèque, radio, tourne-disque, discothèque...

Il leur servit un vermouth et ajouta, en changeant de ton, mais avec un sourire légèrement goguenard :

— Je crains de ne pouvoir vous emmener déjeuner nulle part... Vous allez devoir m'en excuser une fois de plus... Il n'y a pas d'horaires dans ma profession... Je dois rester ici à attendre un coup de téléphone du ministre. Je ne peux bouger de mon bureau sous aucun prétexte : il faut que je prenne cette communication personnellement... Mais ne vous inquié-tez pas, je vais vous faire une proposition que vous ne pourrez pas me refuser. Vous savez quoi ? Nous allons bavarder ici même, dans mon bureau. Je vais demander à ce qu'on nous monte quelque chose à manger, et voilà le problème résolu... Bonne idée, non ? Vous semblez muet, mon général. Alors, cher ami ?

— Que voulez-vous que je vous dise ? Vous me le servez sur un plateau...

— Alors n'en parlons plus. Vous êtes fin gourmet ? demanda-t-il.

— J'aimerais bien, mais c'est plus une envie qu'une réa-lité, répondit sincèrement Pozos.

— À vous, je ne pose pas la question, Tutusaus, on voit que vous êtes un homme qui sait vivre... Aujourd'hui, c'est moi qui régale, vous n'aurez à vous préoccuper de rien... Bien manger à Barcelone n'est pas un problème. Mais là, nous allons devoir nous contenter de ce qu'il est possible de faire monter par ici... (Il appuya sur le bouton de l'interphone :) Josefina, demandez au restaurant qu'ils nous livrent un de leurs bons menus, rapidement. Pour moi, un spécial. Et pre-nez-en un pour vous, également. J'aurai besoin de vos ser-vices plus tard... De rien, Josefina... (Puis il se tourna vers Pozos et Tutusaus :) Nous pouvons commencer quand vous voulez.

Il s'assit derrière sa table, comme le directeur exécutif fier et imbu de lui-même qu'il était.

— Avant tout, puisque nous sommes à pied d'œuvre, chers

amis, je me vois dans l'obligation de vous rappeler que la personne que vous êtes sur le point d'interviewer n'est pas un vulgaire commerçant d'huile et de savon du quartier de Poblenou, mais le patron d'une industrie fort importante et en relation très étroite avec les structures administratives et politiques du régime ; de ce fait, je vous laisse l'entière responsabilité des conséquences qui pourraient découler d'une utilisation fautive ou négligente de mes propos... Vous comprenez ce que je veux dire, n'est-ce pas ?

— Absolument. Mais je vous rappelle que nous ne sommes que de simples intermédiaires, dit le général.

— Cela m'est égal. C'est avec vous que je parle. De sorte que si nous abordons, officieusement, un sujet délicat, et que cela est publié ou, sans en arriver là, si je découvre que des gens qui ne m'intéressent pas savent des choses sur moi que je ne veux pas qu'ils sachent, je vous tiendrai pour uniques responsables.

— Tout cela paraît plutôt menaçant... dit le général, piqué au vif.

— Ne soyez pas si tragique, cher ami ! Allons, n'en parlons plus. Je voulais simplement que vous compreniez que vous devez faire attention. Nous nous étions mis d'accord pour que je vous envoie toute la documentation écrite. Que voulez-vous de plus ? Vous ne pouviez donc pas attendre ? Je suis enchanté de vous recevoir, mais j'éprouve une certaine curiosité...

— Rien d'important, mais nous n'aurons peut-être pas le temps, par la suite. Vous nous aideriez à accélérer l'affaire si vous nous donniez la permission de consulter les archives de votre entreprise...

— Les archives ? s'exclama Heredero, soudain méfiant, avant de reprendre brusquement : Il n'y a aucun problème, mon cher ami. Des archives qui n'intéressent personne, mon Dieu... Je pensais que vous vouliez me demander je ne sais quoi, ça alors... Pour l'amour du ciel, si vous l'aviez dit dès le départ... Oh mon Dieu ! Tout ce que vous voulez... Transmettez vos requêtes à Josefina, et elle-même localisera les...

Tant d'exubérance ne trompait pas le général. Depuis un moment déjà, Tutusaus s'était rendu compte que Pozos avait une idée derrière la tête ; ce dernier n'agissait jamais sans motif et ne laissait jamais rien au hasard.

— Il n'y en aura pas pour longtemps. Nous ne recopierons que les parties qui nous intéressent.

— Aucun problème, cher ami. Notez ce que vous voulez et nous vous en donnerons une copie avec grand plaisir. Vous irez remuer ce que bon vous semble, mais après déjeuner. Mépriser la bonté de Dieu pour les viandes qu'on va nous apporter... ! La gastronomie est une arme chargée de futur... de présent et de passé, n'est-ce pas, mes amis ?

— Dans ce cas, Tutusaus pourrait se rendre aux archives en attendant le déjeuner.

— Vous êtes bien pressés... Mais oui, pourquoi pas ? De cette façon, vous et moi, général, pourrons déjà entrer dans le vif du sujet, n'est-ce pas ? Alors c'est parfait. (Heredero cria dans son téléphone interne :) Josefina ? Avant que le déjeuner n'arrive, M. Céspedes a besoin de consulter les archives. Aidez-le et faites ensuite les copies de ce qu'il désire. (Puis, à Tutusaus :) Allez, allez, Céspedes...

— Tutusaus.

— Évidemment, évidemment.

Tutusaus sortit du bureau et trouva la secrétaire qui l'attendait. Il lui tendit quelques feuilles couvertes des données que le général venait de lui remettre. La femme les observa quelques secondes, comme si elle voulait les graver dans sa mémoire, puis elle dit :

— Je pense que ça ne va poser aucun problème. Suivez-moi, s'il vous plaît...

Ils prirent l'ascenseur et descendirent en sous-sol. Avant d'arriver à la porte qui semblait être celle de leur destination, ils avaient dû s'identifier trois fois. Ils sonnèrent et entrèrent sans attendre que quelqu'un vienne leur ouvrir. Il y avait là un homme d'environ cinquante-cinq ans, petit et mince, la peau brune, les traits extrêmement marqués. Il était en train de remplir les grilles de mots croisés du journal *Marca*. Il ouvrit la bouche et offrit à ses visiteurs une rangée de dents jaunies puis, après avoir regardé la secrétaire, il lui dit d'un ton neutre :

— Qu'est-ce que je lui offre, à ma jolie ?

— M. Heredero m'envoie consulter ses archives et...

— Et c'est qui, celui-là ? demanda-t-il en montrant Tutusaus du doigt.

— La personne qui vient consulter les archives de...

— Identification ?

— Ils l'ont déjà identifié là-haut, protesta-t-elle.

— On dit que six yeux voient mieux que quatre et quatre mieux que deux, M. Heredero le rabâche sur tous les tons...

— Je vais lui téléphoner tout de suite, dit-elle en lui coupant la parole.

Elle avait déjà la main sur la poignée de la porte lorsque le petit homme, un mégot de cigarette pendant au bord des lèvres, lâcha avec regret, les yeux tournés vers la table :

— Ne t'emballe pas, ma lionne. Qu'est-ce que vous cherchez ?

La jeune femme avait ralenti et fit demi-tour, un léger sourire triomphant sur les lèvres. L'homme, sans lever les yeux, dit en bougonnant :

— Je suppose que vous savez que je termine dans un quart d'heure... Et Dieu lui-même ne me ferait pas rester ici une seule minute de plus...

— 498#KB/5-1952... dit-elle en le fixant droit dans les yeux.

Il replia soigneusement son *Marca*, ouvrit un tiroir et en sortit un gros trousseau de clefs. Il en choisit une et ouvrit un autre tiroir fermé, fouilla dedans quelques instants d'un air dégoûté et se saisit d'une petite clef. Elle ouvrait la porte d'une pièce latérale, où l'on tenait à peine entre des rangées de vieilles armoires en bois poussiéreuses, disposées comme des casiers de vestiaire. Il n'y avait pas de lumière et l'humidité répandait dans l'air son odeur bien particulière. L'employé s'arrêta et manipula, grâce à la petite clef, une serrure de sécurité. Il ouvrit l'armoire. Apparurent alors des caissons en zinc empilés, aux étiquettes chiffrées. Il en choisit un, le tira lentement, le posa par terre et referma. Puis il le reprit, revint dans le bureau, le posa sur la table et dit, l'œil rivé à la pendule :

— Vous avez dix minutes...

Et il se plongea de nouveau dans ses mots croisés. La secrétaire d'Heredero inspecta très professionnellement la pile de rapports et isola rapidement les documents recherchés...

— Ce sont ceux-là ? demanda-t-elle à Tutusaus, sûre d'elle.

— Oui, répondit-il.

La jeune femme les entoura d'un élastique, et tout en se tournant vers l'homme, lui lança :

— Sur les dix minutes, il nous en reste quatre. Je vais faire les copies, et je te les enverrai demain matin via l'employée de notre étage...

Elle attrapa un imprimé sur une pile qui se trouvait sur la table, le signa, et puis s'en alla aussitôt sans plus de manière, suivie par le regard admiratif de l'archiviste et le pas pesant de Tutusaus. Dans l'ascenseur, ce dernier songeait aux documents de ce dossier, qui n'avaient absolument aucun intérêt. Pour quelle raison le général les voulait-il ?

À leur retour à l'étage supérieur, quatre plateaux-repas attendaient sur le bureau de la secrétaire. La jeune femme garda le sien, tendit son plateau à Tutusaus et mit de côté celui d'Heredero. Elle frappa, et ils entrèrent. Il n'y avait personne. La jeune femme alla chercher son patron dans la pièce d'à côté, mais elle revint, le visage stupéfait.

— M. Heredero n'est pas là ! Je viens de trouver un mot sur la table écrit de sa main. Il dit qu'il s'en va pour des démarches urgentes. À cette heure-ci ? Mais il n'avait rien de prévu... Et où est-il allé ? Et le déjeuner ? Ah, quel homme...

Plus de traces du général non plus, et Heredero n'en disait rien dans son message. Tutusaus en déduisit qu'il devait être parti avant lui, ou avec lui, mais ne voulut en tirer aucune conclusion. Ça ne servait jamais à rien.

— Je vous raccompagne à l'entrée, dit la secrétaire, un peu confuse.

Tutusaus lui demanda s'il y avait longtemps qu'elle était au service d'Heredero.

— Depuis qu'il a fondé son entreprise, il y a plus de dix ans.

— Et vous en êtes contente ? laissa-t-il échapper.

— Extrêmement contente, lui répondit-elle, imperturbable. À propos, votre nom, c'est Céspedes ou Tutusaus ?

— Tutusaus, mais le général m'appelle Céspedes.

— Ah.

Tutusaus rentra en taxi chez Mme Vilallonga. Il n'avait pas encore mis la clef dans la serrure que la femme avait déjà ouvert la porte d'entrée, tout affolée.

— Votre ami, là, il est venu. Celui qui ressemble à un policier... Il a laissé ce message. Il dit que c'est très urgent.

Tutusaus ouvrit l'enveloppe sur-le-champ. Il n'y avait qu'une phrase codée qui lui demandait d'appeler immédiatement au téléphone de contact. La patronne de la pension était dans l'expectative.

— Des nouvelles importantes ? Après tant de jours...

— Je dois donner un coup de téléphone.

— Faites, je vous en prie, vous savez où est l'appareil... dit-elle, déçue.

Tutusaus appela et, à l'autre bout du fil, une voix anonyme lui transmit le message suivant : « Le général sera à Montsol à minuit. Accompagné. » Il avait à peine raccroché que le téléphone sonna de nouveau. Il répondit lui-même. Il semblait qu'il n'y avait personne à l'autre bout, mais on ne raccrochait pas. Brusquement, il entendit des petits claquements qu'il ne parvint pas à identifier. Comme des castagnettes... Puis on raccrocha. Tout cela était bien étrange. Personne ne savait que Tutusaus vivait à cette adresse et à ce numéro. Il s'agissait peut-être d'une erreur...

— C'était pour vous ? Quelle journée, hein ! l'interrompit la voix bonhomme de Mme Vilallonga.

— Je dois m'en aller, dit Tutusaus sans répondre à sa question.

— Vous laissez la chambre ?

— Non.

Il la rassura, et lui expliqua qu'il allait bientôt conclure une affaire importante. Qu'il tarderait peut-être quelques jours avant de revenir, mais qu'elle ne s'inquiète pas, qu'il lui paierait tout son séjour, tel qu'ils s'étaient mis d'accord, sans faute. Il entra dans sa chambre plein d'entrain. Il retournait à Montsol. Chaque fois que pareille circonstance s'était produite, il avait fini par liquider quelqu'un. Mais il avait l'impression que cette fois-ci, ce serait différent. Enfin, il s'en moquait. Rien que de penser à la ferme, à son monde, il se sentait revivre. Parce que Montsol lui appartenait, comme il appartenait, lui, au général.

Chapitre 10

Il arriva à Montsol en tout début d'après-midi. C'était un jour pluvieux et humide. Il lui suffit pourtant de respirer les senteurs acides et âpres de l'écorce des hêtres, l'odeur du tapis de feuilles mortes détrempées et celui d'un peu de pollen flottant dans l'air pour avoir vraiment l'impression de revivre. Il alla voir le poulailler. Les poules étaient les seuls animaux vivants qu'il entretenait. Il leur avait laissé du grain et de l'eau pour un mois. Elles étaient toutes mortes, sans avoir touché aux aliments. Tutusaus s'était habitué à ce que rien ne survive à ses côtés. Il trouva les empreintes d'une genette autour du poulailler, et celles des chiens sauvages, mais aucun d'eux, de toute évidence, n'avait pu entrer. Les volailles étaient mortes de froid, ou de chaud. Ou d'on ne savait quoi. Peut-être de frayeur. Les poules sont des bêtes impressionnables. Tutusaus s'amusait parfois à les hypnotiser, il les attrapait par la tête et les obligeait à regarder par terre. Puis, très vite, à l'aide d'un piquet ou d'une branche, il traçait sur le sol une ligne d'un mouvement sec. L'animal gardait les yeux rivés à la ligne dessinée et ne revenait à lui que lorsqu'on le réveillait en criant... Très souvent, les gens étaient encore plus idiots que les poules et n'avaient guère plus de volonté qu'elles, surtout sous l'emprise de la peur.

Tutusaus ouvrit la maison et l'aéra, vérifia que tout était en ordre, et prépara un dîner léger au cas où le général arriverait plus tôt que prévu. Lorsque tout fut prêt, il partit pour une petite visite au cimetière du bois. Il lui tardait d'y aller. En temps normal, il s'y rendait tous les jours. Il gardait ses outils dans la cabane. Il y avait toujours à faire : tailler un arbre ou arracher des buissons afin d'augmenter l'espace utile, maintenir l'endroit propre, bien entretenu, ou arranger certaines inscriptions sur les pierres concernant le locataire du dessous. Tutusaus prenait grand soin de ces inscriptions. Il commençait par polir la surface de la pierre jusqu'à créer une étendue relativement plate et lisse. Il attaquait ensuite au marteau et aux burins de différentes tailles. Il gravait d'abord aux quatre coins une sorte de rectangle qui finissait par former un liseré. Puis, dans l'espace ainsi créé, lettre après lettre, chiffre après chiffre, il gravait ses dates à lui...

Tutusaus consulta la pendule et vit qu'il disposait encore d'une bonne heure avant que le général n'arrive. Une fois sur place, l'endroit lui parut calme, les chiens ne semblaient pas rôder dans les parages. Il entra dans la cabane, prit une pelle et une pioche. C'est sous un crachin soutenu qu'il se mit à creuser de toutes ses forces. Il heurtait des racines ou de petites pierres, mais il les mettait de côté et reprenait son labeur. Il ne savait pas pourquoi il ressentait le besoin de creuser cette nouvelle fosse. Il ne savait pas non plus pour qui. Il enfonçait sa pelle avec autant de force que de rage, comme s'il voulait lui faire payer tous ces jours où il avait perdu son temps à Barcelone, toutes ces pensées morbides, cet inutile retour vers le passé. L'image du vieux du camp de la Bota lui revint à l'esprit. Il l'avait traité de chien. Et alors ? Peut-être, oui, on pouvait l'assimiler à un chien, si on voulait dire par là qu'il était loyal, qu'il avait confiance en ses supérieurs et qu'il conservait un certain idéal. Sans idéal, que restait-il à la vie ? Rien. Ces derniers temps, il ne faisait que buter sur des chiens : les chiens sauvages de la ferme, celui de Pareado, la petite chienne Marilyn à la télévision, lui-même en était un, d'après ce vieux... Puisse-t-il en exister beaucoup, de chiens comme lui ! Ce souvenir raviva dans sa mémoire la vision presque impériale d'Heredero distribuant des pièces de monnaie aux enfants...

Tutusaus était de nouveau à Montsol, dans son domaine. Et plus il s'enfonçait dans la terre, plus il se sentait le maître, et plus il récupérait des forces. Lorsqu'il acheva son travail, presque une heure plus tard, la pluie avait cessé et il ne dépassait plus que d'un mètre du fond de la fosse. Il balaya du regard les autres tombes et leurs pierres respectives. Vue du ciel, la lune semblait les clouer sur le sol, lui et son ombre. Des crapauds copulaient près de la fontaine. Tutusaus avait observé, admiratif, que leur copulation pouvait parfois durer des heures, et éventuellement même plus d'une journée. Dans le cas présent, trois mâles couvraient simultanément une femelle impatiente. C'est du moins ce qu'il semblait. Tutusaus songea que cela faisait longtemps qu'il n'avait pas couché avec une femme. Il s'éloignait en cela de la plupart de ses collègues qui, s'ils n'allaient pas au bordel dépenser la paie de la semaine, demeuraient anxieux et abrutis. Il n'en éprouvait guère l'envie, et se demandait parfois si tout cela était normal. Cela dit, il ne tolérait aucune insinuation... Il avait toujours payé pour faire l'amour. Enfin, presque toujours, et il était capable de donner les caractéristiques de nombreux bordels du centre de Madrid, lesquels abondaient à la fin des années quarante et aux débuts des années cinquante, tous à la fois si semblables et si différents, mais toujours visités en groupe. Il s'en rappelait un en particulier, et pas uniquement en raison du bon rapport qualité-prix des services sexuels proposés. Ce bordel, installé en rez-de-chaussée, imitait les maisons andalouses, avec patio, fenêtre et grille à l'entrée. À l'extérieur, une petite lanterne rouge et un pot rempli d'œillets. Dans la salle, relativement petite, propre, décente et chauffée en hiver, un gitan jouait de la guitare. La *Madame*, d'origine asturienne, un accroche-cœur sur le front imitant celui de la coiffure de la chanteuse Estrellita Castro, encourageait ses filles, rassemblées autour du poêle à bois et vêtues de leurs traditionnelles robes à volants, les *faralaes*. La putain préférée de Tutusaus était celle dont personne ne voulait : une femme mince, aux cheveux teint en brun, répondant au nom de Custodia, d'âge incertain, avec une dent en or et le corps marqué par mille avortements, lucide par moments, et ne s'apitoyant jamais sur elle-même. Au bordel, on la prenait pour une folle et Tutusaus l'appréciait parce qu'elle lui disait, certains jours, des choses que nul n'aurait osé dire.

— Tutusaus, la seule chose qui intéresse les hommes, lui lança-t-elle un jour, c'est de la mettre. On dirait que vous vous méfiez du pouvoir de l'amour, le seul pouvoir auquel on doit faire confiance. Tu crois en ton voisin, toi ? Non. Tu crois même pas en toi. T'as peur, t'es jaloux, la méfiance est à chaque coin de rue. Alors baise, jusqu'à épuisement de ton cerveau, tant que tu peux...

Ses messages s'auréolaient d'un tel mystère que, même si elle était folle à lier, il l'écoutait, pareil à un idiot. Il était même reparti plus d'une fois sans avoir fait l'amour, tant elle jetait le trouble dans son esprit. On aurait dit une sorcière. Un autre jour, elle lui jeta, d'une manière plus énigmatique encore, après s'être descendu une bonne lampée de cognac :

— Ceux de là-haut continuent à se sacrifier pour le bien commun et, ici, personne ne bouge et on n'entend même pas une mouche voler...

Tutusaus en resta bouche bée et devina vaguement qu'il s'agissait d'une expression au contenu subversif, mais n'osa rien dire de peur de paraître ridicule. Ses compagnons se fichaient déjà bien assez de lui en le voyant choisir la putain la plus vieille et la plus laide...

En fait, ce n'était que depuis qu'il vivait à la ferme, ces dernières années, que le sexe ne lui manquait plus. Il avait mille et une choses à faire chaque jour, tout seul, mille et une choses qu'il aimait...

Il ne pleuvait plus, mais il restait bien quatre ou cinq centimètres d'eau au fond du trou. Il sauta en dehors et contempla son travail. C'était une belle fosse, aux parois bien droites. Voilà, il avait fini. Si ça n'était pas pour l'un, ça serait pour l'autre. Et sinon, se dit-il, d'un ton qui oscillait entre le lugubre et l'enjoué, je la garde pour moi...

Il grimpa jusqu'à la ferme et eut juste le temps de se doucher ; le général arrivait déjà. Ce dernier était seul. Ou presque : il amenait Heredero dans le coffre de sa voiture, inconscient. Le général ne cessait de grommeler...

— Il est plus têtu qu'une mule, Céspedes. J'aurais jamais cru ça. Je pensais pas qu'il serait nécessaire de l'amener ici. On aurait pu parler tranquillement, à l'aise dans un coin, à Barcelone. Eh bien, tu peux toujours courir... Pour finir, j'ai été obligé de l'endormir et de le flanquer dans le coffre, au risque qu'il se prenne un mauvais coup ou qu'il s'égratigne. Bon, il va donc rester ici jusqu'à ce qu'il s'amadoue...

— Dans le coffre ?

— Dans la ferme, putain, Céspedes !

Ils le portèrent dans une des chambres et l'allongèrent sur le lit.

— Attache-le, mais pas trop fort. S'il se fait mal, on est dans la merde... Il est têtu comme une mule et s'il se réveille en pleine nuit, il est capable de vouloir partir en balade. Dans ce sac, tu as les médicaments dont il a besoin. Tu fais vraiment gaffe, compris ? Il est plus dégourdi qu'il n'y paraît...

Ça n'était pas une surprise. Tutusaus songea qu'Heredero lui avait toujours semblé être quelqu'un de très dégourdi.

— À demain, Céspedes, je reviendrai vers les neuf ou dix heures... S'il se réveille, ne fais pas attention à lui. Et surtout, que personne ne le voie.

Qui pourrait bien le voir, pensa Tutusaus en observant la lumière des phares de la voiture du général coupant la route de Montsol... Le général devait dormir à Barcelone. Même en pareille occasion, il ne voulait pas rester à la ferme.

La nuit fut paisible et Heredero ne bougea pas, il demeura dans la même position que celle où on l'avait laissé la veille. Le problème d'Heredero, songea Tutusaus, c'est qu'il parle trop. Et s'il parle trop, c'est qu'il doit avoir quelque chose à cacher. Son expérience d'assassin lui avait enseigné que parler est un stratagème humain pour ne pas avoir à penser. Mais que c'est aussi une voie directe vers le cœur même de ce qu'on veut dissimuler. Tutusaus ignorait encore de quoi il s'agissait. Peut-être la cohabitation avec sa maladie... Tutusaus, lui, en revanche, ne parlait pas. Il réfléchissait trop, mais ne parlait pas. De rien. Et ça n'était pas précisément de n'avoir rien à dire ou à cacher. Pendant la nuit, il vint un moment surveiller Heredero dormant attaché sur le lit. Il l'imagina mort, dénudé, sur sa brouette, en route vers le bois d'Entraigües. Tout tendait vers ce final. Un de plus. Ça n'avait pas d'importance. Tuer des gens quand on le lui demandait faisait partie de son travail. C'était sa contribution à la Cause.

— Tu n'aimeras jamais ça, lui avait dit le général Pozos, et tu ne t'habitueras jamais. Alors, quand tu as terminé, oublie tout, tout de suite. Considère la mort aussi froidement qu'un croque-mort. Et surtout, pas de sentiment. Jamais. Ça n'est pas professionnel et tu ne gagnerais qu'à t'enfoncer dans un tourment qui te mènerait à l'erreur et à la destruction...

L'expérience démontra tout le contraire à Tutusaus : que s'il devait tuer, il préférait choisir la meilleure manière possible. Et qu'il n'oubliait pas tout de suite, qu'il ne considérait pas la mort froidement, qu'il éprouvait des sentiments envers ses victimes et que, malgré cela, aucune espèce de tourment ne lui empoisonnait l'esprit. Tutusaus était un assassin atypique.

Le général revint le lendemain matin, vers dix heures et demie, toujours seul. Il se rendit directement dans la chambre d'Heredero, suivi de Tutusaus. Le prisonnier avait petit-déjeuné, et offrait un aspect plus proche de la normalité. Une seule de ses mains était menottée à la tête du lit. Il conservait ainsi une certaine liberté de mouvements qui lui épargnait l'humiliation d'être attaché. Le général s'assit devant lui. Tutusaus resta debout, adossé au mur.

— Bonjour, monsieur Heredero. On se retrouve, n'est-ce pas ? Pardonnez le dérangement, mais...

— Le dérangement, espèce de salaud ? Tu me fais le coup de la bonne éducation versaillaise, maintenant ? Je te l'ai dit hier. J'espère que tu as une excellente raison pour avoir fait ce que tu as fait. Et même si c'était la meilleure raison du monde, ce ne serait pas suffisant pour éviter que quelqu'un vienne te couper les couilles, à toi et à ton crétin de sbire, dès que je parviendrai à sortir d'ici.

— Mettez-vous bien en tête que vous ne sortirez pas d'ici avant de m'avoir écouté.

— Ce que peut me dire quelqu'un qui me séquestre et me garde attaché ne m'intéresse pas.

— Je vous rappelle que, avant d'user de la force, j'ai essayé par tous les moyens de m'entendre avec vous plus convenablement...

— Assez ! Je ne tolère pas qu'on puisse me traiter de la sorte, comme si on était en plein Far West.

— Où ça ? demanda Tutusaus.

— Dans l'Ouest américain, lui expliqua Pozos en souriant.

— Tu ne m'as pas entendu ? Détache-moi !

— Calmez-vous, je vous prie. Vous savez que vous pourriez vous faire mal. Bon, j'ai essayé de vous l'expliquer hier, il n'existe aucun projet de livre d'or des industriels espagnols. Il s'agissait d'une simple excuse pour prendre contact avec vous.

— Où suis-je ?

Le général ne fit pas attention et continua :

— J'ai été chargé de mener à terme une mission très délicate...

— Où suis-je ? hurla Heredero.

Le général soupira, interrompit son discours et répondit :

— Dans un lieu bien à l'abri où nous pourrons parler tranquillement. Où je pourrai au moins vous transmettre mon message sans que rien ne m'en empêche. J'ai des choses à vous dire qui peuvent vous intéresser.

— Rien ne peut m'intéresser venant de la part d'un énergumène qui me prive de liberté et m'attache. Détache-moi ! Tu t'es fourré dans un sacré merdier. Je m'en fous que tu sois général. Tu ne sais pas que je suis un ami personnel de son Excellence ? Je n'ai jamais été humilié de cette façon.

— Vous n'en tirerez rien, de fulminer. Et si vous êtes ici, c'est justement à cause de l'intérêt que son Excellence vous porte.

— Tu n'es qu'un sale menteur et tu oses prononcer le nom de son Excellence ! Le Généralissime n'aurait jamais toléré, et encore moins ordonné, que quelqu'un me traite de cette manière... Tu pourras le vérifier.

— Vous avez parfaitement raison. Il a ordonné une chose beaucoup plus importante : qu'on assure votre protection vingt-quatre heures sur vingt-quatre.

— Ma protection ? Mais vous êtes vraiment cinglés !

— Son Excellence a également ordonné que, le moment venu, nous vous remettions ce message, écrit de sa main. Je vous demande de nous écouter très attentivement.

— Ne recommence pas, avec ton histoire de message. Je t'ai déjà dit hier que je ne peux pas avaler une escroquerie aussi grossière. Il est évident qu'il s'agit d'un faux.

— Vous savez bien que non.

— Finissons-en... Vous voulez de l'argent, c'est ça ?

Le général ne prit même pas la peine de lui répondre, et poursuivit :

— Monsieur Heredero, vous connaissez l'écriture de Son Excellence. Sinon nous n'aurions pas pu vous amener ici. Essayer de faire autrement aurait pu provoquer un accident inutile et, surtout, trop de remue-ménage. Et ça n'est pas dans notre intérêt en ce moment. Officiellement, vous êtes parti quelques jours en Suisse. Nous avons parlé à votre secrétaire.

— Comment avez-vous osé ?

— Vu que vous y allez de temps en temps, ça n'éveillera aucun soupçon. Si tout va bien, vous pourrez rentrer chez vous dès demain. D'ailleurs, l'idéal serait que vous interrompiez le moins possible le cours normal de votre vie.

— L'idéal ? Mais pour qui ? Je ne veux rien écouter de ce que tu veux me dire, petit général de merde. Je te le répète, si ce que tu prétends, c'est me prendre du fric, mettons-nous au boulot et essayons de parvenir à un accord. Je suis déçu, en vérité, je te croyais plus intelligent...

— Si vous me permettez, je vais vous démontrer d'une autre manière que...

— Espèce de clown !

Le général l'ignora une fois de plus, il lui tourna le dos et attendit qu'il se taise. Tutusaus, après avoir assimilé que « clown », dans la bouche d'Heredero, était une insulte, consulta du regard son supérieur. Il craignait que cet état d'excitation finisse par provoquer une catastrophe. Pozos lui dit à voix basse :

— S'il te plaît, quand notre hôte se sera un peu calmé, apporte-moi le téléphone de campagne. Sinon, nous serons obligés de lui injecter un sédatif et de recommencer après déjeuner...

Comme s'il avait entendu, Heredero cessa de crier quelques instants. Tutusaus obéit, et le général, devant l'industriel incrédule et dépassé par les événements, envoya un appel :

— Oui ? Je parle à qui ? Ah ! Priorité absolue... À vous. Allô ? Oui, j'attends. À vous. Je suis le général Pozos, Monsieur le ministre. Il est ici, avec nous. Il refuse de collaborer, il se méfie. À vous. Non, Monsieur le ministre, il va bien. Un peu nerveux. À vous. Oui, Monsieur le ministre. À vos ordres, Monsieur le ministre. À tout de suite. À vous. Terminé.

Le général Pozos coupa la communication. Regardant son prisonnier, il lui dit :

— C'était le ministre de l'Intérieur.

— Oui, c'est ça, et moi je suis Maria Callas.

— D'ici quelques minutes vous allez recevoir un appel qui va tout éclaircir. Jusque-là, il vaut mieux que vous vous calmiez, vous ne gagnerez rien à vous exciter comme ça.

— Je ne parlerai à personne si tu ne me libères pas immédiatement. Toi, Tutusaus, ou Céspedes, ou je ne sais pas comment tu t'appelles, ne te rends pas complice de cette absurdité. Laisse-moi partir, et je te promets une immunité totale. Je suis sûr que tu ne devais pas être au courant des intentions de ton supérieur. Je veillerai à ce que s'applique pour toi le « refus d'obéissance à un ordre manifestement illégal »...

Tutusaus ne l'écouta pas jusqu'au bout. Il sortit de la pièce prendre l'air. Lorsqu'il revint, le général parlait à quelqu'un dans le combiné du téléphone de campagne :

— Oui, c'est moi. À vous. Monsieur le ministre ? Oui, je suis prêt. À vous. Allô ? Excellence ? Toujours à vos ordres. À vous. Oui, il est ici, à côté de moi, Excellence. À vous.

Le général était brusquement devenu nerveux. Il fit signe à Tutusaus de ne pas faire de bruit, s'approcha d'Heredero et lui posa le combiné sur l'oreille. Avant même qu'il ne trouve la position convenable pour protester de nouveau et appeler au secours, Heredero entendit une voix criarde :

— Felipe... Je suis le Généralissime. Tu m'écoutes ? À vous.

Heredero devint livide. Tutusaus également. Pozos écoutait dans une attitude de respect quasi religieuse. La voix de Franco, plus stridente que jamais à cause de la distorsion de l'appareil, s'échappait aux quatre coins de la pièce. Heredero avala sa salive et dit :

— C'est la voix de Franco ! Comment avez-vous fait ? C'est un enregistrement ?

— Non, Felipe ! C'est moi-même. Écoute-moi. À vous.

— Excellence ? C'est bien vous ?

Voyant que personne ne répondait à l'autre bout, le général dit à Heredero :

— Dites : « À vous. »

— À vous.

La voix de Franco revint.

— Bien sûr que c'est moi. Tu ne me reconnais pas ? Je suis au courant de la situation. Est-ce que tu m'écoutes ? À vous.

— Oui, oui, bien sûr que je vous écoute, Excellence. À vous.

— Les ennemis de l'Espagne sont à l'affût, Felipe. Le général Pozos est un de mes hommes de confiance. Tiens compte de ce qu'il dit. Pour tout, tu m'as bien entendu ? À vous.

— Oui, Excellence, pour tout. À vous.

— Ce qu'il a à te dire est d'une importance capitale. Si tu

as le moindre doute, il le dissipera. Nous resterons en contact. Doña Carmen mon épouse t'envoie son bonjour et nous te saluons tous deux. Tu sais qu'elle t'apprécie beaucoup. À vous.

— Merci beaucoup, Excellence. Mes hommages à doña Carmen, Excellence. À vous.

À la suite de quoi un bruit sourd indiqua que la communication avait été coupée. Pozos fit un signe de tête à Tutusaus. Ce dernier ouvrit la menotte d'Heredero, encore sous le choc. La voix de Franco flottait toujours dans l'air, et tout avait pris une dimension plus solennelle. L'industriel respirait pesamment. Il semblait en proie à une émotion intense. Tutusaus espérait que la menotte ne l'avait pas blessé. Avec un hémophile, mieux valait être prudent. Le général Pozos l'invita à se détendre :

— Si vous voulez, vous pouvez vous reposer un moment. Nous sommes dans une ferme, en montagne. Personne ne nous dérangera. Nous pouvons attendre l'heure du déjeuner, ce sera le moment idéal pour vous expliquer de quoi il retourne, et vous transmettre le message personnel de son Excellence...

Heredero lui dit :

— Donnez-moi cinq minutes. Je serai ensuite à votre disposition.

Tutusaus se rendit compte que le général appréciait vivement qu'Heredero se remette à le vouvoyer.

— Allons-y, Céspedes. Laissons monsieur Heredero seul un moment. Puis, s'adressant à lui :

— Nous vous attendons en bas.

Tutusaus était déjà dans l'escalier quand il entendit l'industriel échanger des paroles d'excuses avec le général.

Lorsqu'il vint les rejoindre, il semblait préoccupé. Tutusaus et le général l'attendaient tranquillement, à la table de la cuisine. Tout en défaisant un de ses boutons de manchette, Heredero leur montra son poignet : là où la menotte avait appuyé sur sa peau apparaissait une tache de couleur pourpre et rougeâtre, plus ou moins diffuse.

— Je suppose que vous savez déjà que je suis hémophile. Ce sont deux hémorragies internes. Petites, mais ennuyeuses. J'ai besoin de mes médicaments de toute urgence.

— Lesquels ? Céspedes va aller vous les chercher.

—. Coagulants, vitamines K1 et K2... Et, en cas d'hémorragie externe, des sels de calcium, de l'eau oxygénée, de l'eau d'hamamélis...

— Vous avez tout ça ici. Un menu spécial ?

— Oui, des épinards, des tomates, du foie de porc et du jaune d'œuf.

— T'as entendu, Céspedes ? Va chercher tout ça au village.

Tutusaus lui répondit que ça n'était pas nécessaire, qu'il avait tout sur place. Il connaissait parfaitement le meilleur menu pour un hémophile. Le général se mit au travail sans perdre une minute :

— Ce que je vais vous dire est très sérieux...

Le général relata la vie d'Heredero par cœur, sans omettre le moindre détail. L'homme était impressionné.

— Alors ceux qui me surveillaient, ils étaient de la police ?

— Vous vous en étiez rendu compte ?

— Évidemment, n'importe qui s'en serait rendu compte... Je pensais qu'ils le faisaient exprès. Ça n'était pas le cas ?

— Non, répondit le général en se renfrognant légèrement.

— Au départ, j'ai pensé à une affaire d'espionnage industriel, reprit Heredero, quelqu'un de la concurrence qui essayait de prendre des photos compromettantes ou quelque chose dans ce genre ; je me suis tout de suite inquiété pour ma collection de porcelaines. Ces derniers jours, cela m'a vraiment préoccupé.

— C'était nous. Nous assurions autant votre protection que nous vous surveillions.

— Pour quelle raison ?

— Vous allez le savoir maintenant. Est-ce que vous pensez qu'il manque un détail important dans tout ce que je vous ai expliqué à votre sujet ?

— Important, important... Non, je ne pense pas...

— Eh bien, il en manque un. Une chose que je sais de vous, et que vous, vous ne savez pas.

— Ne me faites pas rire !

— Vous n'êtes pas le fils de qui vous pensez.

— Quoi ?

— Votre origine, monsieur Heredero, est autre, et bien différente...

Le général lui délivra alors tous les détails. L'histoire de sa vie. La véritable histoire.

— Depuis le sabotage de Noël dernier, son Excellence veut désigner rapidement son successeur. Un successeur au titre de roi, en qui il peut avoir entièrement confiance, et qui continuera son œuvre. Don Juan est écarté, et Franco ne se fie pas à son fils, Juan-Carlos... D'autre part, certains secteurs du régime et Franco lui-même ne voient pas d'un mauvais œil que, puisqu'il s'agit d'une restauration, la nouvelle monarchie soit totalement rénovée, rajeunie, sans lien avec le passé, mais néanmoins légitime.

— Attendez voir, si j'ai bien compris, vous êtes en train de me dire que son Excellence veut que je sois roi ?

— Exactement.

— Mais c'est absurde ! C'est une folie. Je ne suis pas monarchiste !

— Ça, c'est sûr... Vous n'êtes même pas franquiste...

— Eh bien...

— Ne vous inquiétez pas. Vos velléités politiques ne nous intéressent guère. Mais que ce soit gravé une fois pour toutes dans votre tête : le Généralissime ne fait pas de choses absurdes.

— L'Europe va en rire. Elle va en mourir de rire ! Ce sera considéré comme une bouffonnerie de plus du régime. Ou pire encore, comme un signe sans équivoque de démence sénile du Généralissime.

— Ne dites pas ça, même en plaisantant !

— Et qui plus est, personne n'y croira.

— Il y a longtemps que le régime de Franco n'a plus besoin qu'on y croie ou non. Ça n'est plus nécessaire. L'Europe s'est interdit la moindre tentative de sourire à notre égard, depuis l'accolade de son Excellence et d'Eisenhower. Il s'agit, monsieur, d'une opération très sérieuse et mûrement réfléchie.

— Mais... roi d'Espagne, moi ? C'est impossible.

— Bien sûr que si. Tenez, voici une photo de votre père. Regardez-vous dans la glace.

Pozos lui tendit un petit miroir de poche. Heredero compara son image à celle de la photo. Il pâlit, confondu. Il tenta de dire un mot, mais celui-ci se bloqua dans sa gorge. Tutusaus lui servit un verre d'eau. Il le but d'une traite, sans respirer. Le général récupéra le miroir et la photo, les remit à Tutusaus et reprit :

— Ne vous inquiétez pas, je comprends votre surprise. Si vous voulez, nous pouvons faire une pause...

— Une pause ? Non, non...

— Parfait. Alors donc, le premier soir où nous nous sommes vus, vous vous en souvenez ? Au fameux club Palomo... Vous nous avez offert un vrai récital, à Céspedes et à moi, sur vos connaissances de la vie occulte des têtes dirigeantes de ce pays. Une radiographie fort pertinente, mais qui ne dévoilait rien de nouveau, mon cher ami. Tout le monde sait, et le Généralissime en premier, que le *Movimiento* n'a jamais dirigé, pas même au début, toute la vie socio-économique du pays. Il y a les grandes fortunes, il y a des groupements d'intérêt – aujourd'hui, les chambres d'industrie –, et des tas de groupes de pression en dehors des mouvements encadrés par la Phalange et le syndicat Vertical.

Quelques-uns de vos petits copains du club Palomo, plaisants à voir d'en haut, ne sont rien que du menu fretin. Vous-même, monsieur Heredero, avec toute votre grande entreprise, ne seriez rien qu'un simple boutiquier... Parce que, en réalité, qui fait bouger les fils, si ce n'est le Généralissime ? Imaginez ce qui se passerait si brusquement on coupait le robinet : plus de contrats avantageux, plus de crédits accordés à des taux ridiculement bas, plus de licences d'import-export en exclusivité...

— Que voulez-vous dire, avec tout ça ?

— Que ça vaut la peine de maintenir l'équilibre existant. Nous en sortirons tous gagnants. Vous me suivez ?

— Trop bien.

— Quand les lois successorales se mettront en place, plût à Dieu que cela arrive le plus tard possible, le premier qui bougera aura gros à gagner dans cette nouvelle donne. Et pour bouger le premier, il faut étudier les stratégies longtemps avant terme.

— Et c'est là que j'entre en jeu.

— Exactement. Si Franco meurt sans avoir nommé de successeur, tout peut éclater en mille morceaux. À l'intérieur du régime, la désagrégation est évidente, malgré la tentative d'unification en 1937, au moins pour ceux qui nous voient de l'extérieur.

— De l'extérieur ? De qui parlez-vous ?

— De militaires loyaux, de gens « pur sang » qui aiment le régime, mais sans plus... Il est facile de classer les ministres de Franco selon les tendances : phalangistes, opusdéistes, carlistes, démocrates-chrétiens... Carlistes mis à part, pour des raisons évidentes, le monarchisme de tout ce groupe est conjoncturel. Ils sont d'accord avec la solution d'un successeur du Généralissime à titre de roi, uniquement parce que Franco en a décidé ainsi. Et tout le monde obéit et se tait. Tout ça pour vous dire que la frange la plus populiste de la Phalange bave devant la figure du général Perón, et ne veut absolument pas entendre parler de monarchie.

— Et ceux de l'Opus ?

— Prêts à tout, à la seule condition que ce soit en leur faveur. Il y a ensuite une tripotée d'hommes politiques et de fonctionnaires du régime qui s'autoproclament : « apolitiques ». Beaucoup disent à voix basse qu'ils n'en partagent pas l'idéologie, mais que l'État est une chose et le régime une autre. Nous les tenons tous sous contrôle.

— Et vous, Pozos ?

— Moi ? Je vous l'ai dit, j'agis par loyauté personnelle. J'ai la chance de communiquer directement avec son Excellence, de façon régulière. Je le tiens au courant des mouvements de toute cette troupe qui l'entoure. Je l'informe du pouls du pays... Qu'est-ce qui t'arrive, Céspedes ? Tu sembles inquiet...

Tutusaus s'était levé une minute plus tôt afin de pouvoir écouter plus attentivement. Une rumeur étrange, non identifiée, l'avait mis en alerte. Il en fit part au général.

— Tu crois que quelqu'un approche ?

Tutusaus ouvrit la fenêtre afin de mieux entendre. Mais on n'entendait rien. Ils sortirent tous les trois. À ce moment-là, le bruit fut également perçu par le général et Heredero.

— Ça n'est pas une voiture, dit ce dernier.

— Évidemment pas. Il s'agit d'un hélicoptère, confirma le général. Ça ne me plaît pas du tout, il va falloir nous planquer. Vite, foutons le camp...

Il rentra dans la maison au moment même où une communication était demandée via le téléphone de campagne. Le général répondit devant les deux autres. On ne comprenait pas ce qui se disait, mais son attitude crispée se transforma d'un seul coup en une grimace de bonheur.

— Messieurs, dit-il, nous n'avons aucun souci à nous faire. Dans quelques secondes nous allons recevoir une visite. Il n'y a rien à craindre.

— Une visite ? dit Heredero.

Mais personne ne lui répondit parce qu'à ce moment-là le bruit de l'hélicoptère était devenu véritablement assourdissant. Un appareil atterrissait devant l'entrée même de la ferme ; un hélicoptère de l'armée de terre. Ils s'en approchèrent tous les trois précautionneusement. Soudain, les grandes pales de l'hélice s'arrêtèrent et tout redevint silencieux. Un militaire descendit, salua vaguement et installa un escabeau devant l'appareil. On vit aussitôt un vieil homme, vêtu élégamment et portant une casquette de sport, sortir la tête par la porte et saluer d'un geste bien connu. C'était Franco.

Pozos, le pilote de l'hélicoptère et Tutusaus se mirent au garde-à-vous. Heredero attendait respectueusement, dans l'expectative.

Il fut le premier à se diriger vers l'escabeau pour aider l'illustre visiteur. Tutusaus, le cœur battant à tout rompre, observait la scène du coin de l'œil.

— Merci, Felipe, mais je ne suis pas encore assez gâteux pour ne pas pouvoir descendre d'un petit escabeau sans trébucher...

— Excellence, que nous vaut l'honneur de votre visite ? Nous avons parlé ensemble il y a un instant.

— Justement. Je n'étais pas tranquille...

Et s'adressant aux militaires : Repos, messieurs, repos... Comment vont les choses, général ?

— Selon le plan prévu, Excellence.

— Vous devez être Céspedes, n'est-ce pas ? Le général parle de vous en forts bons termes...

Tutusaus leva les yeux pour répondre à son salut. Il se trouva face à une personne plus petite et chétive que dans son souvenir, grassouillette, la main légèrement tremblante. Franco passa devant eux à petits pas rapides, comme dans un film muet. Il s'arrêta, désigna l'homme qui l'accompagnait et dit :

— Voici le lieutenant-colonel Apolinar, mon aide de camp. Par bonheur, c'est également un extraordinaire pilote d'hélicoptère. On passe à l'intérieur ? Il fait un peu frais ici. Alors, Felipe, je vous disais donc que je n'étais pas très tranquille, de sorte que j'ai décidé de me déplacer en personne...

— Il ne fallait pas, Excellence, je vous jure que...

— Ne jurez pas, Felipe...

— Je vous promets que tout est bien clair...

Le groupe entra dans la ferme. Ils se dirigèrent directement vers la salle à manger. Tutusaus se chargea d'allumer un feu dans la cheminée ; la journée était fraîche, et si Franco ne se sentait pas à son aise, il ne se le pardonnerait jamais. Tandis qu'il mettait des bûches dans l'âtre, il jetait des petits coups d'œil derrière lui et n'arrivait pas à y croire ; il voyait cet homme, il entendait sa voix, et avait l'impression de vivre un rêve. C'était Franco, dans sa ferme, en visite secrète... Tutusaus les rejoignit autour de la table. Le lieutenant-colonel sortit un dossier et le tendit à Heredero sans autre préambule, tandis que Franco se mettait à parler, sans le regarder, comme s'il s'adressait à lui-même :

— Bon, Felipe, je suppose que le général vous a mis au courant de la situation. J'admets que tout cela doit vous paraître bien étrange... Comment l'a-t-il pris, Pocitos ?

— Il a qualifié cela d'« absurde », Excellence...

Tutusaus observait Heredero à ce moment-là, et le vit foudroyer le général du regard.

— Bon, en réalité, je voulais dire que...

— Laissez tomber, Felipe, laissez tomber, je comprends. Mais songez que nous n'aurions pas duré aussi longtemps si nous avions agi à coups d'absurdité...

— J'ai été pris au dépourvu, je suis désolé. Vous comprenez, je n'ai jamais...

— Écoutez, Felipe, on pourrait dire, et ne vous fâchez pas, que vous avez été une espèce de rat de laboratoire que nous avons fait grandir et que nous avons amené à maturité au cas où nous en aurions besoin. En échange, nous vous avons plutôt bien traité, non ?

— On ne peut mieux, Excellence.

— Bon, maintenant, donc, je dois choisir un successeur, en effet, car l'heure approche de préparer ma succession. J'ai besoin de trouver une personne en qui j'aie confiance et qui puisse assumer cette si haute responsabilité. C'est une chose logique et naturelle, à mon âge, il peut arriver l'inévitable, ou que mes facultés intellectuelles baissent et que je me trouve dans l'impossibilité de prendre une décision à temps. Il y a des années que nous avons décidé que l'Espagne était une royauté, et c'est ainsi que je veux que cela perdure. Des personnes influentes du régime font pression sur moi et prétendent que je n'ai pas de quoi consolider la monarchie, que je pourrais nommer Muños Grandes régent, en attendant que la situation s'éclaircisse, ou même ouvrir la porte à une troisième république. Mais ce n'est pas une solution : cela a déjà apporté par deux fois l'anarchie dans notre pays. Et il arriverait la même chose. Le temps a beau passer, on ne change pas... Apolinar, mes gouttes...

— À vos ordres, Excellence.

— Ce voyage en hélicoptère m'a bouché le nez. J'ai tendance à attraper le rhume, vous savez ?

L'aide de camp apporta ses gouttes à Franco et ce dernier se les administra lui-même. Tutusaus ne perdait pas un seul des mouvements du Généralissime. Et même si c'était pour le voir la tête en arrière en train de s'introduire des gouttes dans le nez, il en était littéralement émerveillé. Franco se moucha et poursuivit.

— Merci, Apolinar. Bien, Felipe, où en étions-nous ?

— Votre Excellence disait qu'on ne change...

— ... absolument pas. Et qu'il faut se souvenir des leçons du passé. Celui qui me succédera sera roi. Point final. Il y a eu des moments de doute. Il faut dire que, en vérité, les monarchistes ne nous aident pas beaucoup. Il est lamentable de voir à quel point ils ont fini par être divisés. Et puis ils sont peu nombreux et, aujourd'hui, les gens ne sont plus monarchistes. Ils devraient se rendre compte de la situation et faciliter les choses... Et cela sans compter les attitudes inadmissibles, comme celle de don Hugues, qui est français et n'a aucun droit. Les carlistes « xavieristes », se sont opposés à l'unification que j'ai entreprise en 1937 et ils ont accusé de collaboration ceux qui, à l'époque, sont entrés dans le Movimiento. Et maintenant, ils font les yeux doux aux phalangistes, obtiennent des sièges au Conseil national et aspirent même à entrer au Gouvernement en brandissant la bannière de Xavier de Bourbon-Parme et de son fils Charles-Hugues comme prétendants à la couronne. Ils n'ont idée de rien. De la politique de salon ! Ils sont nostalgiques d'un passé qu'ils n'ont pas connu et qu'ils ne connaîtront jamais. Je m'en méfie ; en cas de crise, ils seraient capables de faire le jeu d'un nouveau régime républicain. Et puis, ce sont des *gavaches*, des étrangers. Ils m'écœurent, tous autant qu'ils sont, et un de ces jours je les renverrai à la frontière d'un coup de pied au cul. Il faut aussi écarter don Juan, qui, à l'heure actuelle, aurait déjà dû abdiquer en faveur de son fils. Mais il est plus têtu qu'une mule. Et Juan-Carlos est assez discret et intelligent pour ne me faire aucune confidence à ce sujet. Et je ne lui poserai pas de question non plus, ce serait prématuré. Tout le monde pense que c'est lui que j'ai choisi. Que se passerait-il si je lui demandais brusquement, par surprise, s'il accepterait d'être mon successeur ? Je ne le sais pas, et c'est bien ça le problème. Je ne désignerais Juan-Carlos mon successeur que si je savais qu'il répondrait par l'affirmative. Mais il entrerait dans le jeu uniquement s'il pouvait compter sur l'assentiment de son père. Et vu que don Juan ne le lui accordera jamais, et que Juan-Carlos ne se dressera jamais contre son père, même en sachant que de cette manière la dynastie serait assurée, nous avons fait le tour de la question. C'était mon préféré, mais c'est un risque trop grand à courir. Quelqu'un, parmi les courtisans qui gravitent autour de don Juan, aurait dû lui faire comprendre que ce sera son fils ou aucun des deux. Et dans une affaire de cette importance, il ne peut y avoir de place pour le doute...

L'aide de camp interrompit Franco en toussant légèrement.

— Oui, Apolinar ?

— C'est l'heure, Excellence.

— Ah, merci. Tu peux m'apporter le parapheur. Et s'adressant à Heredero : Vous allez devoir me pardonner un petit moment, Felipe. Mais tous les jours, à cette heure-ci, je signe des documents et je n'aime pas casser cette routine, sinon, après, le travail s'accumule, et tout le monde sait que... Vous êtes d'accord, n'est-ce pas ?

— Bien sûr, Excellence.

— Alors, Apolinar, qu'est-ce que nous avons, aujourd'hui ?

— Le décret sur le renforcement de l'esprit agraire pendant la période du service militaire.

— Ah, oui...

Franco signa cérémonieusement. Puis il rendit le document à son aide et expliqua à Heredero :

— Nous nous trouvons devant un problème : à la fin de

leur service militaire, les soldats d'origine paysanne ne peuvent éviter d'écouter le... comment on dit ça, Apolinar ?

— « Le chant des sirènes », Excellence.

— C'est ça, le « chant des sirènes » de la ville. Sous les promesses et le clinquant de l'or se nichent beaucoup de pourritures. S'ils tombent dans le monde de la culture, par-dessus le marché, c'est mauvais. La culture sert souvent à pervertir les intelligences. S'ils entrent à l'usine, c'est pire encore. Ils sont à la merci de ces inventeurs d'utopies et risquent alors de fauter contre Dieu et les Autorités... Mais poursuivons notre discussion ; où en étions-nous restés ?

— Vous disiez que dans une affaire de cette importance, on ne pouvait laisser de la place au doute...

— Exactement, Felipe. Je suis même certain que le comte de Barcelone pense ordonner à son fils de quitter l'Espagne. Par chance, ses consultants et mentors, si inutiles la plupart du temps, le lui déconseillent, ils savent qu'il vaut mieux que Juan-Carlos reste à mes côtés. Et ils ont raison. Franchement, entre nous, j'en ai marre des monarchistes. Enfin, puisqu'il le faut, je m'invente un roi, et point final. Si en plus la Providence met entre mes mains le hasard historique de votre personne, Felipe, c'est encore mieux. Vous êtes le descendant direct d'Alphonse XIII et, de fait, héritier légal de la couronne. Je veux dire par là que les traditionalistes, qui se sont toujours bien entendus avec le régime, n'ont rien à dire. D'autre part, je ne comprends pas leur propagande en faveur d'un prince étranger. Si nous voulons survivre en tant que nation et occuper la place qui nous revient de plein droit dans le concert des nations, nous devons la conquérir par nos efforts et nos sacrifices. S'il est évident que le présent de notre patrie est entre mes mains, il ne m'est pas possible pour l'instant, malheureusement, de servir cette patrie au-delà de la mort. Et c'est dans vos mains, Felipe, que je veux déposer aujourd'hui le futur. Je sais que vos idées ne sont pas exactement les mêmes que celles du régime. Mais, entre nous, moi non plus je ne sais pas ce qu'elles sont, hormis les grands axes qui m'ont toujours guidé : unité de la patrie, ordre, guerre à mort contre le communisme et la maçonnerie. Le reste, nous pouvons en parler. Nous allons vous aider à vous préparer pendant quelques années. Ensuite, je me retirerai...

Tutusaus écoutait, bouche bée, presque paralysé : il était en train d'assister à un événement historique. Et, surtout, il entendait Franco parler de la même façon que dans ses discours :

— De sorte que, sans écarter Juan-Carlos, c'est vous que je désignerai en premier, vous qui n'avez aucun lien personnel avec quiconque ni avec quoi que ce soit. Je dois chercher le moment psychologique le plus approprié. Le général Pozos Bermúdez sera à votre côté à tout instant. Je vous laisse réfléchir quelques jours, mais j'aimerais avoir une réponse avant la semaine prochaine. J'espère que vous ne me décevrez pas.

— Vous pouvez avoir confiance, Excellence.

Là, Franco se tut, passa sa langue sur ses lèvres et resta à regarder la table. Toute la pièce fut plongée dans un silence que personne n'osa rompre. On aurait entendu une mouche voler. Heredero était blanc comme un linge, Pozos et Tutusaus presque au garde-à-vous, l'aide de camp dans l'expectative. Gardant la même position, Franco leva légèrement la tête et dit de sa voix de fausset :

— Apolinar, ma collation.

— À vos ordres, Excellence, répondit l'aide de camp avant de quitter la pièce sur-le-champ.

Franco, comme si de rien n'était, ajouta dans un filet de voix :

— N'ayez pas peur de la charge, Felipe. L'Espagne n'est pas difficile à gouverner. Soyez patient, et ne perdez pas votre calme.

Le lieutenant-colonel Apolinar revint au même moment muni d'un panier en osier. Il demanda la permission à Franco et l'ouvrit devant lui. Il en sortit une petite nappe et dressa en un rien de temps une partie de la table.

— Je dois déjeuner à mon heure, Felipe, sinon, ça me détraque l'estomac.

Il trouva devant lui une omelette nature, posée dans une

assiette, accompagnée d'une tranche de pain et d'une orange. Son aide de camp était en train de remplir un verre avec le liquide d'une thermos. Franco suivait attentivement le déroulement des opérations. Une fois le verre plein, il en but une gorgée et dit, après s'être éclairci la voix :

— Il n'y a rien de mieux que l'eau gazeuse. Elle m'aide à contrôler les gaz stomacaux. Vous n'en buvez pas, vous ?

— Non.

— Alors buvez-en, voyons, buvez-en !

— À vos ordres, Excellence.

Franco coupait de petits bouts d'omelette et les mastiquait un bon moment avant de les avaler, indifférent aux personnes qui l'observaient. Il mangeait et parlait en même temps :

— Approchez-vous, Heredero. Je suis sûr que petit à petit le pays aura de l'affection pour vous. Vous savez pourquoi ? Parce que, bien qu'inconnu, vous m'êtes fidèle. Et le peuple saura apprécier. Vous êtes également moderne, et encore assez jeune. Le peuple vous respectera et vous admirera : vous serez le premier roi d'Europe à s'asseoir sur un trône en venant du monde de l'entreprise. Cela dit, vous allez désormais devoir abandonner toutes vos activités économiques, il va vous falloir adopter une conduite modèle, irréprochable, une vie faite de simplicité et d'austérité, et faire en sorte de toujours rester en prise directe avec les besoins du peuple espagnol. Mais nous allons nous occuper de tout ça, de sorte qu'en cinq ou six ans, vous soyez prêt...

Il s'adressa à son aide : Apolinar, tu peux débarrasser.

Tandis que ce dernier ramassait soigneusement dans le panier toutes les pièces de ce pique-nique improvisé, Franco se leva, se dirigea vers Heredero, lui frappa l'épaule et lui dit :

— Vous êtes fort comme un chêne, Heredero. Je ne me trompe jamais. Je sais que vous souffrez de cette funeste maladie familiale. Mais ça ne fait rien. Maintenant, ça n'est plus comme avant, il y a des médicaments ; les médecins m'ont assuré qu'elle peut être contrôlée tant qu'on agit avec prudence. Et ne vous inquiétez pas de ne pas être un militaire, vous le deviendrez peu à peu. Les guerres modernes n'ont rien à voir avec les anciennes. N'est-ce pas, mon petit Pozos ?

— C'est sûr, Excellence.

— Aujourd'hui, tout se décide bien loin du champ de bataille... Ces prochains jours, soyez sur vos gardes, Felipe. Ne vous fiez à personne qui viendrait en mon nom, si ce n'est le général Pozos. Une fois la décision rendue publique, nous nous verrons souvent. Doña Carmen en est enchantée.

Puis il lança à son aide :

— Apolinar, à propos, téléphone à Madame et dis-lui que nous arriverons pour dîner. Nous partirons d'ici dans vingt minutes.

— À vos ordres, Excellence.

— Et pour finir, un seul conseil. Il est indubitable que le vide de ma personne, lorsque se produira le...

— Non ! dit le général Pozos, d'une voix brisée par l'émotion.

— Ah, Pocitos, mon petit Pozos... Je disais, quand je manquerai...

Dans la pièce des cris spontanés se firent entendre : « Viva Franco ! Viva ! »

— Merci... Quand je ne serai plus...

Les cris des quatre hommes redoublèrent : « Non ! » « Non ! » « Viva Franco ! » « Viva ! »

— On notera inévitablement...

— Viva Franco !

— Silence, je perds le fil ! Lorsqu'un jour je ne serai plus... à... à...

Un peu de morve coulait du nez de Francisco Franco, et Tutusaus ne savait si c'était à cause de l'émotion ou du rhume. Le chef de l'État sortit un petit mouchoir de sa poche et s'essuya un peu, après s'être subtilement mouché. Effectivement, il avait perdu le fil de ses pensées et Heredero demeura sans conseil.

— Et maintenant, messieurs, si vous voulez bien me laisser seul...

Tout le monde se mit au garde-à-vous. Le général Pozos

fit même claquer ses talons sur le sol. Heredero semblait en état de choc et dut être aidé par Pozos. Le lieutenant-colonel Apolinar fut le dernier à sortir. Tandis qu'il refermait la porte, Tutusaus put voir un instant la silhouette de Franco regardant au dehors par la fenêtre, les mains dans le dos. C'était une image sereine et magnifique, extraordinaire, digne d'être immortalisée par un « peintre de chambre ». Tutusaus était sûr que lui ne pourrait jamais regarder à travers une fenêtre avec une telle sérénité. Même en s'entraînant. Ce genre de qualité, c'était de naissance.

— Après sa collation, le Généralissime fait toujours un petit somme de dix minutes, informa le lieutenant-colonel Apolinar.

Pozos sortit fumer un havane. Heredero s'assit à la table de la cuisine et ouvrit le dossier contenant les documents qu'on lui avait remis. Ses mains tremblaient. Le premier était un rapport schématique. Il y jeta un coup d'œil, cela n'avait pas grand intérêt, la plupart de ces informations venaient de lui être confirmées par Franco en personne.

Affaire Heredero
Situation question monarchiste en ordre application loi succession.
Période compte rendu : huit derniers mois.
A/fin 1961
1/sur Alphonse de Bourbon et Dampierre
Neveu Alphonse XIII et fils Jacques de Bourbon, frère aîné chef de famille royale (sans droit parce que sourd-muet et cause mariage avec roturière).
2/Détection augmentation significative de sa présence et activités publiques. Idem pour son père.
Sources : journaux, revues, No-Do, amb. franç.

Heredero abandonna. Il lirait tout ça plus tard. Il referma le dossier, et se mit à observer les évolutions de Tutusaus qui remplissait une caissette avec les cendres de la cheminée. Il était encore si ému qu'il en laissait à chaque pelletée plus dehors que dedans.

— Tu sais, Tutusaus, je déteste le style télégraphique des militaires, lâcha Heredero. Dis-moi, vous pensez que c'est moins viril, peut-être, d'ajouter des articles et des prépositions ?

— Pardon ? dit Tutusaus, qui se trouvait à une année-lumière de là, essayant de fixer dans son esprit, seconde par seconde, tout ce qu'il avait vécu lors de cette journée. Il se souvenait d'une fois, des années plus tôt, où le général avait fait irruption dans la pension où il vivait alors, porteur d'une importante mission. Entrant sans frapper, comme toujours, il lui avait dit d'un ton mystérieux et grandiloquent :

— Céspedes, viens, approche-toi.

— A vos ordres, avait-il répondu, effrayé.

— Il s'est passé aujourd'hui une chose très importante, un événement capital.

— Quoi ?

— Franco m'a parlé.

— Directement ?

— Évidemment, imbécile ! Et il m'a transmis un message. Rien qu'à moi. J'étais sur le point d'achever la lecture du rapport sur notre mission quand je me suis rendu compte que son Excellence m'écoutait les yeux fermés.

— Il dormait ?

— Il réfléchissait, il songeait... J'ai attendu quelques minutes qu'il m'adresse la parole. Et il l'a fait. Il a ouvert les yeux, il a bâillé, il m'a regardé et il m'a dit : « Pozos, aucune servilité n'est désintéressée. »

— Ah oui ?

— Oui. Hum... Tu dois te demander ce que tout ça a à voir avec mon rapport, hein ?

— Oui, chef.

— Eh bien je vais te le dire : rien. C'était une réflexion à l'état pur, imbécile ! Une pensée qu'il a daigné m'offrir. Cela, seuls les hommes touchés par la Providence en sont capables.

— Vous pensez en faire quoi ?

— De quoi ?

— De la phrase.

— T'as raison, Céspedes. Nous ne pouvons pas la laisser comme ça. Ceux qui ont le privilège de posséder une phrase entière de Franco sont rares. Nous ne devons pas être égoïstes. Il faut la partager avec le monde entier. Ce sera peut-être une phrase historique.

— Oui...

Le lieutenant-colonel fit irruption dans la pièce, accompagné du général Pozos :

— Messieurs, son Excellence s'en va.

Franco partit aussi discrètement qu'il était arrivé, et Tutusaus parvint à prendre une photo de lui en cachette, en se plaçant derrière une fenêtre entrouverte. Il le photographia alors qu'il saluait tout en se dirigeant vers l'hélicoptère. Ce serait un de ses plus grands trésors, la preuve que tout ça n'avait pas été un rêve. En appuyant sur le déclencheur, Tutusaus éprouva une sensation un peu particulière, un frisson. Il n'utilisait cet appareil que pour photographier ses cadavres. Il sortit à temps pour rejoindre la formation et prendre solennellement congé de Franco. Les trois hommes demeurèrent un moment abasourdis, les yeux tournés vers le ciel, là où avait disparu l'hélicoptère. Puis ils rentrèrent dans la maison. Pozos et Heredero étaient en verve. Ils bavardèrent et mangèrent de bon appétit, tous deux très heureux. Heredero interrogeait le général sur ses plans à court terme.

— Bien, il me semble que nous devrions commencer la formation accélérée selon les suggestions mêmes du Généralissime. Je vous propose de rester ici deux ou trois jours ; Tutusaus s'occupera de l'intendance et nous pourrons dialoguer et échanger des points de vue sur toutes les affaires...

— Je suppose que c'est le mieux... Je n'en reviens pas encore.

— Du moins, pour commencer...

Le général Pozos et Heredero restèrent à parler presque trois jours entiers, matin, midi et soir, dans la ferme, ou en se promenant aux alentours, toujours sous la surveillance de

Tutusaus, à une distance prudente. Ils ne le voyaient pas, mais lui ne les perdait jamais de vue. Dans ses moments libres, Tutusaus eut le temps de développer la photo de Franco. Il en fit deux copies : une grande qu'il colla sur le mur de son laboratoire, et une petite qu'il glissa dans son portefeuille, pour l'avoir toujours sur lui, telle une image pieuse. Pozos et Heredero discutaient, parfois tranquillement, parfois avec animation, devant un café ou un verre, assis au soleil ou près de la cheminée. Tout cela ne cessait d'étonner Tutusaus, qui ne perdait pas un mot des conversations. Le général disait :

— Que pensez-vous, monsieur Heredero, de ces gens prêts à descendre dans la rue, pistolet au poing, en criant « mort à Franco » ? Et pourquoi de tels agissements ? Dans l'état actuel des choses, celui qui voudrait se conduire de la sorte ne réussirait qu'à passer plusieurs mois derrière les barreaux. Je vous recommande d'écouter un peu les jeunes ouvriers de votre entreprise : ils veulent s'acheter une Vespa, avoir dix balles pour inviter leur petite amie à boire un verre, et remplir leur grille de loto. Le reste, ils s'en foutent. Et les gens plus vieux, pareil. La prochaine fois que vous irez faire un tour au camp de la Bota, tendez l'oreille : vous verrez que plus personne ne parle du passé.

— Vous n'avez jamais songé que c'est peut-être parce que les gens ont peur ?

— Oui, mais je crains que les véritables raisons soient nettement plus prosaïques.

— Pardonnez-moi, mais ceci est d'une simplicité honteuse.

— Beaucoup de gens pensent comme moi.

— Et si quelqu'un pense différemment et que cela se sait, il se heurte à la police, et à vous.

— Exactement. À nous. Un « nous » dans lequel, si je ne m'abuse, vous vous trouvez fort dignement inclus...

— Je ne le nie pas.

— Et puis, je vous rappelle que le régime a souffert de nombreuses pressions venant de l'étranger et qu'il a résisté. Et ça n'est pas par hasard.

— Des lieux communs, mon général, des lieux communs éculés. Vous avez de beaux discours, vous. L'époque des leaders fanatiques est en train de passer, jetez donc un coup d'œil sur l'Europe qui nous entoure...

— En ce qui concerne l'Espagne, c'est différent. Vous seriez stupéfait de savoir combien il y a de gens qui souhaitent dépendre totalement d'un chef, comme s'ils voulaient retourner en enfance, époque bénie où ils pouvaient se décharger de toute responsabilité et compter sur la protection d'un père...

— Ne me faites pas rire ! J'admets que le régime a des adeptes parmi les gens simples, mais...

— Beaucoup plus que vous ne pensez.

Tutusaus suivait les débats en ayant l'impression d'assister à un combat de titans. L'un attaquait, l'autre encaissait et répondait. Cela faisait longtemps qu'il n'avait pas vu le général travailler sa dialectique de manière si approfondie :

— Je vous le répète : aujourd'hui, et toujours dans le cadre d'un ordre établi, si quelqu'un veut parler, il peut le faire, rien ne le lui interdit.

Et Heredero répondait froidement :

— Ne me prenez pas pour un imbécile.

— N'importe qui peut capter des émissions étrangères sur son poste de radio...

— Pour l'amour du Ciel, nous sommes en train de parler sérieusement ! Ne vous foutez pas de moi !

— Ça n'était pas dans mon intention. Mais mon travail est d'être informé. Je fais partie des personnes les mieux informées d'Espagne. Il y a plus de vingt ans que je m'y consacre et je peux vous jurer que je ne me trompe pas. Croyez-moi, personne ne veut rien savoir ni se souvenir de rien. Ce qui compte, c'est aller au foot, aux arènes, au cinéma... J'ai raison ou non, Céspedes ?

— Oui, mon général.

— Regardez le phénomène des touristes. Il en vient chaque année davantage, et il y a des gens, parmi ceux qui critiquent le régime, que ça dérange. Et vous savez pourquoi ?

— Non.

— C'est très simple. Parce que ça nous rend plus forts. Qu'on veuille le reconnaître ou non, le tourisme apporte des devises et ceux qui en bénéficient en sont ravis, des hôteliers aux restaurateurs en passant par les serveurs et les paysans qui vendent leurs vignes en bord de mer aux entreprises qui construisent des appartements. Et je ne parle pas de la respectabilité que cela confère au régime en dehors de nos frontières. Qui est intéressé, aujourd'hui, par le bordel ou par un changement politique ? Personne, si ce n'est quatre pseudo-intellectuels illuminés et trois pelés qui ne cessent de gémir dans leur exil...

— Mais alors, comment, devant le vide inévitable que le général Franco laissera...

— Que Dieu ne veuille...

— Mais enfin...

— Je veux dire, que ce soit dans très longtemps... Beaucoup pensent que la meilleure manière d'affronter la disparition du Généralissime ne sera pas de prendre ses distances avec régime qu'il a personnifié, mais de reconnaître l'original et malheureux paradoxe dans lequel nous nous trouvons aujourd'hui : le Généralissime s'est arrogé un pouvoir et un crédit qui ne correspondent pas à ceux de certaines institutions, pas plus qu'à certains comportements politiques au sein du régime et du gouvernement. Il faut balayer sa cour. Parfois, on dirait un poulailler. Avant de se retirer, il tentera de faire lui-même le ménage. Sinon, ce sera à vous d'agir.

— C'est cela que veut son Excellence ?

— C'est cela.

— Mais, pour tout le monde, il est bien clair qu'une fois Franco mort, certaines choses devront changer...

— Pourquoi ?

— Tout évolue, Pozos, dans n'importe quel endroit du monde. Il faut perfectionner les structures institutionnelles pour les mettre en conformité avec la réalité du pays. Un roi jeune, aujourd'hui, doit tenir compte des problèmes économiques et sociaux du peuple sur lequel il va régner...

— Dans un ordre...

— Bien sûr...

— Mais vous oubliez la rébellion...

— Pardon ?

— Oui, mon cher Heredero, le traditionnel et idiosyncrasique caractère indompté et rebelle du peuple espagnol qui l'a rendu célèbre dans le monde entier et qui, historiquement, nous a apporté autant d'agréments que de désagréments...

— On ne vous a jamais dit que vous usez d'une rhétorique dont plus un seul homme politique ne voudrait aujourd'hui ?

Pozos garda un moment le silence, il ne savait pas dans quel sens interpréter ce que venait de lui dire Heredero.

— Ma rhétorique s'est abreuvée à la source de son Excellence le Généralissime.

— C'est pour ça qu'elle est bonne, mon cher, c'est pour ça qu'elle est bonne... Mais pour ce qui l'en est du caractère indompté du peuple espagnol, qui peut préoccuper tant de gens, j'y vois, moi, au contraire, l'impérieuse et vivante générosité de ceux qui veulent un futur ouvert...

— Ouvert ? Comment ça, ouvert ?

— « Légèrement » ouvert.

— Voyons, vous devez bien vous mettre ça en tête : des millions de gens sont nés et ont grandi sous ce régime et c'est le seul qu'ils connaissent. Aujourd'hui, vous savez, l'image d'une Espagne à béret, morte de faim, où tout le monde vit mal, est un de ces lieux communs préférés de la propagande faite par ceux de l'exil...

Chaque fois qu'il entendait parler de cette histoire d'exil, Tutusaus avait le cœur qui bondissait. L'exil, c'était comme une parole maudite, une espèce de lieu indéterminé sur lequel s'ajoutait une autre parole maudite : l'étranger, cet étranger où vivaient des espèces d'Espagnols démoniaques disposés à tout pour discréditer la patrie, pour l'enfoncer.

Le général attaquait à fond les objections d'Heredero qui, visiblement, avant d'accepter son changement de destin, avait choisi de se faire l'avocat du diable :

— Si le futur roi ne s'engage pas à servir la justice et la liberté, il me sera difficile d'assumer...

— Vous assumerez ce que son Excellence vous ordonnera d'assumer, et vous la fermerez.

— Pozos !

— Excusez-moi... Ça fait un moment que nous n'arrêtons pas de parler de Franco au passé. Ça me fait frémir, comme si nous évoquions les temps mauvais.

— Vous avez raison. Allons prendre un peu l'air...

— Ce que je vais prendre, moi, ce sont deux bières et un genièvre. T'as entendu, Céspedes ?

— Oui, chef.

— Alors grouille !

Puis il dit à Heredero qui s'emballait :

— Vous savez, actuellement, il y a au moins deux millions d'Espagnols – sur les trente et un que compte le dernier recensement – qui, je peux vous le jurer, vivent bien et même très bien : diplomates, hautes hiérarchies militaire et politique, aristocrates, patrons d'entreprise, artistes et footballeurs, joueuses de castagnettes, toreros et industriels ; ce sont des gens avec un niveau de vie qui n'a rien à envier à ceux des mêmes classes du reste de l'Europe. Qu'est-ce qu'il faut changer ? D'accord, beaucoup disent à voix basse ce que vous dites sans ambages, que lorsque son Excellence ne sera plus, les choses changeront forcément. Peut-être. Mais s'il doit y avoir un changement, il faut que cela se fasse sans rien toucher. Ça n'intéresse personne...

— Je suppose que vous avez en partie raison. Si le régime s'était basé uniquement sur la compétence, j'en connais plus d'un qui se serait serré la ceinture, par manque de talent : des assesseurs, des propagandistes, les écrivains officiels, les génies du marché noir... Toute cette troupe s'opposerait avec acharnement à la moindre idée de changement. Et non pas par peur de perdre leurs privilèges, mais parce qu'ils sont parfaitement conscients de la difficulté de vivre dans une société réellement compétitive. Je sais que, après avoir découvert l'origine du succès de nombre de mes affaires, je ne suis pas le mieux placé pour...

— Ne vous inquiétez pas. Il faut se concentrer sur une seule chose, et je vous le répète : l'immense majorité des gens ne veulent avoir aucun problème. Et puis la guerre est encore présente dans les esprits. Beaucoup plus qu'on ne le pense. Tout le monde se met à trembler rien qu'à l'évoquer. Même ici, avec toutes ces histoires de Catalans, de culture catalane et tout le tintouin, il n'y a guère qu'une poignée de pauvres nostalgiques que nous contrôlons parfaitement ; nous les laissons agir à leur guise : de cette manière, ils ne gênent personne et, pendant qu'ils font leur *Mouron rouge*, ils ont l'esprit occupé et oublient de s'engager dans des actions qui seraient plus emmerdantes pour nous. Je le dis souvent au Généralissime, mais il ne m'écoute pas : Excellence, permettez-leur de porter leur chapeau, là, leur « barretina », et nous gagnerions la moitié des Catalans en deux jours. L'autre moitié, nous l'avons déjà gagnée, depuis le début...

— Puisque vous en parlez, que faisons-nous de la question des régions ?

— Quelle question des régions ? C'est une des marques importantes de Franco. Vous n'aurez même pas à y penser : grâce à son Excellence, la question des régions n'existe pas. Et pour en revenir à nos propos, ce que je veux vous faire comprendre, c'est que les gens sont attentifs à ce que nous leur disons. Ils ne veulent pas de problème. Si on publiait demain un décret obligeant tout le monde à parler japonais, tout le monde la bouclerait et se mettrait à apprendre le japonais. Voilà le pays qu'il vous léguera.

— Je crois que vous exagérez un peu, mon général, vous le sous-estimez.

— Vous pourrez le vérifier par vous-même. Pourquoi pensez-vous que nous sommes si tranquilles à la tête du régime ? Entre autres parce que le taux de mobilisation politique est extrêmement faible. Pour qu'il en soit toujours ainsi, nous ferons en sorte, avec l'administration, que les gens vivent tranquilles et aussi apathiques et dépolitisés que possible.

C'est le mieux. Et cela ne veut pas dire que nous sommes déloyaux envers le Généralissime, mais simplement que nous avons gagné la paix et que nous voulons en jouir tranquillement. Ce n'est que lors de quelques périodes de crise, comme en 1947, que nous avons exigé du peuple qu'il se bouge un peu, avec l'organisation de manifestations publiques d'adhésion au système. Mais rien de plus, en dehors de ça.

— Et personne ne s'aperçoit de l'existence de la censure, par exemple ?

— Les gens ont trop souffert, et ne veulent pas souffrir davantage.

— Vous voulez dire que les gens se moquent de savoir que, plus de vingt ans après la fin de la guerre, on fusille encore ?

— Ça n'est ni la censure ni les sursauts de conscience qui font bouillir la marmite, monsieur Heredero. Et si l'on met cela dans la balance, un petit manque de liberté fait un minuscule contrepoids.

— Vous êtes tellement cynique que je ne sais pas quoi dire.

— Ça n'est pas du cynisme, c'est du réalisme. Voyons, vous qui voyagez tant, vous croyez que toute cette propagande internationale et celle de l'opposition en exil sont fondées ? C'est risible, ils rabâchent encore ces vieux lieux communs du peuple espagnol bon et travailleur sauvagement opprimé par une bande de fascistes sans âme ! Vraiment, c'est risible.

— Parce que ça n'est pas le cas ?

— Qu'est-ce que vous en pensez, vous ? Évidemment non, voyons. Je vous l'ai dit, le régime, aujourd'hui, convient à énormément de gens, qui ne font guère de chichis pour vivre sous son aile. Ils s'y sentent bien, comme se sont sentis bien des millions d'Italiens sous Mussolini, des millions d'Allemands sous Hitler, des millions de Français sous Pétain et des millions de Soviétiques sous Staline...

— Donc vous avez pour opinion que les Espagnols, s'ils

obtenaient plus de liberté, ne renverseraient jamais le régime franquiste, c'est ça ? dit Heredero.

— Exactement. Et celui qui, depuis l'extérieur, pense le contraire, ne fait que se forger de fausses illusions.

— Et les grèves de ces derniers jours dans les Asturies ?

— Une minorité insignifiante manipulée par quatre agitateurs sur lesquels nous allons rapidement mettre la main. Et quand nous le ferons... Vous voyez, des opposants qui travaillent activement contre le régime, il n'y en a pas beaucoup et ils sont tous fichés.

— Et les étudiants, vous en dites quoi ?

— Aucun problème. La seule chose qu'ils veulent, lorsqu'ils ont terminé leurs études, c'est se trouver une bonne place, avoir une bagnole et vivre le mieux possible.

— C'est partout pareil.

— Ça ne rate jamais. Les gens veulent de l'ordre. Ils préfèrent l'injustice au désordre. Et ce ne sont pas uniquement les bourgeois et les classes des vainqueurs de la guerre qui le disent, je vous assure...

— L'injustice ne constitue-t-elle pas le pire des désordres ?

— Ne soyez pas naïf, Heredero, et ne me sortez pas cette philosophie de bazar ! Nous sommes en train de parler de l'ordre de nos lois, de l'ordre dans la rue. S'il n'y a pas d'ordre, on tombe dans le chaos.

— Vous parlez comme un militaire...

— Peut-être... Mais n'oubliez pas qui est le chef de l'État. Souvenez-vous de l'action du Généralissime dans les Asturies, en 1934... Faites un référendum avec une seule question : « Que préférez-vous : l'injustice ou le désordre ? ». Le résultat serait écrasant en faveur de la première proposition.

— Je n'en suis pas si sûr...

— C'est pourtant la réalité. Et finalement, comme qui dirait, une injustice bien organisée ne cesserait d'être, malgré tout, de l'ordre...

— Évidemment. Et un ordre injuste vaudrait toujours mieux que le chaos, c'est ça ?

— Exactement.

— Et nous en sommes là, maintenant, quand on veut précisément que je sois roi ?

— Oui...

Au bout du troisième jour, ils se tutoyaient déjà. Heredero avisa la cime du Montsol et voulut s'y rendre en excursion. Tutusaus l'avertit qu'il y avait quatre heures d'ascension plutôt difficile, mais cela ne l'arrêta pas. Tutusaus prépara donc un déjeuner champêtre et ils partirent de bon matin. On aurait dit un tableau d'un autre âge : Tutusaus devant, chargé comme un baudet, ouvrant le passage à travers les ronces, et eux deux derrière, devisant et soufflant lorsque le chemin devenait escarpé. À un moment, l'écho renvoya le rire contagieux d'Heredero. Le général venait de lui dire que, d'après lui, le régime était une démocratie. Heredero avait éclaté de rire. Le général lui dit :

— Je ne vois pas ce qu'il y a de drôle. Le régime est une démocratie. Organique, mais une démocratie quand même.

Heredero ne pouvait plus s'arrêter de rire. Le général Pozos l'interrompit d'un geste énergique :

— Ne te fous pas de ça, tu commettrais une grave erreur. Ce ne sont pas mes mots, c'est la doctrine de son Excellence.

— Pour reprendre tes paroles, je ne me « foutais » pas de ça. Je riais simplement, sans autre intention. Mais, bon, nous devons nous mettre d'accord pour que, lorsque nous employons un mot, nous parlions de la même chose. Comment peut-il y avoir une démocratie sans partis politiques, sans élections ? Qu'en pense-t-elle, son Excellence, de tout cela ?

— Les partis politiques sont en crise... Tout le monde est d'accord là-dessus. Même les Allemands, après guerre, revenant à leur passé démocratique le plus proche, ont réduit le nombre des partis politiques de trente-deux à trois. Et si tu me poussais, je dirais même à deux et demi. Ils continuent peut-être à avoir leur utilité dans de nombreux endroits, mais pas ici. J'ai souvent entendu dire au Généralissime que, lorsqu'on parle de partis politiques en Espagne, il faut prendre en compte notre propre histoire : si nous les avons interdits c'est en raison de leur propension à œuvrer à la désintégration plutôt qu'à l'unification, à la différence de l'Angleterre ou de la France.

— Et le problème de la représentation populaire, alors, comment le réglons-nous ? La démocratie...

Pozos ne voulait pas s'attirer d'ennuis, et le coupa :

— Ceux qui croient réellement en la démocratie organique pensent sincèrement que la lutte des classes peut être remplacée en grande partie par la collaboration des différents groupes qui participent à la production ; la division du travail produit ou doit produire une solidarité organique... Nous sommes en train de démontrer que cela fonctionne.

— Ne me récite pas tes prospectus de propagande, Pozos. Tu y crois vraiment ?

— Bien sûr ! Quand, aux yeux du monde, nous nous définissons comme une démocratie organique, nous nous servons d'une philosophie politique de grande qualité, si grande que pour beaucoup il ne s'agit pas de philosophie politique, mais de sociologie politique scientifique...

— Oui, voilà. De la science-fiction. C'est incroyable...

— Qu'est-ce que tu dis ?

— Rien, je parlais pour moi. De sorte que vous croyez en une espèce de paradis terrestre où les différents groupes sociaux vivraient ensemble et coopéreraient harmonieusement ?

— Oui.

— Et ces différents groupes développeraient différentes fonctions selon la division du travail, c'est bien ça ?

— Exactement. D'ailleurs, et je te le redis, c'est ce qui se passe. Ça n'a rien d'une simple théorie, nous sommes en train de le mettre en pratique. Le Syndicat vertical...

— Je le répète : c'est de la pure science-fiction ! Ou alors, tu te refuses à admettre que, dans de nombreux cas, la coopération n'est pas, comme tu dis, « harmonieuse ».

— Tout est prévu. C'est là que l'État intervient. L'État

intervient de manière drastique, il sert d'arbitre dans la défense du « bien commun » ou de « l'intérêt national ».

— De manière drastique, ça oui ! Et toujours dans le même sens. Ne me fais pas rire, Pozos. Le marxisme, au moins, part sur des bases nettement plus solides.

Le général s'arrêta brusquement, et braqua ses yeux sur Heredero.

— Est-ce que tu es marxiste, Felipe ?

Il lâcha ce mot comme s'il invoquait le diable.

— N'aie pas peur, général, pour l'amour du Ciel, rassure-toi. Est-ce que tu as perdu la tête ? N'oublie jamais que tu as devant toi l'un des quinze hommes les plus fortunés d'Espagne, et un ami personnel de son Excellence. Et tu lui demandes s'il est marxiste ? Ce que j'ai fait, c'est lire ce qu'ils affirment pour savoir de quoi ils parlent...

— Rien que le nom de ces gens-là... rétorqua le général en récupérant de sa frayeur.

— Et bien ces gens-là, s'ils ont une vision claire, c'est bien celle de voir que la coopération interclasse que vous défendez est illusoire.

— Nous ne le croyons pas.

— Ça ne m'étonne pas. Avec toute cette bande d'illuminés qui concoctent vos théories... Si nous devons changer un peu pour essayer de ne rien changer, nous devrons réviser cela, crois-moi...

Tutusaus les interrompit brusquement pour leur dire :

— Messieurs, nous sommes au sommet !

Un panorama extraordinaire s'étendait de part et d'autre de la cime empierrée du Montsol. Les deux hommes jetèrent un coup d'œil fugitif au paysage et s'exclamèrent presque en même temps :

— Très joli, Céspedes !

Et ils reprirent leur discussion, sans lui accorder le moindre regard.

— ... Coopération de classe, disait Heredero, c'est incroyable... La société se structure par classes, et voilà tout. Et ces classes se basent sur le fait que l'une d'elles, la mienne, jouit des excédents produits par l'autre. C'est ainsi. Dans mon cas, je cherche à ce que cela se sente aussi peu que possible...

— Nous pensons, nous, qu'il peut y avoir une autre voie, je t'ai déjà dit que nous croyons en la coopération...

— Ne te fous pas de moi ! C'est impossible, et encore plus dans le cas d'un régime tel que celui du Généralissime, né d'une guerre civile.

— Je peux affirmer qu'il est possible d'obtenir assez de solidarité organique pour que la régulation étatique des relations entre les groupes sociaux arrive à être juste et démocratique.

— Voyons, général, s'il serait déjà cynique de l'affirmer dans un pays civilisé d'Europe, dans un pays tel que l'Espagne, c'est impossible.

— Et pourquoi ça ?

— Ne te fâche pas et ne t'offusque pas, mais le régime, dans son état actuel, a dû tuer beaucoup de gens pour s'établir tel qu'il est...

— Tuer ? Je trouve étrange qu'une personne aussi bien informée que toi se laisse intoxiquer par tout ce qu'on dit de nous à l'étranger. Ici, on ne tue personne.

— Tu crois ce que tu veux, mais parler de démocratie organique, après une guerre civile, c'est comme parler du sexe des anges. Il vaut mieux l'accepter et partir de cette base. C'est le plus efficace et le mieux. Je ne nie pas que le modèle d'organisation sociale de démocratie organique soit une hypothèse fort respectable. Mais elle est stupide, utopique, et surtout tendancieuse. Elle ne sert à rien, mais elle permet que, en attendant, beaucoup de gens, toi et moi, puissent se laisser vivre, et vivre plutôt bien.

— Ni moi ni aucun de mes hommes ne nous laissons vivre !

— Tu devrais accepter de le reconnaître, général, ça te soulagerait !

— Nous avons voulu créer un pays en partant de rien, qui devienne une référence pour tout le monde...

— Sur un monceau de cadavres.

— Encore ?

— Je ne veux pas être pénible, général, mais il ne faut pas que tu oublies que tous ces morts avaient pères, mères, fiancées, et des fils, et des filles, des petits-fils, des petites-filles... Et que tous ceux-là sont vivants, bien vivants. Et qu'ils se souviennent très bien de ce qui s'est passé...

— Maintenant, ce qu'il faut, c'est oublier la guerre et regarder devant soi. Et c'est tout. T'es en train de m'énerver... Et puis, on n'a plus le temps. Voilà. C'est ce pays que nous avons, et pas un autre. T'as eu l'immense honneur d'être appelé par le Généralissime lui-même à lui succéder. Est-ce que t'es incapable de comprendre la portée de l'affaire ? Des dizaines de personnes, et parmi les plus importantes d'Espagne, donneraient tout pour être à ta place. Céspedes !

— Oui, chef !

— Apporte-moi les documents !

— À vos ordres.

Tutusaus se pencha vers le panier où, sous les omelettes aux pommes de terre, se nichait un dossier. Le vent soufflait. Quelle journée splendide, vue du sommet, et quel ciel bleu, lumineux ! À leurs pieds, quelque trois cents mètres plus bas, s'étirait une brume qui hésitait à s'épaissir. Tutusaus retenait le dossier et les feuilles pour que le vent ne les emporte pas. Le général Pozos lança d'une voix solennelle :

— Monsieur Heredero, eu égard à la fidélité au Généralissime et à tout ce qu'il représente, et en son nom, voulez-vous être roi d'Espagne ?

Tutusaus et Pozos rivèrent leurs yeux sur Heredero, dans l'expectative. Le vent soulevait la frange de l'industriel. Il passa sa main sur son visage et dit :

— Je ne sais pas.

— Comment ? s'exclama le général.

— Je dis que je veux y réfléchir.

— Il n'y a plus de temps. Vous avez entendu ce que disait son Excellence, rétorqua le militaire, tout en continuant à le vouvoyer.

— Lui-même m'a donné une semaine. Je n'aurai pas

besoin de plus de vingt-quatre heures. Demain, à cette heure-ci, au plus tard, je vous donnerai ma réponse. Si je ne le fais pas tout de suite, c'est par respect pour le Généralissime et en raison de mon sens des responsabilités. N'en faites donc pas une affaire personnelle, d'accord ? Je ne prends jamais aucune décision importante à chaud.

Le général demeura muet. Tutusaus également, mais ça, ça n'était pas une nouveauté. Ils effectuèrent presque toute la descente en silence. Heredero semblait perdu dans ses pensées. Pozos écumait comme un verrat. Il songeait à ce qu'il allait devoir dire à Franco pour que ça ne ressemble pas à un refus. Tutusaus avait assisté à la scène et en était resté médusé. Il méprisait Heredero pour ce qu'il venait de faire et pourtant son attitude lui inspirait un sentiment d'admiration dont il ne pouvait se défendre. Ils descendirent la montagne en presque deux fois moins de temps que prévu. Ils n'avaient même pas déjeuné. Ils marchaient en file indienne, foulant l'herbe des chemins étroits qu'ils avaient eux-mêmes écrasée quelques heures plus tôt, lors de l'ascension. Finalement, ils se trouvaient à deux pas de la ferme lorsque Heredero s'arrêta, sourit et dit :

— Général, on ressemble à deux mioches en colère. Ça n'est pas normal ! Je vous propose une chose, pourquoi ne pas fêter tous ensemble ces événements si extraordinaires ?

— Fêter ? Et quoi ? D'après ce que j'ai compris, nous allons devoir attendre demain pour en trouver un, de motif, rétorqua le général, offusqué.

— Ne te fâche pas, général. Qui sait où l'on sera, demain... Et puis il sera toujours temps de refêter ça. Tu n'as donc pas compris ? J'ai besoin de quelques heures pour digérer tout ça. N'aie pas peur, mon cher, tout ira bien...

Cette déclaration parut ragaillardir le général, qui lui tendit la main :

— Bien, alors nous pourrions peut-être aller boire un verre ou deux... À la santé de son Excellence...

— Ça, toujours... lui répondit Heredero en lui étreignant la main avec effusion. Où pouvons-nous aller ?

214

— En tout cas pas au club Palomo, dit le général.

Heredero se tourna vers Tutusaus, le prit par les épaules et lui lança tout content :

— Pour une fois, laissons notre ami décider... Où peux-tu nous emmener, Tutusaus ?

— Allez, Céspedes, on va voir si tu fais des étincelles, ajouta le général. Pendant toutes ces journées passées seul à Barcelone, t'as bien dû glander un peu, hein ? Tu dois connaître quelques tanières.

Ils ramassèrent leurs affaires en deux temps trois mouvements. Tutusaus, incapable de se séparer de son trésor – l'instantané volé du Généralissime –, le sortit de son portefeuille et le glissa, d'abord dans la poche intérieure de sa veste, ensuite dans une à l'extérieur et, finalement, après avoir renoncé aux poches de devant du pantalon, la replaça dans son portefeuille.

Sur le chemin du retour, Pozos et Heredero plaisantèrent sans arrêt. Le futur roi, expansif comme lui seul savait l'être lorsqu'il en avait envie, racontait des anecdotes à propos de sa collection de porcelaines orientales, et Pozos, détendu, lui posait des questions indiscrètes sur le sujet. Sa collection, effectivement, valait une fortune, et il la gardait bien évidemment en lieu sûr. Il n'y avait chez lui que des copies, à l'exception d'une série de miniatures.

— On m'a proposé des répliques si mauvaises que je les ai refusées. Et, en attendant de trouver un bon copiste, je conserve les originaux dans la vitrine de ma chambre, où je peux continuer à les regarder. Certains jours, je m'assois devant et je reste vingt minutes à les contempler... Elles valent plus que ce que tu gagneras dans toute ta vie...

Le général se mit à rire :

— Je ne t'ai pas encore avoué combien je gagne, que je sache ! Et je ne le dirai jamais, pas même à ma femme...

Ils dînèrent en chemin, et s'attablèrent, peu avant minuit, au cabaret Lluna de Llana.

À cette occasion, les clients présents semblaient constituer un échantillon singulier des résidus des autres bars, jouant les prolongations pour ne pas avoir à rentrer chez eux et affronter le fait que le lendemain était un lundi. En l'absence du saxophoniste, la maîtresse des lieux et patronne du cabaret trônait sur scène, assise sur un tabouret identique à ceux qu'il y avait près du comptoir, chantant a cappella une de ses mélodies préférées, lentement, de sa voix douce et profonde. Elle chantait et sirotait un peu de whisky. La nuit ne faisait que commencer. L'entrée en scène du travesti fut aussi spectaculaire que d'habitude. Les deux hommes qui accompagnaient Tutusaus demeurèrent bouche bée.

— Tu nous avais bien caché ça, hein ! dit Heredero.

— Tutusaus est toujours un puits de surprise... rétorqua sérieusement le général.

Sterling Ramírez, du haut de la scène, invita le public à le suivre en tapant dans ses mains mais personne n'y prêta attention. Chacun vaquait à ses occupations, buvait, bavardait et, à l'occasion, l'écoutait. Néanmoins, comme tous les jours, il débuta son show :

— Aujourd'hui, on respire l'amour dans l'air. Ce que je vais vous raconter n'est pas précisément un joli conte de fées. Mais c'est une belle histoire d'amour.

Puis il s'assit sans attendre sur son tabouret et se mit à parler d'une voix faussement émue, cabotine, exagérant sa peine, dans la grande tradition du cabaret :

— Ah... mes chers amis, la vie est parfois si triste ! Je suis vraiment désolé, mais nous devons revenir à l'histoire de notre princesse... Oui, qu'est devenue notre pauvre Varda d'Abril, la malheureuse enfant ? La princesse est triste. Mais qu'a-t-elle donc ? Les soupirs s'échappent tendrement de ses lèvres... La princesse est superbe, et voilà qu'elle ne rit plus, depuis des jours. Elle ne pleure plus. Plus rien du tout. C'est la reine du No-Do, l'impératrice des revues et des journaux, l'obsession des émissions radiophoniques, la présence obligée dans les trois ou quatre postes de télévision qui existent dans ce pays... Il ne se passe pas un jour sans que ne soit publiée une photo d'elle, à côté d'un ministre ou d'un ambassadeur du régime, et elle est même invitée de temps en temps aux réceptions de son Excellence ! Elle s'appelle Elvira et ne me demandez pas son vrai nom de famille, puisqu'elle-même ne le connaît pas. Elle en a porté quelques-uns, mais jamais celui de son véritable père... C'est la princesse la plus superbe et la plus ravissante des écrans nationaux. C'est une des étoiles de la voûte céleste. Si sa clarté ne s'est pas encore répandue sur le monde depuis chez nous, c'est... parce qu'ils nous détestent ! Mais qu'ils se préparent : elle est si séduisante qu'aujourd'hui, à Barcelone, en cette fin d'avril de l'an de grâce 1962, elle nous fait oublier... Elle nous fait oublier l'odeur fade, glacée et suédoise d'une Garbo et d'une Bergman, elle s'insinue si bien en nous qu'elle éloigne de notre tête la séduction tourbillonnante d'une Liz Taylor, elle est si ingénue qu'elle dépasse la fausse et rousse innocence de Kim Novak. Et si sensuelle, que Dieu me pardonne, qu'elle tient en respect l'insolence excitante de Monroe, et les yeux et les trucs et bidules de Sofia Loren ou de Lollobrigida. Qu'ils attendent un peu, et ils verront ! C'est notre princesse Varda d'Abril. Si la lippe de Bardot fait entrer plus de devises en France que les usines Renault, nous pouvons être sûrs que les hanches de Varda déclenchent plus de passion que les usines Seat...

Puis il se mit à chanter au milieu du public.

Tutusaus s'ennuyait et était inquiet, il portait la photo de Franco dans la poche de sa veste ; elle le brûlait telle une braise. Il alla même aux toilettes la regarder une fois de plus, en toute tranquillité. Heredero applaudissait frénétiquement et riait aux bêtises du travesti. Pozos observait l'ensemble, un léger sourire aux lèvres, tout en sirotant des bières accompagnées de genièvre. Tutusaus sortait des lavabos quand il heurta la patronne qui venait d'arriver. De près, elle exhalait un parfum très suggestif. Avant même qu'il puisse s'excuser, elle lui lança :

— Il y a un appel pour vous.

Tutusaus pensa que, s'il s'agissait d'une feinte pour arranger un rendez-vous, ça ne manquait pas d'originalité.

— Je n'ai donné ce numéro à personne.

217

— Vous vous appelez bien Tutusaus ?

— Oui.

— Alors on demande après vous. Mais si vous préférez, je dis que vous n'êtes pas là...

La femme n'avait pas l'air de plaisanter. Il la suivit près du comptoir. Sur le mur, juste à côté, il vit l'appareil et le combiné décroché, tandis qu'elle ajoutait :

— Tenez.

Définitivement, ça n'avait pas l'air d'une plaisanterie.

— Allô ?

— Tutusaus ? Salut, c'est moi...

De l'autre bout du combiné, trois sensations lui parvinrent presque simultanément : le souvenir d'une répugnante bouffée d'aïoli, l'image du visage impertinent d'Hipólito Pareado, et le ton sec de sa voix.

— J'ai dit à la patronne de m'appeler quand elle te verrait seul un moment. J'ai à te parler. C'est une bonne fille...

— Qu'est-ce qui se passe ? demanda Tutusaus sans enthousiasme.

— Écoute, je t'appelle dans une intention pacifique, d'accord ?

— D'accord.

— Pour moi, ce qui s'est passé l'autre jour est déjà oublié. D'accord ?

— D'accord.

— Si je t'appelle, c'est pour te le prouver. Je t'ai vu entrer au cabaret en illustre compagnie. Vous aviez l'air plutôt contents, et je n'ai pas voulu vous déranger...

— Qu'est-ce que vous voulez ?

— Te prévenir. J'ai posé quelques questions à mes collègues, ici, et j'ai aussi téléphoné à Madrid...

— Et alors ?

— J'ai une information qui peut t'intéresser. Tu ne devineras jamais comment j'ai réussi à l'obtenir...

— J'aime pas les devinettes.

— J'ai appelé un collègue. J'avais été affecté dans la même unité que lui, pendant la guerre. Il est maintenant à la

Direction générale. Je lui ai demandé si je ne pourrais pas mettre la main sur les archives centrales. Il m'a répondu que, désormais, même sur sa femme je ne pourrais pas mettre la main...

Tutusaus devenait nerveux. Pareado, après avoir ri aux éclats à sa propre plaisanterie, poursuivit :

— L'âge, ça ne pardonne pas, hein, Tutusaus ? Enfin, je voulais te prévenir que cet imbroglio avec Pozos et ton affaire à toi, c'est pas de la petite bière. La rumeur dit qu'on ne sait pas très bien avec qui il...

— Et qu'est-ce que ça peut vous faire ? le coupa brusquement Tutusaus.

— À moi, rien en particulier, mon mignon. Mais à toi, si. De fait, j'ai rendez-vous d'ici un moment avec une personne qui doit me fournir davantage d'informations. Je t'appelle pour savoir si tu veux venir.

— Non. Et ne fichez pas votre nez là-dedans.

Tutusaus se sentait de plus en plus nerveux. Pareado avait dû bavarder avec ses anciens contacts. Si Pozos l'apprenait, il penserait que c'était lui qui avait parlé.

— Comme tu veux... À propos, j'ai discuté avec la direction des studios de cinéma. Ils ont compris qu'il leur fallait un système de sécurité supplémentaire... Tu vois que ça peut vraiment être un bon filon ! Alors, qu'est-ce que t'en penses ?

— Rien.

— Nous devons rester amis... Réfléchis bien à ce qui te convient. Si nous nous associons, j'aurai besoin de toi à temps plein. Où puis-je te joindre ?

Tutusaus lui répondit qu'il ne logeait pas à Barcelone.

— Bon, mais toi, tu sais où me trouver. Je vais être un peu occupé ces jours-ci. Appelle-moi la semaine prochaine, et je te ferai une proposition que tu ne pourras pas refuser. Et surtout, ne perds pas la clef que je t'ai laissée ! Ou peut-être, mieux encore, donne-la à ton compagnon de table... Je parle de celui qui a un gros nez, pas au général ; il va en rester baba.

— Com... ?

Pareado se mit à rire et raccrocha.

— Où t'étais passé, depuis tout ce temps ? l'interrogea Pozos, d'un ton grave.

— Il draguait la patronne de ce boui-boui... Hein, Tutusaus ? dit Heredero. J'ai bien vu comment tu matais ses fesses...

Tutusaus se demanda s'il avait vu autre chose de plus. À la fin du spectacle, Pozos le ficha dehors sans aucune considération, comme à son habitude.

— Céspedes, M. Heredero et moi allons rester encore un moment ici...

— Après avoir tant bavardé, nous n'avons pas envie de nous quitter... Tutusaus, cher ami, ce fut un plaisir... dit Heredero.

Il semblait heureux. Pozos se leva et, profitant d'un moment où Heredero dirigeait son attention ailleurs, dit à Tutusaus, sous le sceau de la confidence :

— Enferme-toi à la pension et attends mes instructions. Si je ne t'ai rien dit d'ici trois jours, fous le camp à Montsol et essaie de prendre contact avec moi en passant par la ligne prioritaire.

— À vos ordres.

En rentrant à la pension, Tutusaus trouva Mme Vilallonga assise sur son sofa, dans le salon.

— Je vous attendais. J'ai été réveillée par le téléphone. C'est un de vos amis. Il vient juste d'appeler. Empareado, je crois qu'il m'a dit. Vous devez le contacter immédiatement, c'est urgent.

— Vous voulez dire Pareado ?

— C'est ça, oui.

Tutusaus lui rétorqua qu'ils s'étaient parlé à peine quelques heures plus tôt.

— Raison de plus pour que vous l'appeliez !

Tutusaus lui répéta qu'il était désolé, que cela ne se reproduirait plus, que son ami, quelque peu anxieux, téléphonait à ses amis dès qu'il était malade, de jour comme de nuit, pour ne pas se sentir seul, mais qu'il n'avait jamais de rien de grave...

La patronne le regarda un moment, laissa échapper une moue étrange et dit :

— Eh bien, quelle tristesse... Il ne semblait pas avoir l'air malade pourtant... Enfin, bonne nuit.

— Bonne nuit. Cela ne se reproduira plus.

— Ne vous inquiétez pas, ça n'est rien. Allez, à demain...

— À demain.

Il fit mine de téléphoner, et quand la maîtresse de maison se retira dans sa chambre, raccrocha. Il en avait vraiment marre de Pareado. Il n'avait pas l'intention de lui reparler. À quoi pensait-il, merde ! Tutusaus était parfaitement conscient qu'il ne lui avait jamais donné son numéro de téléphone et jamais dit non plus où il habitait. Alors, qu'est-ce qu'il prétendait, Pareado ? Faire une démonstration de son pouvoir grâce à ce coup de téléphone ? Une démonstration de minable, plutôt.

Cette nuit-là, Tutusaus fit un horrible cauchemar : Pozos lui ordonnait de tuer un vieil homme cagoulé en lui tordant le cou comme à un poulet. Après l'avoir déshabillé, il se disposait à le photographier. Il lui ôtait sa cagoule et se rendait compte qu'il s'agissait de Franco... Ce cauchemar l'impressionna beaucoup, tant par cette vision horrible en soi, où il se voyait assassiner en personne ce qui était sa raison de vivre, que parce que c'était Pozos, son second père, qui lui en avait donné l'ordre.

CHAPITRE 11

Le lendemain, il se réveilla tard. Et lorsqu'il sortit dans le couloir pour aller se doucher il était presque midi. La radio marchait à plein volume : Mme Vilallonga voulait toujours l'entendre, même si elle était en train de balayer à l'autre bout de la maison. Il faillit lui rentrer dedans.

— Bonjour ! Alors, on a fait la grasse matinée, hein ?

— Oui...

— Vous avez entendu ?

— Quoi ?

— Ils viennent de le dire dans le poste. Il y a eu un gros incendie à Montjuïc. Les studios de cinéma Orphea, ils ont brûlé cette nuit.

— Les studios Orphea ?

— Oui. Heureusement, il n'y avait personne. Et ça n'a fait qu'une victime, un agent de sécurité...

Tutusaus ne croyait pas aux hasards et cessa pratiquement d'écouter Mme Vilallonga qui continuait à parler, expliquant cette fois qu'elle avait visité ces studios en compagnie de son défunt mari :

— Le dernier film qu'ils ont tourné là-bas a été *La Belle Lola*, avec Sarita Montiel. Quel malheur...

— Ils n'ont rien dit à propos du mort, ni comment il s'appelait ?

— Si, c'était un nom très typique, Hipólito Je-ne-sais-pas-quoi... Taisez-vous, maintenant que vous me le dites, il ressemblait beaucoup à celui de votre ami, celui qui a appelé hier soir... Ça n'est pas...

— Non, non...

— On dit que le pauvre homme a été intoxiqué par la fumée, qu'il a perdu connaissance et qu'il est tombé. On l'a sorti carbonisé. Encore heureux que les pompiers ont vite été opérationnels ; imaginez qu'ils arrivent sur place et que les pompes à incendies ne marchent pas... Où irait-on, hein ?

— Et le chien ? l'interrompit Tutusaus.

— Pardon ?

— Le chien... Il devait y avoir un chien. Ils en ont pas parlé, du chien du gardien ?

— Non, mais s'il l'accompagnait, il a dû rôtir pareil. Après tout, ça n'était qu'un chien...

— Oui, ça n'était qu'un chien.

Tutusaus se glissa sous la douche. Il n'éprouvait guère de peine pour Pareado. Mais en même temps, cela lui paraissait étrange. Foutre le feu à tout un studio de cinéma uniquement pour liquider un type aussi insignifiant que cet ex-policier dénotait un style bien peu professionnel... Il s'agissait peut-être réellement d'un accident... Mais alors, pourquoi ce coup de téléphone si urgent ? Pareado avait posé des questions là où il ne fallait pas, et peut-être flairé le filon. Avant, il ne s'intéressait pas à l'argent. Et s'il n'y avait eu cette histoire qui l'avait mené en prison... Si t'as pas de fric, t'es personne, lui avait-il dit avant de lui proposer de monter cette société moitié-moitié, ce que Tutusaus avait refusé. Un peu plus, et il finissait par l'accuser de tous les maux de sa vie, passés, présents et futurs. Qui avait-il emmerdé ? Qu'avait-il découvert ? Quelque chose qui, d'un seul coup, pouvait l'avoir décidé à devenir millionnaire, lui aussi. Il s'était peut-être rendu compte que, en définitive, ce qui l'intéressait le plus dans la vie, c'était le pognon. Tutusaus, en revanche, était persuadé, et de plus en plus, qu'un monde sans argent et sans sexe serait nettement plus agréable. Il avait trop souvent vu des hommes et des femmes devenir obsédés par l'argent lorsqu'ils perdaient leurs valeurs morales.

Le lendemain, premier mai, fête de saint Joseph artisan, Tutusaus resta toute la journée enfermé dans sa chambre. Des heures s'étaient écoulées et la mort de Pareado l'obsédait. Il commençait par ailleurs à craindre que le général le fasse de nouveau attendre des jours et des jours.

— Vous ne vous sentez pas bien ? lui demanda la patronne de la pension. Ah, ce sont les soucis, ça, vous êtes préoccupé. Venez, allez, venez, je vais vous faire un café...

Tutusaus passa finalement cette soirée de fête assis sur le sofa préféré du défunt M. Vilallonga, écoutant à la radio la cinquième démonstration syndicale d'Éducation et Détente, retransmise en directe du stade du Reial Madrid. Tutusaus aimait la radio ; on pouvait l'entendre sans l'écouter et laisser son imagination divaguer. Mme Vilallonga ne partageait pas cet avis :

— Ne croyez pas ça, monsieur. Ça, c'est mieux de le voir à la télévision. Ça n'est pas la même chose si on nous l'explique, oh non... La télévision est la plus belle invention de l'histoire. Si à Noël je peux donner un coup de collier, je m'en achète une.

— Je...

— Taisez-vous, ils sont en train de parler.

Le présentateur, en attendant de commenter l'apparition de Franco, disait : « En Espagne, ce jour qui s'était proclamé prolétaire est devenu la célébration chrétienne de saint Joseph artisan, et l'expression vitale d'une nouvelle jeunesse. Le seul fait d'instiller, entre gens d'Espagne, l'idée d'un Premier-Mai révolutionnaire et antichrétien n'est déjà plus une erreur de vieux nostalgiques déphasés, mais une simple et terrible puérilité... »

— Ça, il a bien raison, vous ne trouvez pas ?

— Oui...

— Quand j'étais jeune, les Premiers-Mai, c'était autre chose... On faisait plus de politique. Aujourd'hui, c'est différent... C'est ce que disait mon mari – qu'il repose en paix –, « que ce soit Franco ou Azaña, du moment que c'est la fiesta... »

Tutusaus regarda le portrait de M. Vilallonga accroché au mur, un homme au visage rond, à la moustache fine et bien taillée. Un type pragmatique, pensa-t-il. Et il riva ses yeux sur le papier peint du salon, faisant mine d'écouter attentivement la radio. Il suivit la retransmission un peu au début, avec l'entrée de Franco et de son épouse dans la loge principale du stade : « L'arrivée du Généralissime est saluée par les acclamations du peuple qui, coude à coude, emplit les gradins du stade. » Après l'avoir approché de si près, Franco, pour lui, était devenu autre chose, et cela le bouleversait rien que d'y penser. Tutusaus était allé l'acclamer plusieurs fois, mais il n'oublierait jamais l'intensité de ses sentiments lors de ces quelques minutes passées à Montsol. Il suivit en compagnie de Mme Vilallonga la description de cette démonstration syndicale « commençant par la section d'athlétisme et de gymnastique, se poursuivant par l'hommage à Lope de Vega pour l'année de son centenaire, puis par la prestation du groupe de théâtre Éducation et Détente de Terol, et s'achevant par le spectacle de la section des Chœurs et Danses ». Tout allait bien, tout était en ordre. Ça lui plaisait. Le désordre plongeait Tutusaus dans la confusion. Il admirait en pensée le tableau des gymnastes disséminés sur le stade Bernabeu et imaginait une Espagne idéale, formée de trente et un millions d'adhérents d'une section athlétisme et gymnastique d'Éducation et Détente, évoluant tous ensemble sous le regard bienveillant de son Excellence et le sourire de doña Carmen. Après s'être quelque peu assoupie, Mme Vilallonga se réveilla un moment lors de la prestation de la chorale des arsenaux de Santander. Tutusaus, quant à lui, attendit la fin du chant des membres de l'orphéon des mineurs de Mieres pour se lever et aller se coucher. Il n'était pas dix heures du soir et il se sentait toujours anxieux à l'idée de devoir attendre. Avant de se mettre au lit, il jeta un coup d'œil de son balcon vers la demeure d'Heredero, fermée à double tour. Il vit qu'il y avait désormais un chien dans le jardin de la maison d'à côté. On s'était peut-être rendu compte de son incursion, quelques jours plus tôt.

Le général lui avait dit trois jours, et cette fois-ci il fut ponctuel. Le lendemain, à la tombée de la nuit, il appela Tutusaus. Il était hors de lui :

— Céspedes ?

— Oui ?

— Tu m'écoutes ?

— Oui.

— Donc réponds, putain ! On s'est fait baiser, on aurait jamais dû lui faire confiance.

— Quoi ?

— Ce salaud d'Heredero vient de jouer les filles de l'air. Il a foutu le camp, il a disparu. Il a pas perdu de temps, hier matin, pour ramasser ses affaires, prévenir sa secrétaire qu'il serait absent quelques jours et passer à la banque retirer un paquet de fric en espèces sonnantes et trébuchantes. Je pouvais bien aller l'attendre, moi, hier soir. Il ne s'est pas présenté, évidemment. J'ai passé toute la journée à le chercher. Personne ne sait où il est. Il s'est évaporé dans la nature, sans laisser de trace. Il n'a pas emporté son passeport mais ça ne veut rien dire, il peut en avoir quinze différents. Il est possible qu'à l'heure actuelle il soit déjà hors du pays.

— Il a peut-être été enlevé.

— Son Excellence le dit toujours : « Les ennemis de l'Espagne sont toujours à l'affût... ». Ça se pourrait. Mais malheureusement, je ne le crois pas. Ces derniers jours, j'ai pu cerner le personnage. Ce Heredero est un roublard cryptocommuniste. Ça m'étonnerait pas qu'il ait voulu disparaître du paysage de son propre chef. Je t'ai dit qu'il a vidé un de ses comptes et qu'il a foutu le camp. Avec tout l'argent qu'il a emporté, il peut rester trois ans à faire le tour du monde pour réfléchir sur le chemin à suivre... Peut-être qu'après l'euphorie du moment, il a commencé à chier dans son froc, et qu'il ne veut déjà plus être roi. Ou bien, qui sait, il a décidé de s'offrir d'autres options...

— Lesquelles ?

— Qu'est-ce que j'en sais, moi... d'autres monarchistes... Quel enfoiré... Ça pourrait être un chantage, mais de qui ? Et pourquoi ? Nous l'avons surveillé minute par minute pendant deux mois et nous n'avons rien trouvé de suspect... Son Excellence est très déçue. Nous lui avons caché l'affaire quelques heures. La presse est sous contrôle, mais devant la crainte qu'une information parvienne à filtrer, un scandale ou je ne sais quoi, nous avons décidé de lui communiquer la nouvelle... Imagine qu'Heredero se suicide, ou qu'il soit liquidé... Cela ferait un sacré barouf, et nous sommes dans une situation vraiment délicate. T'as une idée de l'endroit où il pourrait se trouver ?

— Non.

— Évidemment. Je ne sais même pas pourquoi je t'ai posé la question. Bon. Retourne cette nuit à la ferme et attends-y mes instructions. Il va peut-être y avoir du remue-ménage. T'as compris ? Nous allons retrouver ce salopard en deux temps trois mouvements. Et il est possible que nous ayons à le retenir quelque temps et à lui faire respirer l'air pur de Montsol pour le protéger et, en même temps, lui éclaircir les idées...

— À vos ordres.

— On va voir... Si ça se trouve, t'auras peut-être même du boulot, nom de Dieu... Nous devons le trouver, même si ça n'est que pour éviter qu'il perde le contrôle et fasse des conneries. Tu sais ce qui se passe, hein, quand on perd le contrôle ?

— Oui, mon général.

— Voilà qui me plaît, t'es un bon gars.

Il raccrocha aussi sec. Ils en parlaient souvent, en Afrique, de la perte de contrôle. En Afrique, celui qui perdait le contrôle de ses actes en mourait. Celui qui se perdait simplement, aussi. Tutusaus se souvenait de la disparition d'une jeep et de la patrouille qui l'occupait, alors qu'à Ifni la guerre était finie depuis un mois. La jeep avait disparu sans laisser de traces. Il arrivait fréquemment que des gens se perdent, et on l'avait cherchée dans le désert des jours entiers. Les Marocains s'en foutaient. À la fin, ils avaient laissé tomber et les hommes avaient été officiellement décrétés déserteurs. Le nom du caporal qui dirigeait cette patrouille lui revint en mémoire : Betino Fleitas Leite. Ils apprirent la vérité quelques mois plus tard, grâce à la confession d'un prisonnier ; il avait emmené les troupes coloniales espagnoles dans un petit village du désert qui n'apparaissait même pas sur les cartes. Ils avaient alors pu vérifier, saisis d'effroi, que l'information donnée était absolument exacte : la jeep et tout ce qu'elle contenait, cadavres de ses occupants inclus, reposait quatre mètres sous le sable... Ces militaires s'étaient perdus et avaient fait une halte dans le village afin de s'orienter. Un groupe de guérilleros berbères s'était jeté sur eux et, aidé des gens du village, les avait assassinés et enterrés dans le désert, véhicule compris, après les avoir délestés de leur armement.

Ces années passées en Afrique avaient été intenses pour Tutusaus. Il y avait appris – et surtout vu – beaucoup de choses. Mais il y avait surtout scellé une union indestructible avec le général Pozos. Chaque fois que des problèmes avaient surgi dans la vie de Tutusaus, Pozos s'était trouvé là pour l'aider. Tutusaus obéissait toujours à ses ordres.

Il boucla sa valise en un clin d'œil. Il ouvrait les petites portes du balcon pour aérer la pièce, lorsqu'il vit une voiture entrer dans le garage des voisins d'Heredero : une Volkswagen grise. Il faisait nuit, et il ne pouvait l'affirmer mais, évidemment, il était fort possible qu'Heredero lui-même se trouvât à l'intérieur. Tutusaus prit ses jumelles et passa l'obscurité au crible. Personne n'apparut dans la direction du court de tennis. Qui que ce fût, l'homme qui venait d'arriver était entré directement dans la maison des propriétaires du garage, sans passer par l'extérieur. Tutusaus allait ranger ses jumelles quand un reflet renvoyé par la lumière d'un réverbère le surprit. Il provenait de l'intérieur d'un véhicule en stationnement, comme si quelqu'un avait été en train de l'observer, lui, à travers d'autres jumelles. Il n'y accorda pas d'importance et, sans réfléchir, prit sa veste et sortit. La demeure d'Heredero restait virtuellement assiégée par la police. Tutusaus monta dans sa 1400 et se gara à une bonne cinquantaine de mètres de la maison voisine. Si un véhicule sortait, il le verrait s'approcher dans le rétroviseur. D'un autre côté, il espérait qu'Heredero ne reconnaîtrait pas sa voiture : il ne l'avait vue qu'une fois, et de nuit...

Le temps passait lentement et Tutusaus craignait d'éveiller les soupçons chez les nombreux policiers disséminés sur la zone. Dans la maison des voisins, aucune lumière n'était allumée.

Trois quarts d'heure plus tard la Volkswagen pointa son nez. Elle passa devant Tutusaus et ce dernier la prit aussitôt en filature. La lumière du plafonnier étant éteinte, il n'avait pas pu reconnaître le conducteur. C'était peut-être Heredero ou peut-être pas. Il le suivit jusqu'à la place de Catalogne. L'homme se gara sur les Ramblas, près de Canaletes. Il le vit descendre. C'était lui, légèrement transformé : cheveux plus courts, lunettes à monture en écaille, fine moustache... Il portait de plus une veste absurdement verte, trop petite pour lui, mais sa façon de marcher était reconnaissable entre toutes. Il descendait en direction du port. Il semblait perdu et pas très en forme. Au début, il courait presque, comme s'il craignait qu'on l'attrape. Mais il ne se retourna pas une seule fois, et Tutusaus en déduisit qu'il n'avait pas imaginé que quelqu'un puisse le suivre. Il se comportait comme un aveugle ou quelqu'un qui ne connaîtrait pas Barcelone ; il entrait dans une des ruelles transversales, avançait de quelques mètres et revenait aussitôt vers les Ramblas. Deux putes remarquèrent son manège et se moquèrent de lui. Elles lui emboîtèrent le pas quelques minutes en imitant sa démarche et en l'invectivant jusqu'à ce qu'un homme les rappelle à l'ordre. Elles regagnèrent alors immédiatement leur coin de rue. Pour Tutusaus, les choses étaient claires : Heredero attirait tellement l'attention qu'il ne se passerait pas vingt minutes avant que quelqu'un de mal intentionné ne le coince sous un porche. De toute évidence, l'héritier de Franco ne se comportait pas comme un conspirateur froid et machiavélique, caché sous une absurde veste verte. Tutusaus s'apprêta à le défendre, mais il voulait attendre le dernier moment ; il était important de savoir où il essayait de se rendre. L'homme recouvra un peu son calme en arrivant au monument de Christophe Colomb, qu'il contempla comme un badaud. Puis il remonta sur-le-champ les Ramblas et se glissa d'un air décidé dans la rue de l'Arc-du-Théâtre. Il n'y avait pas âme qui vive. Seules se détachaient les faibles lumières des lieux de plaisir plutôt lugubres dans ce coin-là. Il ne savait sans doute pas où il s'était fourré, mais quand il s'en aperçut, il se remit à courir. Les restaurants avaient déjà fermé leurs portes, seuls quelques bars restaient encore ouverts. Il ne parla à personne. Il ne donna aucun message à quiconque. Il ne s'arrêta qu'une seule fois devant un bar, comme s'il voulait y entrer, mais renonça et continua son chemin. Voici donc le successeur de Franco au titre de roi, cheminant, perdu, dans le Barrio Chino de Barcelone, avec la moitié de la Brigade sociale et la moitié de la Criminelle à ses trousses, au risque de finir la nuit balancé dans un terrain vague. On aurait dit un ivrogne se déplaçant au hasard. Finalement, Heredero se décida et entra dans un minuscule café plein à craquer. Tutusaus l'observa, en retrait. Heredero demanda son chemin. Une femme, derrière son comptoir, le lui indiqua à grand renfort de mouvements de bras. Heredero répondit par des gestes de remerciements, il sortit même quelques pièces de monnaie de sa poche, avec cette même superbe que quelques jours plus tôt, au camp de la Bota, mais la femme les refusa. Une fois dans la rue, il suivit les indications qu'elle lui avait données. Il marchait désormais rapidement, sûr de lui. Tutusaus le suivait à une quinzaine de mètres. Il aurait pu mettre plus de distance entre eux : la veste verte d'Heredero – si verte qu'elle en paraissait presque phosphorescente – était comme un phare dans l'obscurité. Heredero semblait avoir trouvé le bon chemin et marchait de plus en plus vite. Il se mit soudain à courir et Tutusaus fit de même pour ne pas le perdre de vue. Pour peu de temps, cependant : il trébucha soudain sur un gros tas qui venait de surgir à un coin de rue. Sa tête heurta le sol, et s'il ne s'évanouit pas, ce fut grâce aux cris de celui qui se trouvait coincé sous lui et qui ne cessait de fulminer tout en essayant de lui piquer la tête à l'aide d'une sorte de bâton. Tutusaus, à moitié assommé, ne pensait qu'à une seule chose : se lever et continuer à suivre Heredero. En vain. À l'odeur, et avant même de voir son visage, il sut sur qui il avait si malencontreusement trébuché. Il s'agissait de l'unijambiste à la petite charrette et de la femme qui le traînait. Heredero avait disparu de leur champ de vision. Tutusaus était très énervé. L'estropié, reconnaissant l'individu qui s'était mis en travers de sa route redoubla ses insultes et ses tentatives de lui fendre le crâne à l'aide de sa canne. Tutusaus le tenait d'une poigne de fer et l'empêchait de se redresser, essayant en même temps d'attraper la béquille de sa main libre. Après s'être relevée, la femme observa la scène d'un air indifférent, essuyant le filet de sang qui coulait de son nez d'un revers de main, et ramassant les pois chiches blancs de son collier répandus sur le sol. Des passants s'étaient déjà arrêtés pour ne rien louper du spectacle. Quelqu'un disait qu'il fallait aviser un veilleur de nuit. L'estropié hurlait aussi fort qu'un cochon qu'on égorge, cramponné à Tutusaus. Ce dernier était de plus en plus indécis. Finalement, il saisit l'infirme par le col, calcula bien, et lui balança un coup de poing sur le nez de toute sa force, tel qu'on le lui avait appris, au risque de lui enfoncer l'os dans le cerveau et de le tuer. Le silence se fit d'un seul coup. Le visage de l'estropié se couvrit de sang. Tutusaus se releva et, sans jamais tourner le dos à ceux qui assistaient à la scène, recula dans la direction où il avait vu disparaître l'industriel quelques minutes plus tôt. Il coupa par une ruelle, puis par une autre. Il se fiait à son intuition, qui lui disait qu'au moment où il l'avait perdu de vue Heredero n'était plus très loin de son objectif. Il coupa par une autre venelle et se retrouva devant le Lluna de Llana. Heredero connaissait cet endroit, Tutusaus l'y avait amené en compagnie du général. Il l'avait peut-être choisi pour rencontrer quelqu'un. Jamais personne n'irait le chercher en pareil endroit... Perdu pour perdu, Tutusaus pensa qu'il ne risquait rien à aller y jeter un coup d'œil. Sinon, il prendrait au moins un *chinchón* et se détendrait un peu avant de revenir chez Mme Vilallonga, ramasser ses affaires, informer le général de ce qui s'était passé et retourner à Montsol ainsi que ce dernier le lui avait ordonné.

Il attendit un quart d'heure devant le cabaret, tout en observant l'allure des gens qui y entraient. Il y en eut si peu qu'il laissa tomber et se joignit lui-même au dernier petit groupe qui passait la porte à ce moment-là. Le spectacle était commencé depuis un moment et la voix stridente de Sterling Ramírez s'entendait du dehors, déformée. Tutusaus s'accouda au comptoir au cas où Heredero se serait assis. Après avoir jeté un premier coup d'œil sur la salle, il vit qu'il n'y était pas. Il commençait à en avoir marre, vraiment marre de cet endroit. Le travesti avait demandé à un spectateur de monter sur scène, et faisait mine de lui expliquer une histoire, toujours la même, celle de la célèbre Varda d'Abril :

— Varda d'Abril ! Varda d'Abril ! L'astre le plus brillant de notre univers. Et aussi, d'après ce que disent les magazines, le plus tendre et peut-être le plus... pervers. Mais notre princesse est triste et seule. Elle est au mieux de sa forme, et ses mensurations donnent le vertige. Dix-sept films, des salaires de millionnaire, un mariage et une séparation, oh Sainte Vierge ! Cette princesse qui a tout, se languit et soupire. Qui a perdu sa rose, qui a perdu sa couleur... et tristes sont les fleurs, pour cette fleur fanée du palais... Oui, mesdames et messieurs, à l'époque de la... boum ! Bombe atomique ! De la fiouuu... Conquête de l'espace ! Et des vroum vroum ! Seat 600, orgueil de l'industrie nationale, la femme la plus jolie d'Espagne, la reine de nos écrans, n'est aimée de personne... Le noir et le blanc des pellicules se sont incrustés dans son cœur...

Et il se mit à chanter une chanson à la mode, laissant le spectateur rejoindre sa place. Tutusaus commanda son *chinchón* à la patronne. En passant, il lui donna le signalement d'Heredero et lui demanda si elle l'avait vu. La méfiance apparut automatiquement sur le visage de la femme. Elle lui répondit par un non qui pour Tutusaus signifiait oui. Il n'insista pas, il en savait assez. Il paya et sortit. Heredero était peut-être encore à l'intérieur du cabaret. Dans ce cas, la patronne, à l'heure qu'il était, l'avait déjà prévenu que quelqu'un le cherchait et il tenterait alors de s'échapper. Tutusaus attendit quelques minutes à l'ombre d'un portail, mais rien ne bougea. Il inspecta le local de l'extérieur. Il vit qu'une sortie de secours et une fenêtre donnaient sur une ruelle latérale. La voix de Sterling Ramírez y était encore audible, assourdie. Du dehors, à travers les petits rideaux à demi tirés, on voyait l'intérieur d'une espèce de réserve éclairée par une ampoule de vingt-cinq watts. Mais il n'y avait personne. Tutusaus força la serrure avec habileté et tranquillité. Il s'agissait d'un modèle simple, il ouvrit la porte sans difficulté. Il entra et s'aperçut qu'il se trouvait pile derrière la scène. Il n'en était séparé que par une cloison et une porte. Il écouta Sterling Ramírez quelques instants. Le travesti racontait tous les jours la même histoire et Tutusaus calcula, par conséquent, qu'il lui restait encore cinq minutes avant la pause. Il risquait surtout de voir la patronne débouler, venant chercher une caisse de Coca-Cola. La pièce servait de remise et de loge – puante et décrépite – au *showman*. Empilés sous la fenêtre, et éparpillés un peu partout, des caissons remplis de bouteilles, pleines et vides, des cartons contenant des sachets de chips et autres *snacks*... Des escabeaux, des balais, des serpillières et divers ustensiles accrochés sur le mur. Et même une grosse cafetière expresso, cassée et abandonnée, qui commençait à rouiller, attendant sa fin, résignée. La loge devait communiquer avec des toilettes par une petite porte. Au milieu, une table de maquillage d'artiste, qui avait sans doute vécu des jours meilleurs : le miroir était en partie fêlé et piqué, la moitié des ampoules grillées... L'endroit était plein à craquer, l'air saturé d'une odeur de crème démaquillante. Accrochés aux deux portes, costumes, peignoirs, chapeaux de couleur, boas... Tout un paysage de charançons, de mousse et de toiles d'araignée... Tutusaus n'aurait rien tiré de cette visite s'il n'avait entendu des pas approcher. Il eut juste le temps de se glisser dans les toilettes. Une personne entra, farfouilla dans les bouteilles durant quelques instants, puis s'en retourna. Tutusaus, qui attendait assis sur la cuvette des W-C, la découvrit pendue derrière la porte : la veste absurdement verte. Il sourit. Heredero était bien passé par là. Et y avait retrouvé quelqu'un. Probablement plus tranquille et rasséréné, il avait préféré abandonner sa veste, sachant qu'elle le trahissait, avant de ressortir sans attirer l'attention. Ou c'était peut-être l'inverse : plus nerveux et plus inquiet que jamais, il avait attendu quelqu'un qui finalement n'était pas venu. Anxieux, il était parti sans se rendre compte qu'il oubliait sa veste. L'une et l'autre de ces possibilités laissaient Tutusaus indifférent. Il allait tout expliquer au général, c'était lui qui déciderait de la marche à suivre. Tutusaus prit la veste et sortit de la même manière qu'il était entré. Il alla chercher sa 1400. Évidemment, la Volkswagen avait disparu. Le triporteur d'un chiffonnier était installé sur son emplacement.

Tutusaus retourna chez Mme Vilallonga. Il ouvrait le portail lorsque l'une des voitures des policiers qui surveillaient la maison de l'industriel passa lentement à ses côtés. Les passagers le dévisagèrent. Qu'il s'en aperçoive leur importait peu. Il était près de minuit et demi. Tutusaus avait expliqué à la patronne de la pension que certaines sessions de travail débutaient parfois à des heures indues et s'achevaient fort tard.

— Si c'était quelqu'un d'autre, je ne le permettrais pas. Nous sommes dans une maison décente. Mais puisqu'il s'agit de vous, qui êtes si sérieux...

Il appela du téléphone du couloir au numéro spécial de contact. Il s'agissait d'un numéro de priorité maximale, et il y avait toujours quelqu'un à l'autre bout du fil pour prendre la communication. D'habitude, il prononçait juste un code et raccrochait. Mais là, personne ne lui répondit. Il rappela deux heures plus tard ; il n'y avait même plus de tonalité. C'était inouï. Jamais chose pareille ne lui était arrivé. Cela le déconcerta tellement qu'il ne se rendit même pas compte qu'il restait là, pétrifié, au beau milieu du couloir, le combiné à la main. Il n'avait aucune idée de la manière d'interpréter ce silence. Il mit de l'ordre dans ses pensées et y vit alors un peu plus clair. Le général lui avait ordonné de retourner à

Montsol. C'était là qu'on supposait qu'il devait être. De ce fait, il ne pouvait téléphoner que de là-bas. S'il n'en était pas ainsi, celui qui appelait était un imposteur. Oui, ce devait être ça. Il reprit confiance, embarqua les trois ou quatre affaires qui restaient dans la pièce et partit sans rien dire à personne. Plus vite il arriverait à Montsol, plus vite il pourrait entrer en contact avec le général.

CHAPITRE 12

Tutusaus, tout en conduisant de nuit vers Montsol, demeurait inquiet. Concentré sur la lumière de ses phares et sur la ligne blanche de la route, il essayait de ne penser à rien. Il s'arrêta sur un bas-côté et tandis qu'il urinait en direction de l'obscurité, il pensa que s'il avait toujours obéi au général Pozos, il n'y avait aucune raison de lui désobéir maintenant. En même temps, il lui avait désobéi. Pour la bonne cause, mais il l'avait fait. Pourquoi ? Le général Pozos ne l'avait pourtant jamais déçu. Et cela lui suffisait. C'est sur la route de Madrid, traversant les villes détruites en 1939, que le jeune Tutusaus avait reçu du général sa première leçon :
— Dans le monde, toutes les choses obéissent. Le Soleil, la Lune et les étoiles suivent le chemin que Dieu leur a tracé. Tout comme les plantes et les animaux. L'homme doit obéir : les soldats obéissent à leurs capitaines ; les disciples à leurs professeurs ; les enfants à leurs parents ; les travailleurs à leurs dirigeants ; et toi, en particulier, tu m'obéis à moi...
Tutusaus reboutonna sa braguette, traversa les deux faisceaux de lumière des phares de sa voiture, monta et, se sentant plus léger, poursuivit son chemin jusqu'à la ferme. Lorsqu'il arriva, il faisait déjà jour. Il se précipita vers son téléphone de campagne et tenta d'établir la communication. Personne ne lui répondit. Aucun signal. Il ne savait que faire. La situation était incompréhensible. Il sortit de la maison. Il était fatigué mais n'avait pas sommeil. Le matin se levait sur

un temps couvert – des nuages de pluie. Il s'assit sur le banc de pierre, à l'entrée, et s'endormit à moitié, sans même s'en apercevoir. Il rêvait qu'il faisait l'amour avec la secrétaire d'Heredero sur la table de son bureau, après lui avoir arraché sa jupe fourreau. On sonnait à l'interphone et elle voulait répondre, mais il l'en empêchait et continuait sa besogne... On entendait à travers l'appareil des grognements étranges, pourtant cela ne l'arrêtait pas... Tutusaus se réveilla brusquement et ouvrit les yeux. Deux mètres devant lui se tenait un des chiens sauvages qui grognait légèrement. L'animal le regardait avec des yeux que Tutusaus jugea moqueurs. Il demeura immobile. S'il faisait le moindre mouvement, le chien lui sauterait dessus. Tutusaus n'avait pas peur ; il gardait son couteau dans ses chaussettes et se sentait courageux. Le problème, c'était les autres, qui devaient se tenir à l'affût, pas très loin. Soudain, le chien fit demi-tour et s'en alla en trottinant, presque joyeusement. Tutusaus sentit peser sur lui le poids de l'humiliation : il s'était endormi, et réveillé sans défense. C'était une grave erreur qui aurait pu lui coûter la vie – cette vie dont Tutusaus pensait qu'elle était une guerre perpétuelle qui ne s'achève jamais. Ou si, elle s'achevait un jour, d'un seul coup... Il avait un goût amer dans la bouche. Il se laissa brusquement emporter par son impulsion, et s'enfonça dans le bois, son couteau à la main. L'odeur de mousse tendre et humide ne le détourna pas de son objectif. Il alla directement dans une des clairières qu'il connaissait bien. Il y avait là un bouleau d'une dizaine de mètres de haut, à l'écorce lisse et claire. Sur l'une des branches, à environ trois mètres du sol, se trouvait un nid d'écureuil, reconnaissable à sa forme très particulière en ballon de rugby. Tutusaus enleva ses chaussures et ses chaussettes et grimpa pieds nus sur le tronc, le couteau entre les dents. Pour ne pas prendre trop de risques, il fit osciller la branche jusqu'à ce que le nid tombe à terre. Il redescendit de l'arbre, prit le nid et l'ouvrit en deux à l'aide de son couteau, comme il l'aurait fait d'un melon. À l'intérieur se nichaient cinq petits écureuils tout juste nés, sans paupières et sans poils, qui remuaient et s'agitaient. Il les attrapa soigneusement et les tua l'un après l'autre en leur écrasant, du pouce, la tête contre une pierre, de la même manière qu'on écrase un haricot ou un pois chiche bouilli. Il les attacha ensuite à l'aide d'une ficelle et les ramena à la ferme. Il se rendit au poulailler, suspendit ces petits bouts de chair sur le piquet central, au ras du sol. Puis, comme la fois d'avant, Tutusaus prit son fusil, vérifia le sens du vent et se prépara à attendre. Contrairement à ce qu'on pourrait croire, il n'agissait pas sans réfléchir. La rage le submergeait, c'est exact, mais il en était conscient et avait appris à se dominer. Tutusaus était un assassin rusé et prudent, méthodique, froid et calculateur ; un assassin pour qui tuer était une fin née d'un devoir, presque une mission. Aucun des mobiles tels que la luxure, l'argent ou le pouvoir ne le motivait. Il n'avait de ce fait pratiquement aucun point faible. Tutusaus était un assassin animé d'un mélange précis de froideur et de passion aveugle, nettement plus performant qu'un simple sicaire : il ne possédait même pas cette âme de joueur qui anime beaucoup de tueurs à gages. Tutusaus en avait vu un certain nombre qui, pour cette raison, en arrivaient à mépriser le facteur chance. Et cela causait leur perte. Ils aimaient le risque, éprouvaient le besoin de se sentir supérieurs, et se transformaient en espèces de « ludopathes » de la mort. L'expression était du général Pozos, un jour où ils assistaient à l'enterrement d'un agent de ce type. Le général avait conclu, au pied de la niche funéraire où l'homme venait d'être glissé :

— Et comme chez les ludopathes, Céspedes, il arrive un moment où ils perdent toute mesure et ne savent plus s'arrêter. Tout le monde les glorifie et leur passe de la pommade, ils ont une opinion toujours plus haute d'eux-mêmes et, finalement, ils pensent que s'ils s'en sortent toujours, ça n'est jamais parce que, en plus de leur habileté, ils ont eu de la chance. Ils prennent chaque fois plus de risques. Ils jouent plus gros. Ils ne savent pas s'arrêter. Et un beau jour, ils n'ont pas de chance, leur intelligence ne leur sert plus à rien, et ils perdent. Comme pour celui-là, à qui on vient d'envoyer la facture dans l'autre monde, aspergé d'eau bénite.

Tutusaus avait ses coups de tête, mais il n'oubliait jamais le facteur chance... Il ne se les permettait d'ailleurs – et c'était le cas à cet instant où il attendait avec son fusil, caché dans le sens opposé au vent –, que si cela n'interférait en rien avec ses ordres de mission. Il s'offrait donc le luxe, presque sportif, d'essayer de casser la gueule à ce chien qui lui avait ri au nez, en gardant toutefois le téléphone de campagne à ses côtés, au cas où le général tenterait de prendre contact avec lui. Il devait être neuf heures du matin, et le soleil ne pointait pas encore à l'horizon. Vers dix heures, Tutusaus se fatigua et laissa tomber. Il n'avait pas mis les pieds dans la maison qu'il entendit un crissement continu au-dehors. Il rattrapa son fusil, le temps de voir l'un des chiens sortir du poulailler, les cinq bébés écureuils dans la gueule. Il tira deux ou trois coups qui ne servirent qu'à effrayer les oiseaux. Le chien était déjà loin et caché. Ils s'étaient de nouveau joués de lui. Tutusaus se retrouvait dans le cas du chasseur chassé. Cette fois-ci, cependant, il ne se mit pas en colère. Il lui vint à l'idée que, peut-être, la chance l'avait abandonné.

Il passa le reste de la matinée à essayer en vain d'établir une communication avec le général. Après midi, la pluie se mit à tomber, pas très forte mais qui semblait devoir durer. Tutusaus resta dans sa cuisine, regardant alternativement l'eau qui dégoulinait des gouttières et la photo de son Excellence. Il lui semblait que le vieux caudillo le saluait, lui, rien que lui. Et qu'il lui disait : Tiens bon, Tutusaus, et tout ira bien... À un moment, dans le milieu de l'après-midi, la lumière se fit dans son esprit. Tutusaus se rendit compte que quelque chose ne tournait pas rond. Si la communication avec le général s'était rompue, il ne pouvait s'agir d'un hasard. Il commença à trouver des éléments suspects. Il avait même eu l'impression d'avoir été surveillé, la nuit précédente, en sortant du cabaret. Il avait croisé deux fois le même couple, un homme et une femme. La première fois de dos, la seconde de face. Il s'était glissé dans une ruelle adjacente en leur tournant volontairement le dos. Il voulait voir s'ils allaient tenter quelque chose. Quand il s'était retourné, ils avaient déjà disparu. Il se mettait ainsi souvent à l'épreuve. Et cela lui avait valu l'unique admonestation publique de la part du général Pozos Bermúdez, à Ifni, en plein désert. La seule ombre au tableau dans une kyrielle d'actes glorieux. Un jour, au début de 1958, il fut fait prisonnier. Les guérilleros le jetèrent dans une jeep et l'emportèrent dans l'arrière-pays. Une fois les limites territoriales du Maroc dépassées, les hommes s'arrêtèrent dans une sorte de bar au bord de la route. Ils sortirent Tutusaus attaché par les mains et le cou, pareil à un âne, et l'exposèrent à la vue de toute la clientèle de l'établissement, c'est-à-dire trois personnes : un vieil édenté, un vendeur de dattes ambulant et un cordonnier. Les guérilleros, au nombre de quatre, s'assirent à une table. Tutusaus écumait de tant d'humiliation. Les gars discutaient de ce qu'ils allaient pouvoir faire de leur prisonnier. Tutusaus leur demanda la permission de se rendre aux toilettes, et déclencha un fou rire généralisé.

— Aux toilettes ? dirent les guérilleros. Mais ce sont des trucs de pédés européens, ça... T'es une tapette, toi ?

Ils étaient fiers d'avoir capturé quelqu'un de son espèce, un sous-officier ennemi. Le bar, finalement, possédait une sorte d'urinoir public. Ils l'y menèrent en riant.

— Tu vas pouvoir te la sortir ? s'exclama un des hommes en se moquant de la silhouette attachée de Tutusaus (qui n'était alors que sergent). Ou tu veux qu'un marmot vienne t'aider ?

— Je veux pisser seul et tranquille, répliqua Tutusaus, d'un ton peu amène.

Celui qui l'avait accompagné aux urinoirs jeta un coup d'œil aux lieux, exigus, éclairés d'une toute petite fenêtre. Le prisonnier était plus ficelé qu'une andouille...

— Très bien, alors pisse. T'as trente secondes.

Une minute plus tard l'homme revint aux urinoirs avec la ferme intention de couper l'envie de pisser à son prisonnier et de se foutre encore un peu plus de lui. Mais Tutusaus avait disparu. Les hommes ameutèrent tout le village. Ils tirèrent des coups de fusil en l'air. Ils fouillèrent un certain nombre de maisons. Ils poussèrent même le vieux, le vendeur de dattes et le cordonnier contre le mur extérieur du bar pour les interroger. Ils les accusèrent de connivence avec l'ennemi. Aveuglés par la rage, ils se moquaient de savoir que le vieux et les deux autres clients du bar n'avaient pas quitté leur champ de vision de tout ce temps-là. C'est alors qu'on entendit le moteur de la jeep. Tout le monde tourna la tête en même temps. Tutusaus, debout, appuyé au capot du moteur, était en train d'allumer une cigarette et les toisait d'un air narquois. Il se laissa arrêter sans problème. Ils ne le fusillèrent pas sur place ; ils décidèrent de le faire mourir d'une manière plus sophistiquée : en le torturant d'abord. Et pour cela, il leur fallait de l'espace et de bonnes conditions. Or, dommage pour eux, mais heureusement pour Tutusaus, on négociait alors un échange de prisonniers au campement. En y ajoutant le sergent, le lot humain à offrir était nettement moins minable. Et c'est ainsi que Tutusaus sauva sa peau. Une fois à la caserne, il ne put s'empêcher de raconter ses hauts faits. Le général Pozos Bermúdez le fit appeler.

— T'es un imbécile, Céspedes, fut la première phrase qu'il prononça tout en essuyant la sueur qui dégoulinait le long de son corps.

— Mais...

— Garde-à-vous !

— Oui, chef.

— Non seulement tu t'es laissé coincer par trois crève-la-faim, mais en plus...

— Je...

— Silence. Et garde-à-vous !

— Oui, chef.

— ... Mais en plus tu t'es vanté dans le campement de t'être moqué des guérilleros sous leur nez et à leur barbe. Les Arabes auraient pu tranquillement te tuer à cause de ta frime. Il s'agit d'une imprudence impropre à un gradé de l'armée. Une mort stupide et inutile. Je ne t'expédie pas en conseil de guerre en raison de tes mérites antérieurs. Mais surtout, ne recommence pas à penser tout seul. T'es un professionnel, et dans l'armée, il y a une chaîne de commandement. Tu dois toujours obéir. Toujours ! Compris ?

— Oui, chef, répondit Tutusaus en saluant.

— Sous mon commandement, on doit demander la permission pour tout, même pour se suicider...

Il ne l'avait jamais oublié.

Il passa toute la sainte journée avec son téléphone de campagne. Impossible cependant d'établir le contact. Comme si, tout à coup, le général et ses collaborateurs avaient disparu de la surface de la terre. Il était sûrement arrivé quelque chose de grave. Sur le mur de la cuisine, la pendule indiquait presque sept heures du soir. Tutusaus se redressa brusquement, prit toutes ses armes, son téléphone de campagne et la veste verte, et monta dans sa voiture. Il gardait encore dans son portefeuille la petite photo de Franco lui disant au revoir alors qu'il se dirigeait vers son hélicoptère, telle une image pieuse. Il ne laissait rien. C'était la seconde fois en vingt-quatre heures qu'il désobéissait aux ordres. Tant de nouveauté le déconcertait.

CHAPITRE 13

Il arriva à la pension aux alentour de vingt et une heures trente. Il se gara assez loin et s'en approcha avec précaution. La rue était déserte, en dehors des abords de la maison d'Heredero où se trouvaient les plantons habituels. Il ne voulait être vu de personne. Soudain, il aperçut un type qui fumait, appuyé contre le mur, près du portail de chez Mme Vilallonga. Il semblait surveiller quelque chose. Les policiers, de l'autre côté, à une vingtaine de mètres de là, regardaient ailleurs. Tutusaus n'était pas pressé, et même s'il se trouvait dans une position inconfortable, il décida d'attendre. C'était toujours la meilleure solution. Attendre jusqu'à posséder le plus grand nombre d'atouts en main, puis, après avoir accumulé les chances de succès, frapper une bonne fois pour toutes, d'un seul coup... Il se rapprocha, portail après portail, jusqu'à parvenir à l'escalier précédant celui qui l'intéressait. De deux choses l'une : soit l'individu faisait le guet pendant qu'un complice se trouvait à l'intérieur, soit il attendait que quelqu'un sorte. Ce pouvait être aussi un simple employé de bureau qui espérait que sa petite amie arrive pour qu'il puisse la peloter en cachette de son père... Dans le doute, Tutusaus se glissa dans l'escalier voisin et grimpa jusqu'à la terrasse. La porte d'accès était fermée, mais il n'eut pas grand mal à l'ouvrir. En moins de trois minutes il avait déjà sauté sur la terrasse de la pension, et empruntait les escaliers aussi silencieusement que possible. Il arrivait lorsqu'il entendit la porte

243

de l'appartement s'ouvrir. Il recula, remonta quelques marches et tendit l'oreille. L'ouïe aiguisée de Tutusaus lui permit de déduire qu'il y avait là deux individus, parlant à voix basse et presque par monosyllabes. L'une des deux voix s'accompagnait d'un petit claquement étrange, une sorte de bruit de castagnettes, que Tutusaus ne parvint pas à identifier. Ils sortaient en toute confiance. Avant de repartir, ils s'arrêtèrent et allumèrent la lumière du palier. De nouveau ce léger bruit. Tutusaus jeta un coup d'œil dans la cage d'escalier et aperçut, fugitivement, une main qui agitait un gobelet en bois, comme ceux que l'on utilise pour jouer aux petits chevaux, avec un dé à l'intérieur. Puis il vit les deux ombres continuer leur progression, et il ne bougea pas avant d'avoir entendu la porte d'entrée se refermer. Il descendit jusqu'à l'appartement et introduisit doucement sa clef dans la serrure après avoir collé l'oreille à la porte pour écouter. Il semblait ne plus y avoir personne, pas même la maîtresse de maison. Il ouvrit et fut saisi par de doux effluves qu'il connaissait malheureusement trop bien : une odeur épaisse et douceâtre qui émanait du corps de Mme Vilallonga, gisant à terre devant son canapé préféré, à côté de la radio, les yeux ouverts. Sur la petite table, une tasse de tisane... Près de la tasse, un flacon de la taille d'un dé à coudre. Il l'ouvrit et en identifia aisément le contenu : curare. Des analyses en détecteraient probablement aussi dans le reste de tisane. Quelqu'un avait empoisonné Mme Vilallonga avec une dose de cheval. Et il ne pouvait s'agir de ces deux individus qui venaient de sortir, parce que le corps était déjà froid. Et si c'étaient eux, ils n'avaient pas agi à ce moment-là, mais quelques heures plus tôt. La mort était survenue rapidement et son auteur avait laissé le flacon bien en vue. Cela faciliterait le diagnostic d'une mort par suicide lors de l'enquête officielle. Mais Tutusaus sentait que cela dissimulait une autre intention. Ce poison le prévenait, lui, le grand empoisonneur, qu'il devait se méfier. Il ne toucha à rien et regarda Mme Vilallonga. Il pouvait se dire que c'était lui qui l'avait tué. Finalement, il y avait toujours des victimes involontaires, des gens se trouvant au pire endroit, au pire moment. Des morts innocents. Il était revenu chez Mme Vilallonga pour observer tranquillement la résidence d'Heredero, au cas où la chance lui aurait souri, comme quelques jours plus tôt. Et il se heurtait à un cadavre. C'était toujours pareil. Mme Vilallonga remplissait la fonction d'un bouchon de champagne ; la pression du gaz augmente à l'intérieur d'une bouteille, et quand on la débouche, tout explose et les bulles s'échappent. Mme Vilallonga était la première de la liste. Le sang allait couler. Tutusaus savait, par expérience, que c'est le premier mort qui coûte : ensuite, les autres ne pèsent pas lourd dans la balance, ils tombent en batterie comme des rangées de dominos, les uns derrière les autres.

Dans sa chambre, tout avait été fouillé en dépit du bon sens. Il s'y attendait. Cela ne posait pas de problème, il ne laissait jamais rien de compromettant derrière lui. Mais il était donc vrai que quelqu'un l'avait surveillé. Quelqu'un qui l'avait attendu, et qui ne savait pas qu'après avoir suivi Heredero, il s'en était retourné à Montsol ; quelqu'un qui, avant de s'en aller, n'avait pas hésité à liquider Mme Vilallonga uniquement en guise d'avertissement. L'affaire était grave. Il fallait trouver Heredero et le protéger en attendant de rétablir le contact avec le général. Les volets du balcon de la pension étaient fermés. Sans allumer la lumière, il les poussa de quelques centimètres, juste assez pour lui permettre d'y glisser ses jumelles. Silence et obscurité entouraient la maison d'Heredero. Rien ne bougeait. La rue demeurait déserte. La lumière brillait dans la salle à manger de ses voisins. Ils avaient cédé leur garage à Heredero pour ses sorties nocturnes, ils lui diraient eux-mêmes où se trouvait le fugitif. Tutusaus quitta l'appartement et refit le chemin inverse. Une fois au portail de la maison voisine, il observa l'extérieur du coin de l'œil : il ne vit personne, même les policiers chargés de la surveillance avaient momentanément disparu. En usant des mêmes précautions qu'au début, il repartit vers sa voiture, l'ouvrit, puis se dirigea vers la maison des voisins d'Heredero. Il portait son arme dans son étui, sous l'aisselle ; dans sa main, roulée, la veste verte.

Un simple muret maçonné entourait la bâtisse. Aucune comparaison avec le haut mur de leur célèbre voisin. Un chien fit soudain son apparition. Celui que Tutusaus avait vu trotter dans le jardin quelques jours plus tôt. Il s'agissait d'un berger allemand féroce, qui paraissait idiot. L'animal était habitué à ne pas aboyer après les gens qui passaient dans la rue. Tutusaus longea la porte principale, sans s'arrêter, jusqu'à une grille en fer forgé, suivi de l'intérieur par le chien. Il vérifia que l'animal ne grognait que si l'on touchait au muret de la propriété, ou si l'on s'arrêtait simplement sur le trottoir plus de cinq secondes. Après avoir tourné au premier coin de rue, Tutusaus l'attira en s'appuyant négligemment au mur, tout en sortant un silencieux de sa poche. Le chien parut surpris, puis se mit aussitôt à grogner et finalement à aboyer. Au troisième aboiement, Tutusaus le fit taire d'une balle dans la tête. Une fois le berger à terre, il l'acheva d'une autre balle dans le poitrail. Puis il sauta par-dessus le mur et traversa la propriété en direction de la maison, traînant le chien mort par la queue. Il gardait la clef de Pareado dans sa poche, mais n'avait pas l'intention de s'en servir. Il était impossible qu'Heredero soit caché chez lui. Il vit un couple d'âge moyen en train de dîner, derrière une grande baie vitrée qui donnait sur le jardin. Une bonne leur servait les plats, puis revenait immédiatement dans sa cuisine, également située sur le jardin. Des gens qui ont les moyens, pensa Tutusaus. Il attendit un de ces moments où la bonne était dans la salle à manger pour entrer dans la cuisine en passant par la fenêtre. Lorsque la jeune fille revint avec son plateau vide, il l'attrapa par-derrière, lui mit la main sur la bouche et, l'expérience aidant, l'assomma d'un coup précis sur la nuque. Puis il lui enfonça un mouchoir dans la bouche et lui attacha les pieds et les mains à l'aide d'une ficelle. Il se rendit ensuite à la porte principale, l'ouvrit et, tout en prenant garde à ne pas faire de bruit, récupéra le cadavre du chien. Il mit son passe-montagne de l'armée, chargea l'animal sur ses épaules comme un mouton, et s'en alla frapper doucement à la porte de la salle à manger.

— Qu'est-ce que tu veux encore, Carmeta ? dit la voix agacée de la maîtresse de maison.

Tutusaus ouvrit la porte d'un violent coup de pied et jeta le chien mort sur la table. Le choc fut brutal et, comme toujours, l'effet immédiat. Aussi bien l'homme que la femme restèrent paralysés par l'horreur et la surprise. Particulièrement la femme, qui gardait les yeux rivés sur la flaque de sang de l'animal imbibant lentement ses serviettes de tables blanches et immaculées. Tutusaus sortit son pistolet et se dirigea droit vers elle. D'une gifle en pleine figure, il évita qu'elle ne pousse un premier hurlement. Sans un mot, uniquement par gestes, il fit asseoir le couple sur le canapé. Puis il leur lança que s'ils ne se comportaient pas conformément à ses désirs, ils finiraient plus mal encore que le chien.

Les voisins d'Heredero étaient aussi faiblards que Tutusaus l'avait imaginé. Il jeta des menottes à l'homme et lui ordonna de s'attacher à son épouse et de se tenir tranquille. L'homme lui demanda de se calmer, que s'il voulait de l'argent, il lui dirait où il en avait. Sa femme se mit à pleurer. Tutusaus les fit taire et partit dans la cuisine chercher la veste verte. Il revint dans la salle à manger et la fit tournoyer devant eux. Il leur demanda s'ils la reconnaissaient. Non, ils ne la reconnaissaient pas. Tutusaus s'approcha de la table, attrapa le chien et d'un seul mouvement le leur lança sur les genoux. Puis il agrippa la femme par les cheveux et lui écrasa le visage sur la tête ensanglantée de l'animal mort. Il lui appuya aussitôt après le canon de son pistolet sur la tempe, leva les yeux vers l'homme et répéta sa question, cette fois en le regardant fixement. C'était prévisible, l'homme répondit immédiatement que oui, il reconnaissait cette veste. En soupirant, Tutusaus délivra la femme, la tête couverte du sang du chien. C'était toujours pareil, si les gens l'écoutaient dès le départ, ils s'économiseraient beaucoup de soucis... La femme ne se redressa pas. Soit elle s'était évanouie, soit elle avait fait une crise cardiaque. L'homme, blême, cracha le morceau en à peine trente secondes. Heredero logeait sous un faux nom dans une pension de la rue Santa Anna, juste à côté de la paroisse.

L'homme ne quittait pas sa femme des yeux, muet de terreur. Tutusaus en imposait par habitude, c'était presque un automatisme chez lui. Ça n'était pas pour la frime, mais parce que cela s'avérait pratique. Avec le poids des ans, il avait tendance à être de plus en plus pragmatique. Et terroriser les gens dès le départ, c'était pratique.

Terreur. Voilà un mot intéressant. Tutusaus l'avait souvent lu dans les yeux de ses victimes. Il avait beaucoup appris sur la terreur lors de ses années passées à Berlin, même si les Allemands ne le laissaient accéder aux zones où ils menaient des expériences sur la terreur que s'il y avait un lien avec ses propres recherches, à savoir l'approfondissement de ses connaissances en matière de poison. Au laboratoire où il travaillait, il y avait en effet longtemps que des équipes entières de psychologues planchaient sur la question de la terreur. De fait, en 1941, alors que la solution finale commençait tout juste à être appliquée, elle fonctionnait déjà depuis longtemps à plein régime dans les laboratoires secrets de la Gestapo. Un jour, on l'appela pour qu'il assiste à une expérience. Il pensait que ce serait avec des rats, des lapins ou des singes comme cela avait été le cas jusqu'alors. C'était avec des humains. Les chercheurs nazis avaient octroyé aux juifs les mêmes codes d'identification qu'aux singes, et les gardaient enfermés dans des cages individuelles qui leur interdisaient de se tenir debout. Il y avait là trois hommes et trois femmes, des adultes d'âge divers, tous les six nus et silencieux. L'expérience consistait à les attacher sur une chaise et à les obliger à regarder un film dans lequel apparaissaient de nombreuses personnes, juives comme eux, attaquées et tuées par des serpents, de la manière la plus horrible qui soit. Certains mouraient dévorés après avoir eu la poitrine broyée par un grand reptile qui s'était enroulé autour de leur corps, d'autres de convulsions, empoisonnés suite aux morsures infligées par l'animal. La plupart des prisonniers, reconnaissant des victimes à l'écran, se mettaient à pleurer, d'autres manifestaient de l'anxiété, quelques-uns ne cillaient pas. Après cette séance collective, l'expérience se répéta, mais cette fois individuellement, des jours durant, dans des cabines spéciales. Là, les choses évoluèrent. Au bout de trois ou quatre séances, les prisonniers étaient devenus beaucoup plus nerveux, un changement s'opérait, même chez les plus durs. Ils pensaient que ces tortures ne pouvaient être qu'un prélude et qu'elles allaient évidemment bientôt s'appliquer à eux. Lorsque le chef des chercheurs jugeait le moment venu, il envoyait un serpent d'eau dans la cabine. Les prisonniers le voyaient et demeuraient tout d'abord pétrifiés, ils gardaient le regard fixé sur lui, puis, à mesure que l'animal s'approchait lentement d'eux, ils réagissaient et reculaient dans un coin, ne sachant que faire. La terreur arrivait rapidement et se lisait dans leurs yeux. Une terreur palpable, une terreur folle. Quelques-uns se frappaient le visage de leurs mains et hurlaient. D'autres faisaient l'autruche, tournaient le dos à l'animal et se recroquevillaient contre le mur. Le serpent d'eau est totalement inoffensif, il ne sait même pas mordre, son seul mécanisme de défense est d'adopter une attitude d'intimidation. Si on le prend dans ses mains, le pire qu'il puisse faire est d'y projeter un liquide répulsif d'une extrême puanteur.

Malgré cela, sur six personnes, deux moururent d'une crise cardiaque provoquée par la terreur. En une autre occasion, on répéta l'expérience en y apportant une légère variante : un officier de la Gestapo était chargé d'introduire le serpent dans la cabine. Il y entrait l'animal à la main, il le caressait, le passait sur son corps, grimaçait de manière burlesque lorsque le serpent crachait son liquide répulsif... Puis l'homme s'approchait de ses prisonniers et faisait le geste de leur donner, les obligeant à s'en saisir. Ils devaient alors soit embrasser le serpent, soit être fusillés sur-le-champ. De nouveau, la terreur se lisait sur leurs visages. Même en voyant l'homme de la Gestapo, le serpent dans les mains, ils se méfiaient, ils ne pouvaient s'y fier. Il leur disait en riant :

— Il est aussi doux qu'un chaton...

Et il approchait l'animal de leur visage, en riant encore

plus. Sur quatre personnes, une mourut d'un choc émotionnel. Tutusaus prit conscience de l'endroit où il se trouvait, et des raisons pour lesquelles il s'y trouvait. Il marcha toute la nuit dans Berlin. Une voix lui disait qu'il était temps pour lui de foutre le camp, en France, aux États-Unis, de commencer une nouvelle vie. Une autre voix lui disait de ne pas faire l'imbécile, de se fier à ses supérieurs, que sa nouvelle vie, il l'avait déjà commencée. Le lendemain, il écrivit une lettre personnelle à Pozos, alors commandant, où il le remerciait de tout ce qu'il avait fait pour lui et lui promettait d'être à la hauteur de la confiance qu'il lui avait accordée. Et finalement, pourquoi s'était-il effrayé à la seule vue d'une bande de pouilleux mal nourris qui seraient morts de toute façon au bout de deux jours, peut-être pas de peur, mais de faim ? Lui qui venait d'Espagne, où des centaines de milliers de personnes étaient mortes en un rien de temps... Rien ne s'achève jamais, dans la vie comme dans la mort. La sienne, de vie, valait bien peu... Les voisins d'Heredero l'avaient eu sauve en échange de celle d'un chien. Ils en étaient sortis gagnants. Il assomma l'homme et s'en alla. Il est clair que ces gens-là, pensa Tutusaus tout en ouvrant sa portière, si on leur avait laissé le choix, auraient sans doute préféré offrir la vie de leur bonne plutôt que celle de leur chien...

Il n'avait pas encore ralenti son allure sur les Ramblas, à la hauteur de la fontaine de Canaletes, qu'il vit Heredero apparaître de l'autre côté, à l'entrée de la rue Santa Anna. Son aspect inquiéta Tutusaus. Pâle, mal rasé, il affichait une bien mauvaise mine. Il marchait difficilement et s'arrêtait de temps en temps pour reprendre des forces. Il était évident qu'il subissait une crise aiguë d'hémophilie. Tutusaus savait que les hémophiles pouvaient souffrir d'hémorragies chroniques, au cours desquelles, pendant de longues périodes, ils perdaient de petites quantités de sang. Parfois, ils ne s'en apercevaient pas et cela entraînait, à la longue, une anémie extrêmement dangereuse qui les plongeait alors dans une asthénie permanente. Connaissant les antécédents de l'industriel, Tutusaus n'avait pas besoin d'être médecin pour savoir de quoi il retournait.

Heredero descendait les Ramblas et Tutusaus le suivait en voiture. Deux minutes plus tard, ce dernier avait déjà deviné où se rendait sa proie. Il s'avança de quelques mètres, freina et attendit qu'Heredero traverse devant lui et se glisse dans l'une des rues transversales qui s'enfoncent dans le Barrio Chino. Il le fila à une prudente distance, et s'assura qu'il entrait bien au cabaret Lluna de Llana. Il se gara juste à côté, sur le trottoir, au milieu des poubelles, puis marcha d'un pas décidé vers la porte latérale du cabaret. Il vérifia que personne ne le voyait et entra dans la loge. Il fallait agir vite, il ne souhaitait pas se retrouver face à Heredero. Sterling Ramírez était sur scène, il chantait. On entendait, amortis, les bruits habituels d'une salle pleine : rires, verres entrechoqués, brouhaha des conversations... Tutusaus se rendit en un éclair aux toilettes et y suspendit de nouveau la veste verte. Puis il sortit de la loge pour se diriger vers la porte principale. Il entra discrètement et resta debout, appuyé au comptoir. Il découvrit aussitôt Heredero, assis à une petite table, au second plan. Il y avait du monde. Dans la demi-pénombre du cabaret, il semblait encore plus nerveux et émacié. Il était bientôt minuit, ce vendredi 4 mai. La chaleur, forte pour la saison, avait obligé la patronne du Lluna de Llana à mettre en marche le ventilateur géant qui tournoyait au milieu du plafond de la salle. Mais c'était malgré tout insuffisant. Il ne faisait guère que disséminer la fumée des cigarettes afin que tout le monde puisse l'inhaler de manière équitable. La nuit n'en était pas moins animée. Sterling Ramírez, comme chaque soir, sous les traits de Varda d'Abril, chantait une chanson d'amour d'une voix rauque et sensuelle, avant de continuer à raconter la terrible et cruelle histoire de son héroïne. La patronne se mettait en quatre pour encaisser les consommations et servir aux tables... Puis il fut minuit et quart, minuit et demi, une bonne heure pour prendre un verre dans un cabaret. Sterling Ramírez serrait très fort ses lèvres rubicondes et se mettait à roucouler :

— Et maintenant, mon cher public, permettez-moi de récapituler : Varda d'Abril, orpheline à l'existence malmenée, doit se tracer un chemin dans cette vie semblable à une jungle ; violée à neuf ans, sans personne pour veiller sur elle, recueillie par la Maison de charité, elle transite par douze orphelinats en quatorze ans ; à dix-huit, elle scandalise toute l'Espagne pour avoir montré ses cuisses dans une réclame vantant les mérites du lait condensé...

Un couple attira l'attention de la patronne, assise sur l'un des tabourets à côté du comptoir. Elle décroisa alors paresseusement ses jambes, se contempla dans le miroir accroché au mur, retoucha son maquillage à l'aide d'un doigt et alla prendre leur commande. Une minute plus tard, elle ouvrait elle-même une bouteille de champagne tout en la tenant par le col à l'aide d'un torchon. Le couple riait et criait pour tout et n'importe quoi, c'étaient des amoureux qui avaient décidé, pour une nuit, de courir l'aventure. Une atmosphère sombre et concentrée se dégageait de la salle. La silhouette même de Tutusaus y contribuait. Une quinzaine de minutes plus tard, Heredero, qui semblait plus serein, consulta sa montre et appela la patronne. Cette fois-ci, cependant, au lieu de lui demander à boire, il lui chuchota quelques mots dans le creux de l'oreille et glissa un billet de cinq cents pesetas dans ses mains. La patronne acquiesça d'un signe de tête. Il se leva tout de suite et tous deux disparurent dans la loge – chose qui inquiéta profondément Tutusaus : il n'aimait pas qu'une porte se dresse entre lui et son objectif. Il décida d'attendre, sans se précipiter. La patronne revint aussitôt dans la salle, seule. Tutusaus en conclut que l'industriel avait un rendez-vous avec la même personne que la dernière fois et menait peut-être d'importantes négociations. Si importantes que la dernière fois il avait pris peur et était sorti à toute vitesse en abandonnant sa veste verte... Tutusaus songeait à tout cela tout en balayant la salle du regard. Des voix et des bruits divers parvenaient de la rue. Quelques putes entrèrent accompagnées d'un groupe de patrons de province en visite dans la grande ville pour conclure des marchés et qui pensaient passer du bon temps à siffler le *showman* travesti. Heredero se trouvait dans la loge depuis quelques minutes. Et s'il n'y était entré que pour récupérer sa veste, pourquoi ne ressortait-il pas ? Tutusaus était indécis. Il s'apprêtait à mener sa propre enquête lorsque son homme réapparut. Sans sa veste verte. Il revint à sa table et se laissa tomber sur sa chaise d'un air préoccupé. Désorienté, il buvait sans même lever les yeux vers la scène. Le spectacle suivait son cours mais le chasseur ne lâchait pas sa proie, même si le couple assis à côté de lui faisait diversion. Celui-là même qui avait commandé une bouteille de champagne. Ils en étaient déjà à la deuxième. Ils étaient bien excités. Il ne leur restait plus qu'à se déshabiller et à commencer à faire l'amour sur place.

— Ils sont heureux, pas vrai ?

La patronne venait de surprendre Tutusaus les yeux rivés sur la main droite du garçon qui s'insinuait, mine de rien, dans la jupe de la fille, au niveau des fesses.

Tutusaus lui répondit par un grognement. La patronne haussa les épaules et s'éloigna. Le bonheur ? pensa-t-il... Qu'est-ce que c'est, putain, que le bonheur ? En théorie, tout le monde le cherche avec acharnement, mais cet objectif est loin d'être aussi clair qu'il y paraît... Et puis cette femme l'énervait, elle commençait à en prendre trop à son aise. Ils ne s'étaient vus dans son cabaret que trois ou quatre fois, et elle se croyait déjà autorisée à lui parler en usant d'une certaine familiarité... Peut-être avait-elle remarqué qu'il l'avait reluquée plus d'une fois. Il concentra son attention sur les putes pour ne pas regarder la pathétique prestation du *showman*. Elles faisaient admirablement bien leur boulot. Elles gagnaient leur croûte de manière très professionnelle, épuisant les dernières résistances de leurs clients à coups de clins d'œil appuyés, de langue passée sur les lèvres, de gestes nonchalants et de moues supposées provocantes. La chance serait peut-être au rendez-vous, et un de ces hommes s'enticherait de l'une d'entre elles. Ces filles étaient encore jeunes, mais dans cette profession, le temps passe vite, et si elles se débrouillaient mal, elles ne dureraient pas plus de quatre ou cinq ans, et on ne voudrait plus d'elles, même au Lluna de Llana. C'était comme dévaler un escalier, une fois que l'on commence à dégringoler on ne peut plus s'arrêter, jusqu'à se retrouver... la nuque brisée.

Heredero paraissait toujours absent, il ne se rendait pas compte que la demoiselle du petit couple venait de lui demander du feu. La flamme illumina brièvement leurs visages. On aurait dit l'ange et de démon. Tutusaus se tourna vers le comptoir. Il s'était finalement assis. Il désirait un autre *chinchón*. La patronne parlait au téléphone. Il la héla, mais avec le bruit de la salle, elle ne l'entendit pas. Elle raccrocha et se glissa parmi les tables. Tutusaus la suivit des yeux. Il pensait que, vraiment, elle n'était pas mal fichue. À sa grande surprise, elle alla droit vers Heredero et lui chuchota quelque chose à l'oreille. Heredero la remercia. Tutusaus était suspendu aux réactions de ce dernier. Après avoir reçu ce message, il ne semblait plus guère avoir envie de s'en aller, bien au contraire. Il parut soudain se réveiller, se redressa sur sa chaise et se mit à rire des grimaces de Sterling Ramírez qui arrivait alors au point culminant de son récit. Il ne regardait plus sa montre, il plaisanta avec le couple de la table voisine et attendit, détendu, la fin du spectacle. Tutusaus se demandait ce qui pouvait bien se passer dans la tête de cet homme...

Comme d'habitude dans ce genre d'endroit, une bonne partie du public termina tranquillement sa consommation avant de s'en aller. Ainsi, une demi-heure plus tard, la salle s'était à moitié vidée et Tutusaus pensa que, même si la luminosité des lieux était toujours aussi faible, il devenait risqué pour lui de rester là. L'industriel pouvait le découvrir à n'importe quel moment. Il allait sortir lorsque le téléphone sonna. La patronne répondit. On dut se borner à un mot, puisqu'elle raccrocha immédiatement. Elle alla voir Heredero et lui transmit un autre message. L'homme acquiesça de nouveau, l'air satisfait. Il sortit une enveloppe de sa poche et la tendit à la femme, qui la mit aussitôt dans la sienne. Tutusaus pensa qu'il n'était pas besoin d'être très dégourdi pour deviner ce qu'elle contenait. La patronne monta directement sur la scène et réclama l'attention de ses clients :

— Mesdames et messieurs, nous devons fermer immédiatement la salle pour un cas de force majeur. J'en suis désolée, mais il s'agit de raisons familiales. Une urgence. Il va sans dire que vous pouvez d'ores et déjà vous considérer invités la prochaine fois que...

Tutusaus quitta les lieux au même moment et se glissa sous un porche d'où il pourrait contrôler en même temps la porte du cabaret et la ruelle. Tous les clients sortirent ; Heredero fut le dernier, suivi de la patronne et de Sterling Ramírez que Tutusaus reconnut à la voix : vêtu en homme, il ne ressemblait en rien au personnage qu'il incarnait sur scène. Ils fermèrent les portes, baissèrent le rideau métallique, mirent le cadenas et s'en allèrent, fatigués. Tout était fermé à double tour. L'industriel ne bougea pas de l'endroit où il se trouvait. Il était évident qu'il attendait quelqu'un. Il jetait de temps en temps un coup d'œil à sa montre. Au bout de cinq minutes, il emprunta la ruelle adjacente et se posta devant la petite porte qui menait à la loge. Moins de trois minutes plus tard Tutusaus reconnut la silhouette de Sterling Ramírez qui arrivait devant l'entrée principale du Lluna de Llana et s'engageait dans la ruelle, après avoir regardé à droite et à gauche. Heredero attendait Ramírez ? Ça n'avait aucun sens. Les deux hommes se serrèrent la main, Sterling ouvrit à l'aide de sa clef, et ils entrèrent. Une petite lueur dans l'obscurité de la loge – Heredero venait d'allumer une cigarette. Il ressortit quelques instants dans la ruelle, jeta un coup d'œil rapide et rentra. Il restait sur les trottoirs quelques flaques de la pluie du jour. Un pied se posant dans l'une de ces flaques, cinq mètres sur sa droite, signala à Tutusaus que quelqu'un approchait. Il eut à peine le temps de se planquer. Par une fente du portail, il vit une ombre parvenir à sa hauteur, s'arrêter un instant et s'engouffrer furtivement dans la ruelle. L'ombre atteignit la porte, l'ouvrit précautionneusement, sans frapper. Tutusaus, cette fois-ci, la suivit. Personne dans la loge... les deux hommes devaient être dans la salle. Tutusaus entra dans la loge, sur ses gardes, et il tendait l'oreille en direction de la scène lorsqu'il entendit un coup de feu. Sa surprise fut totale. Il s'approcha de la porte qui communiquait avec la salle et l'entrouvrit. Ce qu'il vit le laissa stupéfait : le corps sans vie de Sterling Ramírez gisait à terre, une balle en pleine poitrine, quelques coulées de maquillage encore visible sur son visage. Il semblait être seul. Très lentement, Tutusaus poussa davantage le battant. Heredero était assis à la table même où il avait passé toute la soirée, tête baissée, les yeux fermés, comme s'il venait d'être assommé. Il ne semblait pas mort. Un jeune gars, visage découvert, essayait de maintenir le corps de l'industriel en équilibre pour qu'il ne tombe pas de sa chaise. Il parvint à l'appuyer sur la table, dans la position plus ou moins naturelle d'un homme en train de dormir. Il n'avait franchement pas l'allure d'un envoyé venu anonymement conclure avec Heredero on ne sait quel plan secret pour le futur du pays, pensa Tutusaus. Cette ombre mystérieuse se comportait comme un vulgaire cambrioleur. Une fois Heredero mis dans la position désirée, le jeune homme lui prit la main et la plaqua sur la table, doigts écartés. Puis il sortit un couteau de sa poche et l'ouvrit. Avait-il l'intention le blesser ? Pourquoi tant de précautions ? Lorsque le jeune gars attrapa la main d'Heredero, Tutusaus comprit brusquement ses intentions. Il voulait le blesser et le laisser se vider de son sang, comme s'il avait voulu se suicider. Tutusaus allait se jeter sur lui pour l'en empêcher, lorsque Heredero reprit conscience. Ce dernier releva la tête, vit l'ombre et Tutusaus s'approchant discrètement dans le dos de celle-ci.

— Tutusaus ! cria-t-il.

L'ombre fit instantanément un saut en avant, se retourna, sortit un pistolet et tira, en position accroupie, vers le haut. Tutusaus ne s'y attendait pas, la balle lui effleura le crâne, le mettant momentanément hors de combat. Lorsqu'il rouvrit les yeux, on le tenait en joue. Derrière le pistolet, le visage inexpressif du jeune homme était celui d'un tueur à gages bien entraîné. Tutusaus comprit qu'il n'y avait rien à faire, ce type allait le descendre d'une balle dans la tête. Dans moins de trente secondes, grand maximum. Tutusaus avait plus d'une fois pensé à sa mort. Son unique curiosité était de savoir comment, et non quand elle arriverait. Le gars n'avait rien d'un débutant, il ne parlait pas. Les bons exécuteurs, comme lui, ne parlaient pas le moment venu. S'il devait faire son boulot, le plus tôt serait le mieux. Heredero, qui s'était aperçu de la présence du poignard près de sa main sur la table, l'avait jeté par terre. Il assistait à la scène sans rien y comprendre. Il était sur le point de perdre de nouveau connaissance. C'est alors qu'intervint le facteur chance, que seuls savent reconnaître les assassins humbles et intelligents. Un objet se leva au-dessus du jeune homme et se fracassa sur son crâne. Tutusaus en profita pour faire volte-face ; un rire strident s'échappa d'un coin de la salle, mais il avait trop à faire avec le jeune gars pour lever la tête vers son bienfaiteur. Pour Tutusaus, ce tueur n'était pas un rival, mais il n'en dut pas moins lui caresser les côtes pour le calmer un peu, et ce malgré la douleur de sa blessure à la tête. On entendait toujours ce rire, qui s'était déplacé du côté du comptoir. Quand le gars eut les mains attachées dans le dos à l'aide de sa propre cravate et que Tutusaus se releva, la première chose que ses yeux rencontrèrent fut un collier de pois chiches blanc et, un plus haut, le regard bovin et délavé de la femme-mulet, qui tenait encore dans sa main la béquille de l'estropié. Elle l'avait fracassée en plein sur la tête de son assaillant. C'était une béquille massive, elle ne s'était même pas brisée. Celui qui riait, c'était son compagnon, il pleurait même de rire tout en se tenant droit sur son unique jambe, appuyé à l'un des tabourets près du comptoir. Il riait, riait, riait... Tutusaus n'avait pas le temps de comprendre ce qui se passait. Il ramassa le pistolet ayant servi à tuer Ramírez – l'invité inattendu, un malheureux de plus qui s'était trompé d'heure et d'adresse – et le mit dans sa poche, puis il se redressa et visa l'estropié de son arme. L'homme s'arrêta de rire, d'un seul coup.

— Me vise pas moi, espèce de taré ! On a vu que c'était ouvert et on est entrés voir ce qu'il y avait à faucher. Si

257

j'avais su que c'était toi, j'aurais laissé ton ami te descendre, tu peux bien me croire. Enfin, maintenant, puisque c'est fait... Écarte ce pistolet, merde !

Tutusaus se tourna vers Heredero. L'homme transpirait, assis sur sa chaise. Il expérimentait sans doute pour la première fois ce que c'était que de se sentir terrorisé. Toute son assurance avait subitement disparu. Tutusaus s'agenouilla de nouveau près du tueur, le souleva par sa veste à la hauteur de la poitrine et plaça son visage à un centimètre du sien. Cela lui procurait une agréable sensation de pouvoir. Le fait qu'il venait de lui placer le canon du pistolet sous le nez y contribuait. Le jeune gars revenait juste à lui :

— Vaut mieux que tu me tues, sinon, c'est eux qui le feront... parvint-il à murmurer.

— Et qui c'est, eux ?

— Comment tu veux que je le sache ?

La gifle balancée par Tutusaus résonna dans la salle comme un coup de tonnerre.

— Ils m'ont filé beaucoup de pognon. Une montagne de pognon, pour rien. Le fric le plus facile du monde. On peut se le partager...

Une autre gifle. Sous la violence du choc, la tête heurta le sol. Le gars fut de nouveau à moitié assommé. Tutusaus alla au comptoir et revint avec une bouteille de genièvre. Il la vida sur la tête du tueur.

— C'est du gâchis, dit l'estropié.

Le jeune gars revint à lui.

— Je devais juste lui faire peur, dit-il en désignant Heredero. Je devais juste lui donner quelques coups de couteau, à ce type, dans plusieurs endroits du corps. Ils ne devaient pas être mortels. Et après l'avoir estourbi, le laisser par terre, ici même ou dans la rue. Pour faire croire à une vengeance d'un rival qui aurait voulu lui foutre la trouille. Ou la signature d'un voleur... Mais d'abord, il a surgi ce pédé, là (il désigna Ramírez), et puis...

Tutusaus le coupa d'une gifle et lui dit qu'Heredero était hémophile. Il serait mort saigné à blanc.

— Je le savais pas !

— Qui t'a engagé ? répéta Tutusaus.

— Comment veux-tu que je le sache ? Tu sais bien comment ça se passe, ce genre de chose. On te dit jamais...

Tutusaus, brusquement, en eut marre de lui. Il lui balança la crosse de son pistolet dans la figure. Il sentit qu'il lui cassait quelque chose dans la bouche, probablement deux ou trois dents. Le gars avala une gorgée de sang et se mit à gémir pour la première fois. La comédie était finie. L'heure de vérité avait sonné :

— Tu sais, je t'aurais pas tué, Tutusaus, je l'aurais jamais fait.

Et Tutusaus lut exactement le contraire dans ses yeux. Et puis, lui, si, il avait très envie de le tuer. Il visa la poitrine. Le rire de l'estropié s'étrangla dans sa gorge. Heredero, les yeux dans le vague, même s'il commençait peut-être à comprendre que Tutusaus venait de lui sauver la vie, leva doucement une main vers lui :

— Tutusaus, qu'est-ce que tu...

— Silence ! le coupa-t-il.

Il visa de nouveau et dévia au dernier moment le canon de son arme, tirant une balle à deux centimètres de la jambe. Le jeune gars hurla et se mit à gémir. Tutusaus lui redemanda aussitôt de cracher le morceau. Et plaça le canon du pistolet entre ses cuisses. Il lui dit que dans trois secondes, ça ne serait plus de la plaisanterie.

— Je vais t'arracher les couilles d'une seule balle. Un... Deux...

Personne n'était assez dur pour supporter ça, même pas ce tueur si professionnel et néanmoins si jeune. Il pleurnicha :

— Je dois téléphoner à un numéro, laisser sonner trois fois et raccrocher. C'est le signal pour indiquer que tout s'est bien passé.

Tutusaus demanda le numéro, releva énergiquement le jeune gars et l'étendit sur la scène. Il fut surpris par le manque de consistance du corps, on aurait dit un arbre creux. Il éprouvait quasiment de la répulsion à voir quelqu'un ainsi presque réduit à néant. Il lui dit qu'il l'emmènerait avec lui, au cas où ce serait faux...

— Je te le jure...

Tutusaus ne l'écouta pas. Il composa le numéro sur le téléphone mural, près du comptoir, laissa sonner trois fois et raccrocha. Il était parfaitement conscient que ce pouvait être, de toute manière, un mensonge. Cela pouvait même signifier exactement le contraire et, dans ce cas, quelqu'un venait de recevoir, à l'instant, un message disant que l'opération avait échoué. Tutusaus s'en moquait, il avait l'impression de voir, dans un coin, une sorte de boule de neige dévaler une pente et devenir de plus en plus grosse. Il fut alors envahi d'une puissante et profonde haine à l'égard du jeune gars. Il éprouvait le désir de lui fracasser le crâne, comme il l'avait fait à la nichée d'écureuils. Entre autres parce qu'il ne cessait de gémir. Il avait, définitivement, envie de le tuer.

— Je vais tout te dire. J'en peux plus... On m'a téléphoné l'autre jour...

Le gars s'arrêta un moment pour reprendre sa respiration. Grâce à cela, Tutusaus put entendre clairement le petit bruit, ce même claquement que sur le palier de chez Mme Vilallonga, un bruit de dé que l'on secoue dans un gobelet. Il provenait de derrière la porte de la loge. Le jeune tueur aussi l'entendit et leva les yeux vers lui, terrifié. Tout se passa en cinq sccondes. Tutusaus s'accroupit immédiatement et deux balles sifflèrent au-dessus de sa tête. Suivies aussitôt de pas courant dans la ruelle. Si le jeune tueur avait été touché par l'un des projectiles, Heredero, lui, semblait indemne. Tutusaus se releva et alla jeter un coup d'œil dans la ruelle, déserte ; une voiture avait dû attendre l'homme au gobelet et était partie en mettant les gaz. Quand il revint dans la salle, l'estropié désignait le gars avec une bouteille de whisky :

— Joli carton...

Mais il n'était pas mort. Il gisait à terre, les mains sur le ventre. La balle l'avait atteint à l'estomac. Mauvaise blessure.

Il fallait quitter rapidement le cabaret sans laisser de témoins.

— On s'en va, dit Tutusaus.

— Qui s'en va ? dit l'estropié qui venait de dénicher une nouvelle bouteille de whisky.

— Tout le monde.

— Va te faire foutre !

Tutusaus alla droit sur lui, l'air grave, son pistolet au poing. L'homme eut un cri efféminé :

— Ne me touche pas !

Tutusaus lui demanda ce qu'il préférait : rester au cabaret, une balle dans la tête, ou sortir et l'accompagner un moment. L'estropié avala une autre gorgée d'alcool et dit :

— T'accompagner ? C'est une déclaration d'amour, ou quoi ?

Le poing de Tutusaus s'écrasa contre son ventre et l'homme chuta bruyamment par terre après avoir recraché tout le whisky qu'il avait dans la bouche.

— On s'en va, répéta Tutusaus.

Il dit à Heredero, toujours en état de choc, de ne pas bouger, de ne pas s'inquiéter, qu'il allait chercher sa voiture et qu'il revenait tout de suite. L'industriel put à peine faire un geste de la tête, en guise d'assentiment. L'estropié se traîna sur le sol là où avait atterri sa béquille, tout en maudissant Tutusaus entre ses dents. La femme n'avait pas bougé d'un millimètre, toujours tranquille au milieu de la pièce, tapotant nonchalamment son collier de pois chiches. Pendant l'échange de coups de feu, elle n'avait même pas cillé.

Tutusaus, courant vers sa voiture, cogitait en vitesse. Il était évident qu'on en voulait à la peau d'Heredero, mais de manière subtile. Sinon, pourquoi ne pas lui avoir tiré dessus ? Pourquoi envoyer quelqu'un le blesser légèrement sans le tuer ? Il allait l'emmener loin de là pour le mettre à l'abri, afin de pouvoir le livrer sain et sauf à Pozos. Ce serait au général de décider du meilleur chemin à suivre.

Trois minutes plus tard, Tutusaus engageait sa 1400 en marche arrière dans la ruelle. Il poussa Heredero, l'estropié, la femme et la béquille sur la banquette arrière. Puis il fit asseoir devant, à côté de lui, le jeune gars plié en deux par la douleur, ses mains inutilement pressées sur sa blessure. Pour finir, il traîna le cadavre de Ramírez et le flanqua dans le coffre. Il valait mieux ne rien laisser derrière eux. Un fin observateur aurait pu qualifier le tableau qu'offraient cette voiture et ses occupants d'hétérogène, pour ne pas dire de pittoresque. Tutusaus embraya, et prit la direction du Paral·lel. L'estropié, un peu ivre, ne cessait de crier en réclamant sa petite charrette. La femme contemplait le plafond. Heredero, la tête appuyée au dossier, transpirait, silencieux, les yeux révulsés et la bouche ouverte. Il respirait difficilement.

Tutusaus était perdu dans ses pensées. Il était probable que celui qui avait voulu éliminer Heredero n'allait pas s'avouer vaincu. La ferme de Montsol apparaissait comme le lieu idéal où trouver refuge. Personne n'en connaissait l'existence. À ce moment-là, le problème qui se présentait à lui était de savoir comment il allait s'y prendre pour arriver là-bas sans encombre, accompagné d'une espèce de troupe de cirque formée par ses soins, avec un hémophile de quatre-vingt-quinze kilos en crise, un tueur, un travesti mort, un estropié boiteux et une bête de somme femelle...

Il se trompa de route et se retrouva aussitôt en train de gravir la colline de Montjuïc. Il était vraiment nerveux et gardait le silence. Heredero aussi. L'estropié, qui n'avait cessé de tousser, éclata soudain de rire, un rire aigu et brisé, entraînant la femme dans son sillage. C'était la première fois que Tutusaus percevait chez elle un signe d'humanité. Lui ne souriait certes pas et les observait dans son rétroviseur intérieur. Il était certain que, de cette manière, ils n'arriveraient à rien. L'échec était assuré. L'estropié et la femme continuaient à rire comme des fous.

Tutusaus donna soudain un brusque coup de volant et freina violemment au milieu de la chaussée. Tout le monde se tut.

— Pourquoi on s'arrête ? questionna l'estropié, le visage marqué par la peur.

Tutusaus le regarda, puis il regarda le jeune tueur, congestionné de douleur, et s'adressa à lui :

— Je crois qu'on a crevé. Sors la tête par la vitre et vérifie la roue de devant, à droite.

— Moi ? demanda le jeune gars.

— Oui, toi...

— Mais il est blessé... avança Heredero.

Personne ne pipa mot. Le jeune gars obéit. Tutusaus saisit son pistolet pratiquement en même temps et lui appuya le canon sur la nuque. Le jeune homme, la tête coincée entre la portière et le pistolet, n'eut pas le temps de se rendre compte de ce qui lui arrivait.

— Adieu.

Tutusaus tira. La tête rebondit d'avant en arrière. Comme elle se trouvait à l'extérieur, elle ne tacha pas la 1400. Le corps demeura ainsi, moitié dedans, moitié dehors, pareil à une poupée de chiffons. Heredero gardait les yeux fixes. L'estropié ouvrit sa portière pour vomir sur la chaussée. La femme examinait un réverbère en souriant à demi, un des pois chiches de son collier dans la bouche. Tutusaus sortit de la voiture, saisit le cadavre du jeune tueur et le fit rouler en bas du ravin. Il avait considéré un moment la possibilité de l'emmener à Montsol et de l'ajouter à sa collection. Mais il décida finalement que non, par respect pour ceux qui y reposaient déjà et en raison du risque inhérent au transport d'un cadavre. Il sortit également le corps de Ramírez du coffre, et le jeta lui aussi. La zone était plutôt inhospitalière. On pourrait tout aussi bien mettre deux heures à les trouver que deux jours. Il remonta dans sa voiture et demanda à la femme de passer devant, à ses côtés. Il agissait comme un automate. Il semblait être sur le point de démarrer lorsqu'il se retourna brusquement et pointa son pistolet sur le front de l'estropié. Heredero se couvrit les yeux de ses mains tout en sanglotant :

— Mon Dieu... Ne fais pas ça... Ça suffit... Je ne peux pas supporter...

Même s'il n'avait pas envie de l'entendre, Tutusaus ne pouvait estourbir l'industriel, de peur de provoquer une hémorragie interne. La voix de l'estropié parvint jusqu'à lui, une sorte d'étrange voix de fausset :

— Ne me tue pas, ne me tue pas...

Alors, très naturellement, la femme, qui était jusque-là restée rivée à la vitre, de l'autre côté, se retourna, cracha coquettement le pois chiche qu'elle gardait entre ses dents, attrapa le canon du pistolet et l'enfonça dans sa bouche sans que Tutusaus ne fasse rien pour l'en empêcher. Elle le regardait comme un bœuf avant d'être égorgé, plus indifférente qu'effrayée. Puis elle se mit à sucer le canon avec délectation, un léger sourire aux lèvres. Elle enfonçait le canon dans sa bouche, puis le retirait, le renfonçait puis le retirait, le léchait avec sa langue... Tutusaus, estomaqué, hésita. L'estropié s'en aperçut. La femme léchait, impudique, et le doigt de Tutusaus tremblait tout en appuyant sur la détente. Troublé, il lui enfonça le canon jusqu'au fond de la gorge. Elle finit par s'étouffer et se mit alors à tousser.

— Ne me tue pas... répéta l'estropié.

Et il ne les tua pas. Il retira son pistolet de la bouche de la femme et le remit dans sa poche. Il la poussa contre le siège et, sans rien dire, démarra en direction du centre-ville. Ses poursuivants, quels qu'ils soient, partiraient d'abord du fait que Tutusaus allait chercher à se débarrasser de ce qui pouvait entraver sa fuite. Ils devaient chercher deux hommes, et pas un cirque ambulant tel que celui qu'il transportait dans sa voiture. Il fit comprendre à l'estropié qu'ils auraient peut-être à rester ensemble quelques jours, et que s'il ne se tenait pas tranquille, il le liquiderait, en y apportant cependant une petite variante :

— Avant, je te couperai l'autre jambe. Puis les bras. Ensuite les oreilles. Et le nez.

— Ne t'en fais pas, compère. Tu n'auras pas à te plaindre de moi. Ni d'elle...

Tutusaus lui dit qu'une fois cette histoire achevée, ils pourraient s'en aller sans problème. Et même avec un paquet de pognon en poche. L'estropié, qui gigotait sur son siège, acquiesça d'un signe de tête. Tutusaus voyait qu'il commençait à prendre conscience qu'il avait été à deux doigts d'être liquidé comme un rat. Et que s'il était encore en vie, il le devait exclusivement à la plaisanterie de la femme qui, à cet instant, écrasait de nouveau le nez contre la vitre et semblait compter les poteaux des éclairages publics. Tutusaus lui déclara qu'il était une sorte de policier chargé de la sécurité de M. Heredero, et que tout le monde devait le défendre, quoi qu'il arrive.

— Je n'ai rien à voir avec les assassins... dit Heredero en respirant péniblement. C'est horrible. Pourquoi tu l'as tué ?

Tutusaus lui répondit, d'un ton distancié à l'extrême, que ce gars était un professionnel, et qu'il savait ce qu'il risquait. Et qu'en tout cas, sa blessure étant mortelle, il avait abrégé ses souffrances.

— Ce qui veut dire que, par-dessus le marché, tu lui as fait une fleur en l'achevant comme un chien, c'est ça ?

— Oui.

— Mon Dieu...

Ils laissèrent derrière eux une pancarte qui indiquait la direction de la Font del gat.

— La Fontaine au chat... murmura Heredero.

— Hein ? dit Tutusaus.

Il avait à peine entendu l'homme, qui, semblant se parler à lui-même, poursuivit :

— Selon la tradition, les sorcières de Barcelone se retrouvaient à la Font del gat. Elles y célébraient leur sabbat pour pactiser avec le diable. On dit qu'elles venaient en volant des lieux les plus reculés de Catalogne et qu'un chat noir participait à leurs cérémonies. Pour finir, la fontaine a hérité de son nom.

Tutusaus l'écoutait sans rien dire. Qu'est-ce qu'il en avait à faire, lui, de la Fontaine au chat et de Barcelone ? Enfin, il pouvait s'en aller. Il avait eu l'impression, tous ces jours-là, d'être enfermé en haut d'un clocher, et d'observer les Barcelonais avec détachement. Les voix, les bruits lui parvenaient amortis. Il ne voulait rien en savoir. La vie des Barcelonais semblait filtrer à travers les mailles d'un filet invisible qu'il ne pouvait traverser. Il ne le désirait pas non plus. Tout lui était étranger. Il était lui-même aussi étranger à Barcelone que la ville l'était vis-à-vis de lui. Il appuya sur la pédale de l'accélérateur ; on verrait bien s'ils allaient s'en sortir, une putain de bonne fois pour toutes. Ça paraissait impossible, les feux de signalisation sur la route de Sants semblaient s'être ligués pour lui interdire l'accès à la route de Lérida. Il s'agissait d'arriver à Montsol, s'ils y arrivaient, ils seraient sauvés, en attendant de retrouver le général. Tutusaus décida de changer un peu de trajet afin de semer d'éventuels poursuivants. Il ferait mine de se rendre à Madrid, mais couperait à la hauteur d'Igualada en direction de Manresa, et de Manresa, via Moià, il récupérerait la N-152 vers le nord à partir de Vic.

Ils roulèrent une vingtaine de minutes en silence. L'estropié s'était endormi. La fille gardait les yeux droit devant elle, sans bouger. Tutusaus jeta un coup d'œil dans son rétroviseur et croisa le regard d'Heredero, un regard de malade, fiévreux mais décidé. Il ne savait pas depuis combien de temps il était dans cet état. La voix d'Heredero éclata subitement :

— Tutusaus !

— Quoi ?

— Nous devons parler...

Tutusaus ne lui prêta pas la moindre attention. Heredero respirait difficilement mais tenta de continuer. Il fit des efforts importants – les cahots de la voiture ne l'aidaient guère – pour dire :

— Écoute, mon gars, je suis bien conscient que je te dois peut-être la vie.

— Peut-être ? Non, sûr, oui.

— Très bien, c'est sûr ! Mais ça n'empêche pas...

— Vous feriez mieux de vous reposer.

Heredero était hors de lui, mais à bout de forces.

— Tu te prends pour qui, merde ? Fais-moi le plaisir de t'arrêter. Tutusaus ! Arrête-toi, je te dis.

— C'est pas possible.

— Tu crois que tu peux m'embarquer et me balader à droite et à gauche comme un vulgaire paquet ?

C'est alors qu'Heredero, depuis la banquette arrière, se jeta sur Tutusaus et s'agrippa à son bras. Pris par surprise, Tutusaus ne put éviter de donner deux grands coups de volant. L'estropié se réveilla en sursaut et se mit à hurler. Heredero criait :

— Arrête-toi !

Il n'avait pas lâché le bras de Tutusaus, mais ce dernier parvint à se libérer de son étreinte d'un revers de main, et freina tranquillement. L'estropié ouvrit sa portière, effrayé, et se traîna par terre, sur son unique jambe, vers un champ labouré. Il se fatigua cependant très vite, se mit à tousser, et abandonna. La jeune femme, imperturbable, restait assise en souriant. Tutusaus se retourna et plongea ses yeux dans ceux d'Heredero, lequel ne cilla pas et dit d'une voix faible :

— Je veux que tu m'écoutes. Sinon, je te compliquerai la vie autant que je le pourrai. Et puis je n'ai pas peur de toi.

Il semblait avoir épuisé ses dernières cartouches. Tutusaus comprit qu'il ne pourrait pas le garder dans cet état d'esprit. Il réfléchissait déjà à la stratégie à venir et lui dit :

— Je vous écoute.

Heredero mit presque une demi-minute avant d'être en mesure de s'exprimer avec un minimum de clarté.

— Voyons, il est probable que ceux qui me poursuivent savent que tu es avec moi. N'est-ce pas ?

— Ça se pourrait.

— S'il en est ainsi, il est possible qu'ils connaissent cette voiture. Et il est même possible qu'ils sachent que tu m'emmènes à Montsol.

— Personne ne connaît Montsol.

— Personne ne devrait connaître Montsol, ce qui est bien différent. Quelle garantie as-tu ? Et ce type qui est mort ? Qui l'avait engagé ?

— Et vous ? Avec qui aviez-vous rendez-vous ?

— Je n'ai pas l'intention de te le dire.

— Probablement avec la même personne qui vous a envoyé ce tueur.

Heredero se rendit compte que Tutusaus avait raison. Il se dégonfla et murmura :

— Je ne sais pas qui c'était. Je te le jure. Ils m'ont contacté par le biais d'une tierce personne. Ils m'ont dit que quelqu'un avait une chose très importante à me communiquer en rapport avec moi et l'avenir de l'Espagne. Un concurrent industriel dans mon secteur d'activité ? Je ne crois pas. C'était quelqu'un qui savait fort bien qui j'étais, moi... Et s'il le savait, vu le secret qui entoure la question, il est possible qu'il ait pu s'infiltrer à un très haut niveau et qu'il connaisse l'existence de Montsol.

— C'est possible.

— Tutusaus, j'ai besoin de réfléchir dans le calme et la sérénité. Je te propose quelque chose : n'allons pas à Montsol. Faisons ce à quoi ils ne s'attendraient jamais.

— Quoi ?

— Foutons le camp dans le Sud.

— Dans le Sud ?

— Oui. On ne nous cherchera jamais là-bas. Ils penseront plutôt que ton intention sera de me sortir du pays vers la France. Allons-nous-en dans le Sud. En échange, je te donne ma parole d'honneur que je ne tenterai pas de m'enfuir. Je n'ai besoin que d'un peu plus de temps. Après, je te laisserai me mener devant ton général Pozos et je signerai le document d'acceptation. Je vois que tout ça n'est pas une plaisanterie, et qu'on ne peut pas prendre de risques. Donne-moi du temps, Tutusaus. Je dois faire une chose très importante. Ça n'est pas que je ne croie pas à tout ce que vous m'avez dit sur moi, mais je dois le vérifier par moi-même.

— De quelle manière ?

— Le jour où je devais retrouver le général pour signer l'acte d'acceptation, j'ai donné quelques coups de téléphone. Tu étais au courant, toi, que le prince Juan Carlos de Bourbon allait se marier dans deux semaines à Athènes ?

— Non.

— Bon, donc, à travers mes contacts, j'ai pu savoir que son père, don Juan de Bourbon, posera le pied sur la terre espagnole en deux occasions. Pas incognito, mais de manière non officielle. Il navigue sur son yacht et il débarquera une fois lors de son voyage aller en Grèce pour assister au mariage de son fils, et une autre, au retour de l'événement. Les deux fois au même endroit, à Punta Umbría, dans la province de Huelva. La première fois sera ce dimanche 6 mai, l'autre le dimanche 17 juin. Je dois y aller, Tutusaus. Je dois le rencontrer. Je dois lui parler. Sans rien dévoiler, ne t'inquiète pas. Je veux seulement l'avoir devant moi, face à face. Je suis sûr que je saurai immédiatement si c'est vraiment mon frère. Ça n'est qu'à ce moment-là que je serai tranquille et libre de pouvoir accepter l'offre de son Excellence... Je te demande ces quelques jours, jusqu'à dimanche. Tu te dis patriote ? Alors pose-toi la question... Si tu m'aides, il se peut que tu rendes un service d'une importance capitale pour l'avenir de la patrie.

Tutusaus lui dit qu'il devait informer le général de cette proposition.

— Laisse tomber ton général, merde ! C'est à toi que je le demande ! À toi ! Et si le général n'était pas d'accord, qu'est-ce que tu ferais, hein ? Il est obsédé par l'ombre de son Excellence, juste dans son dos... Il subit beaucoup de pressions. Il sait qu'il ne peut pas me perdre... Si tu lui demandes la permission, la première chose qu'il t'ordonnera est d'arrêter tes bêtises et de me ramener immédiatement... Et alors, moi, je ne serai pas satisfait du tout, et tu devras m'attacher comme une bête parce que je n'ai pas l'intention d'obéir. Et tu sais le danger que je cours à la moindre petite...

Le visage de Tutusaus demeurait impassible.

— Tutusaus, écoute-moi encore une seconde. Tu sais pourquoi on a monté toute cette opération autour de ma personne ?

— Bien sûr ! Son Excellence veut transmettre son pouvoir à quelqu'un en qui il ait entièrement confiance.

— Oui, ça, c'est ce qu'il nous a lui-même expliqué, ainsi que le général Pozos. Franco se sent vieux, il a été victime d'un accident qui pourrait être un sabotage et tout le monde le pousse à nommer un successeur. D'accord. Il se fiait à Juan Carlos mais, dernièrement, il a perdu confiance et, pire encore, il semble que son père, don Juan, ait repris l'ascen-

269

dant qu'il avait sur son fils. Sinon, comment Franco pourrait-il s'expliquer qu'il ait été possible d'organiser toute cette noce, y compris la demande en mariage, sans le consulter ni même le prévenir ? Ces choses-là, le Généralissime ne les tolère pas, et doña Carmen, son épouse, encore moins. De sorte qu'ils décident d'abandonner l'option Juan Carlos ; ils me sortent du frigo et me mettent en piste. Jusqu'ici, c'est correct, non ?

— Oui.

— Mais il y a beaucoup plus que tout cela. Tu veux que je te le dise ?

— Je ne sais pas.

— Eh bien je vais te le dire quand même. Pour que tu voies que Pozos non plus ne t'explique pas toujours tout.

Et alors ? Tutusaus savait depuis longtemps que le général ne lui expliquait que le strict nécessaire, et rien de plus.

— La raison profonde, Tutusaus, est autre, et très différente. J'ai relié les fils grâce à l'une des informations apportées par mes contacts. Dans un mois, une réunion de gens opposés au régime est convoquée à Munich, en Allemagne, et c'est la plus importante depuis la fin de la guerre. Je n'ai pu obtenir ni noms ni détails, mais plus d'une centaine de représentants s'y rendront, et quatre-vingts d'entre eux seront des gens d'ici. Tu te rends compte ? Pour la première fois, quatre-vingts personnalités qui vivent et travaillent en Espagne admettront, publiquement et à l'étranger, leur divergence avec le régime. Visiblement, personne ne sait quelle sera la réaction de don Juan. Mais il est évident qu'il devra bien en avoir une parce que, même si ça n'est pas en son nom, des monarchistes s'y rendront. C'est l'opportunité idéale pour un de ces coups d'éclat si chers à son Excellence : tu imagines ? Tandis que l'opposition se trouve réunie dans un acte ouvertement provocateur, lui, non seulement s'en moque, mais consolide son pouvoir en choisissant ce moment-là pour me présenter publiquement. Si don Juan se trouve compromis, tant mieux. Franco a ainsi l'excuse parfaite pour l'effacer, d'un coup de balai. Et avec lui, son fils Juan-Carlos. Et s'il s'est maintenu en marge, c'est la même chose. Il fait circuler la rumeur inverse. Et voilà qu'au milieu de tout ça, je suis appelé à succéder à Franco avec le titre de roi, à une date déjà fixée... Je ne suis sûrement pas le seul à savoir tout cela : tout le monde, à Madrid, doit déjà être au courant. Alors, d'ici que la chasse soit ouverte à mon encontre... comme si j'étais un lapin. Les uns, d'après ce que je vois, veulent m'écarter du chemin, les autres souhaitent le contraire. Alors, tant qu'à faire, si je dois risquer ma peau, autant que ça soit pour quelque chose de sûr... Et puisque vous voulez me livrer sain et sauf à votre général, j'aime autant rester dans votre tas de ferraille à roulettes sur le chemin de Punta Umbría, plutôt qu'être saucissonnée à Montsol. Pour vous, cela revient au même.

— Et si, une fois là-bas, vous n'êtes pas sûr que ce soit votre frère ?

— Je serai fixé pour de bon, et je serai certain qu'il n'y aura personne pour se foutre de moi par-derrière. Et cela n'interdit pas que, au besoin, si son Excellence veut que je joue le rôle d'un Bourbon tombé du ciel, je m'acquitte de la tâche aussi bien que possible. Par loyauté et par discipline.

Ces derniers mots eurent un fort impact sur Tutusaus.

— D'accord, lâcha-t-il.

Heredero se laissa aller en arrière et resta appuyé au dossier. L'effort déployé pour se faire comprendre le laissait épuisé. Tutusaus sortit de la voiture chercher l'estropié qui, rien qu'à le voir s'approcher, se mit à gémir :

— Qu'est-ce que tu fais ? Qu'est-ce que tu veux ? Qu'est-ce que tu vas me faire ?

Il le chargea sur son épaule et le poussa dans le véhicule.

À l'aube de ce samedi 5 mai 1962, une sensation nouvelle emplissait Tutusaus – une sorte de prise de risques. Jamais il n'en avait pris autant. Mais il était évident que le type au gobelet voulait sa peau, à lui aussi. Il verrait bien. Une nouvelle étape commençait. Évidemment, il ne pensait pas faire grand cas des desiderata d'Heredero et de son idée absurde de se rendre dans le Sud. Il trouverait autre chose. Ce qui

importait vraiment, c'était de prendre contact avec le général.
Heredero n'était pas un type ordinaire. Il l'avait de nouveau
étonné. C'était un homme, un vrai, mais un homme malade,
qui déraillait un peu...

Une sorte de match de rugby débutait. Tutusaus venait de
s'emparer d'un butin. Maintenant, il devait courir, esquiver
les obstacles, éviter ses adversaires afin d'atteindre la ligne
de but sans perdre sa prise. Et pour la première fois, il n'était
pas sûr du résultat final.

Il se souvint du chien sauvage s'échappant du poulailler de
Montsol, les petits écureuils sanguinolents dans la gueule. Il
s'identifiait au chien. Il espérait avoir autant de chance que
lui. Il n'en était définitivement pas sûr.

DEUXIÈME PARTIE

Chapitre 14

Le jour se levait. Tout le monde dormait dans la voiture, tandis que Tutusaus réfléchissait à la manière d'arriver sain et sauf à la ferme. Celui qui avait ordonné qu'on les tue ne baisserait pas les bras si facilement et il était prévisible qu'il réitérerait son geste. Le mieux serait donc d'effectuer un long détour en cercle destiné à semer d'hypothétiques poursuivants. Ils allaient rouler en direction de Madrid, comme prévu, mais à Igualada, plutôt que d'obliquer vers Manresa, ils partiraient en sens contraire par la route de Santa Coloma de Queralt, toujours vers l'ouest. Aux Borges Blanques ils pousseraient jusqu'à Lérida. De Lérida vers le nord par la route du Val d'Aran et de là, en passant par le col de Bonaïgua, ils traverseraient le haut Urgell et la Cerdagne jusqu'au Ripollès. Une fois dans cette zone, Tutusaus connaissait tout le réseau des chemins et des pistes de montagne qui les mèneraient directement à Montsol sans avoir à emprunter la moindre route. Tout cela devait pouvoir s'effectuer en trois ou quatre jours environ, sans se presser ; si quelqu'un les attendait à la ferme, il perdrait patience, penserait qu'il s'était trompé et qu'Heredero devait être, par exemple, en train de traverser clandestinement la frontière du Portugal. Mais Tutusaus ne devait pas non plus tourner trop longtemps sans objectif précis. Sinon, à plus ou moins long terme, il allait éveillait des soupçons. Plus encore en voyageant avec cet homme qui apparaissait au No-Do de temps en temps et était un habitué des réceptions du Pardo...

Tutusaus tourna la tête et s'aperçut qu'en réalité la femme, assise à ses côtés, ne dormait pas. Elle léchait son collier, comme à son habitude. La nuque appuyée contre le dossier, elle contemplait d'un simple mouvement des yeux la clarté légère de l'aube naissante. Elle ressentait peut-être la même chose que lui, cette sensation qu'il aimait tant : voir de loin une petite tache sur un bas-côté, puis découvrir qu'il s'agit d'une personne à mesure qu'on s'en approche. Et aussitôt tenter d'apercevoir, dans le rétroviseur, cette même personne rapetisser jusqu'à redevenir une autre petite tache évanescente. Il la dévisagea à nouveau : non, elle ne devait pas éprouver la même chose que lui. Elle ne ressentait probablement rien. Malgré la crasse qui les recouvrait, elle et l'estropié, elle ne sentait curieusement pas aussi mauvais que ce dernier.

Tutusaus n'avait rien perdu de sa nervosité et tardait à retrouver son calme. Ils passèrent par le col de Bruc à dix à l'heure. Plus de vingt camions roulaient devant eux, en file indienne. Il faillit arrêter la voiture et sortir tordre le cou à un homme qui venait de traverser précipitamment la route, descendant d'un camion bourré de journaliers comme lui, qui s'éparpillaient dans les chemins alentour. Chaque fois que le camion s'arrêtait, la file s'allongeait. Tutusaus avait envie de rouler, rouler... et c'était impossible. Par chance, ils atteignirent Igualada sans encombre. Ils s'arrêtèrent dans une station-service au bord de la route. Il n'y avait personne à la pompe. Tutusaus entra dans le petit bureau de la station. Il entendait des éclats de voix, à l'intérieur, ce devait être une famille qui petit-déjeunait. La radio invitait tous ses auditeurs « au Grand Tournoi des bouillons de poule Avecrem, qui aura lieu le soir même, parrainé par la célèbre marque Gallina Blanca ». Il aurait pu s'emparer tranquillement le fric de la caisse enregistreuse et s'en aller sans qu'on s'aperçoive de son passage. Finalement, il cria et un vieux sortit. Après avoir fait le plein, il essaya de prendre contact avec le général Pozos. Personne ne répondit à son appel. C'était de plus en plus étrange. Il y avait toujours quelqu'un pour prendre les appels, même si ce n'était que pour écouter, sans rien dire. Il revint à la voiture : vide. Tutusaus arbora un air hébété. Il interrogea le vieux du regard et ce dernier lui désigna un bar, juste à côté. Il s'y rendit, crispé, les doigts serrés sur le pistolet planqué dans sa poche. Il demeura stupéfait pour la seconde fois en trois minutes lorsqu'il ne vit que l'estropié et la femme. Il balaya la salle des yeux. Pas de trace d'Heredero. Les deux autres mangeaient une omelette aux pommes de terre et des croquettes de viande tels deux affamés. La femme avait à côté d'elle cinq petites bouteilles vides de *Fruco* d'ananas. Le patron les observait du comptoir, l'air méfiant. Tutusaus pensa qu'il n'avait pas intérêt à ce que les gens prennent conscience de l'état mental de ce couple si bizarre.

— Je vous dois combien ? demanda-t-il.

— Ils sont avec vous ?

— Oui.

Tutusaus lui expliqua qu'il conduisait ce couple à la station thermale de Vallfogona, qu'il s'agissait de deux indigents malades de Barcelone qui venaient de gagner ce séjour à la loterie. Et que la femme était légèrement demeurée.

— Maintenant que vous me le dites, elle a bu cinq jus de fruits à la file. Si j'avais su qu'elle n'avait pas toute sa tête...

Tutusaus lui répondit de ne pas s'inquiéter, mais de ne plus lui en servir. Et il lui demanda de nouveau ce qu'il lui devait.

— Vous ne me devez rien. C'est un monsieur très élégant qui a tout payé.

Le problème était que ce « monsieur très élégant » demeurait introuvable. Peut-être était-il allé aux toilettes. Il posa la question d'un ton le plus neutre possible.

— Il est sorti. Il m'a chargé de vous dire de ne pas vous inquiéter, qu'il reviendra à temps et qu'il ne tardera pas.

— Et où est-il allé ?

— Ah ça, il ne me l'a pas dit. Il est seulement venu ici, il a payé, il a laissé un bon pourboire et le message que je viens de vous transmettre. Mais où il a été, ça, non, il ne me l'a pas dit, d'ailleurs...

— Merci, le coupa brusquement Tutusaus.

Il serra les dents pour contenir sa rage et sortit, autant pour jeter un coup d'œil dehors que pour dissimuler à l'homme le tremblement de ses lèvres, tant il était furieux de sa propre bêtise. Il calcula rapidement : ils s'étaient séparés depuis une vingtaine de minutes, un laps de temps largement suffisant pour qu'Heredero se rende à la Garde civile, donne vingt coups de téléphone ou, simplement, hèle un taxi et foute le camp à toute vitesse. Encore une erreur. Une fois de plus il jouait à la roulette, et la boule roulait dans la cuvette. Il ne pouvait rien faire d'autre qu'attendre de voir où elle allait s'arrêter. Il jeta un autre coup d'œil discret au-dehors. Tout semblait normal. Il allait sortir pour essayer de retrouver Heredero lorsque ce dernier apparut dans l'encadrement de la porte. De nouveau, le facteur chance : la boule s'était arrêtée dans la bonne case. Un jour arriverait où il n'en serait pas ainsi, et il n'y aurait pas alors de seconde opportunité. Heredero revenait chargé : il portait dans une main une petite mallette et dans l'autre une sorte de trousse de toilette et des sacs. Il venait de s'acheter des vêtements : une veste, un pantalon, une chemise, un caleçon et un tricot de corps... Ainsi que des accessoires pour l'hygiène intime ; une serviette, de l'eau de Cologne et du savon... et même un rasoir mécanique. Il avait fait tout ça en vingt minutes. Il était évident qu'il portait sur lui une bonne partie de l'argent qu'il avait retiré par paquets à la banque. Tutusaus ne savait pas s'il fallait ou non s'en réjouir. Il n'avait pas envie d'y penser. Il fixa du regard le rasoir mécanique neuf. Heredero s'en aperçut et lui dit :

— Vous savez bien, mon ami, que je suis quelque peu allergique aux coupe-choux...

Puis il demanda au patron du bar où se trouvaient les lavabos, et l'homme, se souvenant sans doute du généreux pourboire, l'invita dans ses toilettes privées. Tutusaus se sentit brusquement fatigué et commanda un *chinchón*. Ils n'en avaient pas.

— Une bière, alors...

— Damm ou Sant Miguel ?

— Non, pression.

Il alla s'asseoir en compagnie de l'estropié et de la femme, et s'obligea à avaler un morceau. Il les observa attentivement. Au moins, tant que l'estropié pourrait manger de cette manière, il lui resterait fidèle... Un type entra, il avait une allure de camionneur, il les regarda, but son cognac et s'en alla sans dire un mot. Heredero réapparut, transformé : propre, peigné, parfumé et rasé. On le voyait aussi mal fichu et émacié que la veille, mais il inspirait, au moins, nettement plus confiance. Il s'approcha d'eux en quatre enjambées, ses enjambées à lui, de plus d'un mètre chacune. Il était de bonne humeur. Une fois encore, il devina les pensées de Tutusaus.

— Ne te soucie pas pour moi, Tutusaus, je sais me soigner tout seul. Je suis également allé à la pharmacie... Où sommes-nous ?

— À Igualada. Nous allons couper vers Santa Coloma de Queralt.

— Ça n'est pas vers le sud, ça...

— C'est vers le sud... ouest.

— Tu penses prendre les routes secondaires ?

— Oui, jusqu'aux alentours de Lérida...

— Bien, je m'en remets à toi. Mais n'essaie pas de me tromper. Nous sommes associés.

— Nous sommes associés, oui.

Ils achevèrent leur petit déjeuner et reprirent la route. Cette fois-ci l'estropié et la femme à l'arrière, et Heredero à l'avant.

La 1400 négociait difficilement les virages. Dans la voiture, silence total. Une fois passé le haut d'une côte, ils découvrirent une quinzaine de personnes sortant d'une maison, près de la route, des hommes et des femmes qui se rendaient à un mariage. Ils arrivaient face à eux, tout contents et joyeux, en file indienne, sur les bas-côtés. Ils devaient aller au village qu'ils venaient de traverser, à environ deux kilomètres de là. La mariée avait attrapé sa traîne et marchait devant, essayant de ne pas trébucher avec ses chaussures neuves. Pas la moindre trace du marié : il l'attendait sûrement au pied de l'autel. Ils étaient si pauvres qu'ils n'avaient même pas eu les moyens de se payer un taxi. Cela dit, un type de la Garde civile, cigarette aux lèvres et mousqueton en bandoulière, bavardait avec le plus vieux des convives et ouvrait le cortège tout en faisant signe aux voitures qui arrivaient en face de s'écarter. Au moment où ils passèrent à côté de lui, l'estropié sortit la tête par la vitre et cria :

— Vive la mariée !

Les gens sur la route lui rendirent son salut et l'estropié commença, dans la voiture, à fredonner la marche nuptiale. Il empoignait sa compagne et faisait mine de danser avec elle. Tutusaus vit la mariée, dans son rétroviseur, ses chaussures à la main et sa robe au vent. Il demanda à l'estropié de se tenir tranquille et ne plus attirer l'attention. Et ajouta qu'il ne le répéterait pas deux fois.

— On peut parler, au moins ?

Tutusaus haussa les épaules. L'estropié interpréta cela comme un accord. Il donna une petite tape sur le dos d'Heredero :

— Pourquoi on parle pas ?

— Parler ? Toi et moi ?

— Qu'est-ce qu'il y a ? Ça vous paraît bizarre ? Ça vous dérange de bavarder avec quelqu'un comme moi ?

— Hein ? Non, mais je ne sais pas de quoi nous pouvons...

— Vous avez vu la mariée ?

— Bien sûr...

— Vous êtes pas marié, vous ?

— Eh bien non.

— Ça doit pas être... Enfin, je me comprends...

Heredero se retourna :

— N'aie pas peur, idiot... Dans tous les cas, il faut vivre sa vie...

— Je vous comprends pas.

— Tant mieux.

Heredero fixa de nouveau la route devant lui. Tutusaus se souvint du jour où il l'avait rencontré, si expansif, au club

Palomo, faisant et défaisant tout tel un petit dieu. Vivre sa vie...

— Les riches savent se payer du bon temps... insista l'estropié avant de demander à Tutusaus : Et toi ?

— Moi, quoi ?

— Pourquoi tu t'es pas marié ? T'es jamais tombé amoureux ?

— Va chier...

— Vas chier toi-même, pauvre type !

— Tu empestes.

— J'empeste ? Et qu'est-ce que tu veux ? Que je sente la rose ?

— Calmez-vous ! On dirait que le temps nous rend tous nerveux, dit Heredero.

C'était une journée lourde et pesante. Les nuages, en s'amoncelant, offraient une clarté grisâtre sous un ciel de plus en plus bas. Tomber amoureux ? pensa Tutusaus, bien sûr qu'il était tombé amoureux... C'était l'un des héritages de l'époque madrilène : il avait vécu un amour printanier, baignant dans l'espoir en été, dégénérant en doutes à l'automne et finalement sombrant dans la déception en hiver. Il se souvenait des promenades, le soir, dans le centre-ville. Une nuit de mai, ils étaient sortis de la Plaza Mayor comme s'ils étaient sortis d'une église et avaient fait un petit tour jusqu'à l'Arco de Cuchilleros... Son vieil et éphémère amour madrilène, dans l'escalier même de cet arc de triomphe, cette nuit-là, lui avait dit :

— C'est un des endroits les plus typiques du vieux Madrid...

Il ne l'avait pas laissé continuer parce que, après avoir heurté un homme et une femme qui, dans l'obscurité, se pelotaient désespérément, il l'avait fait monter de quelques marches et baisée d'une manière aussi grossière que spasmodique. Jusque-là, Tutusaus n'était jamais tombé amoureux. La nature même de son destin militaire rendait difficile le maintien d'une relation quelque peu suivie. Il donnait libre cours à ses appétits sexuels dans des maisons de tolérance, comme il était normal, courant, sain et recommandable de le faire. Il en connaissait assez bien quelques-unes, qui l'aidaient à assouvir ses besoins les plus pressants. Les filles des bordels lisaient des romans à l'eau de rose et se fichaient de lui, toujours tiré à quatre épingles. Elles lui disaient qu'il était le candidat idéal pour tomber amoureux de l'une d'elles et la ranger des voitures. Tout jeune, Tutusaus voyait en l'amour une chose plutôt ridicule et pourvoyeuse de soucis. Adulte, il pensait que ce sentiment était un complément vital totalement superflu, même s'il n'en avait pas peur. Il ne s'agissait pas de craindre « d'entrouvrir pour la première fois les yeux sur un paysage neuf, devant des yeux nouveaux, ni de caresser un corps insoupçonné et fugitif, ni de prendre un chemin qui vient de naître »... comme le lui récitait une des putes, citant un auteur aussi prétentieux qu'imbuvable. Non, il craignait plutôt que la suite n'en vaille plus autant la peine, et que cela ne lui apporte, finalement, rien de bien intéressant. En cette année 1953, Tutusaus venait de fêter ses trente ans, un âge étrange qui le troublait souvent ; ni jeune ni âgé, et pas encore célibataire endurci. Les choses allaient plutôt bien pour lui. Sa carrière militaire se déroulait favorablement. Déjà capitaine, il s'enorgueillissait de l'amitié et de la complicité du général Pozos. Son travail lui apportait une certaine indépendance, que ce soit au sein des laboratoires militaires ou bien lors de l'exécution de ses missions spéciales. Il vivait dans une pension où on le traitait comme un prince. La fille dont il était tombé amoureux s'appelait Obdulia, mais tout le monde disait Lía. Elle était domestique dans la maison du lieutenant-général Espejo et suivait, le soir, des études de comptabilité et d'administration commerciale, pour plus tard. Leur première rencontre eut lieu dans les bâtiments de la capitainerie générale, lors de la fête de leur sainte patronne. Elle s'occupait, dans une salle à l'écart, des jeunes enfants du lieutenant-général, un bébé et un enfant de six ou sept ans qui semblait attardé. Tutusaus la surprit à un moment bien particulier ; il vit la jeune fille s'approcher de l'aîné, immobile et absent, et lui flanquer soudain une bonne gifle. Étonné, Tutusaus continua à l'observer, et elle s'en rendit compte.

— Pourquoi l'avez-vous puni ? Il était sage...

La jeune fille lui expliqua tranquillement :

— Voilà le problème : il est trop sage. Ne vous inquiétez pas : pour le moment, ça suffira. J'ai visé juste. Le gamin prend petit à petit une tête de débile. Quand je le vois la bouche ouverte, la salive qui coule des lèvres, c'est le moment : une bonne gifle ! Et pendant quelques minutes, il semble redevenir normal. Ce pauvre petit, on dirait une machine qui a des ratés, on lui file une bonne claque sur la nuque et, si on vise bien, ça lui remet les pièces en place. Je le connais bien, alors, normalement, avec deux gifles ça suffit, ajouta-t-elle un peu gênée.

Devant l'uniforme flambant neuf que Tutusaus arborait pour l'occasion, elle ajouta :

— D'ailleurs, c'est le médecin lui-même qui l'a recommandé à mes patrons... C'est pour ça que les parents du petit m'ont donné la permission de le...

Et elle accompagna l'inflexion de sa voix d'un geste sans équivoque de la main.

Tutusaus, qui n'était pas encore revenu de sa surprise, observa le gamin ; comme l'avait dit la jeune fille, il le trouva normal. Il bavarda avec elle, et quelque chose remua au fond de lui.

Il en tomba follement amoureux, en moins de temps qu'il ne faut pour le dire. Et ce fut réciproque. À la pension, tout le monde se fichait de lui :

— Allons, Tutusaus, lui disait la patronne en souriant de toutes ses dents, ferme un peu la bouche, à force de contempler ta petite femme, tu vas te déshydrater tellement tu baves... Et fais attention, t'es tellement tendu que tu vas te chopper la sciatique, et alors, il risque de t'arriver la même chose qu'à ce pauvre Juanito de chez Mme Manolita...

— Et qu'est-ce qu'il lui est arrivé, à ce dénommé Juanito ? demanda Tutusaus, intrigué.

— Oh, c'est déjà une vieille histoire... Mais voilà, il était très amoureux d'une petite bonne du quartier. Tous les soirs il allait se promener sous son balcon, aussi raide que si on lui avait planté un piquet dans le dos. Il se promenait, la saluait et continuait son chemin. Un soir, après l'avoir saluée, toujours aussi raide que d'habitude, et vu qu'il ne faisait pas attention où il marchait, il a trébuché et il est tombé. Un tramway descendait à toute allure au même moment, et a pas eu le temps de freiner. La roue est passée à un centimètre de sa tête. Tout juste si elle lui a pas tracé la raie... Ce pauvre Juanito a été hospitalisé à cause du choc nerveux. Il a récupéré, mais comme tout le monde se fichait de lui, il a tout vendu et a émigré en Argentine...

La patronne s'était mise à rire tout en tapotant l'épaule de Tutusaus.

Ensuite, tout alla très vite. Tutusaus vivait un rêve éveillé. Pour la première fois de sa vie, il pouvait parler à quelqu'un à cœur ouvert. Et, comble de malchance, la jeune fille ne rechignait pas à l'accompagner, de temps en temps, le jeudi après-midi, dans un *meublé* discret... Elle était douce et patiente. Quelques mois plus tard, elle autorisa Tutusaus à flanquer une gifle au fils du lieutenant-général. Il en rêvait depuis le premier jour ; c'était même devenu une obsession chez lui. Cette union intime entre mécanique et âme lui semblait merveilleuse : une gifle, et tout fonctionnait à nouveau. Un système efficace, pratique et sans bavure. Si seulement il avait pu en être ainsi pour tout ! Par exemple, coincer un ennemi de la patrie, et d'une bonne baffe en pleine tête, remettre son esprit dans le droit chemin. De fait, plus d'une fois, Tutusaus se reprocha de n'aimer Lía que parce qu'elle lui permettait de se livrer à ces gifles thérapeutiques... Quoi qu'il en soit, au laboratoire, lors de ses expériences, Tutusaus se surprenait à penser à elle au lieu de penser à Franco, comme à son habitude. Conscient de l'état de faiblesse dans lequel l'amour le laissait, il traversa des jours insupportables où même parler lui devint pénible. Un jour, il n'y tint plus et expliqua à la jeune fille sa véritable fonction au sein de l'armée. Elle en fut horrifiée et s'enfuit en courant. Pour Tutusaus, cela coïncida avec une mutation temporaire qui le retint quatre mois à Lisbonne, où il exerça en compagnie de quelques collègues de la PIDE portugaise. Il lui écrivait. Elle ne répondait pas. Il revint à Madrid, et la jeune employée lui dit qu'elle ne voulait plus rien savoir de lui, qu'il lui était impossible de l'aimer. Tutusaus ne comprenait pas. Il ne voyait pas ce qu'il avait fait de mal. Il cessa de la voir durant quelques semaines. Le bruit commença alors à courir, dans les cercles militaires de la capitale, que le lieutenant-général Espejo jouissait des faveurs de la petite bonne chargée de s'occuper de ses enfants. Tutusaus en resta pétrifié. Tout cela était nouveau pour lui. Il ne parvenait pas à prendre de décision. Il se trouvait dépassé par ses émotions, possédé par des sentiments qu'il ne pouvait contenir. Il essayait de l'oublier, de ne plus y penser, en vain. Il voyait Lía se livrer avec le lieutenant-général Espejo aux mêmes jeux érotiques qu'il avait pratiqués avec elle, et devenait fou furieux. Pendant un temps, il désira la mort des deux amants. Finalement, privé de défense, impressionné par ses propres réactions, Tutusaus laissa parler ses tripes. Et, un jour de l'automne 1954, il se décida à les éliminer. Incapable de penser, de parler, de prendre la fille à part et de lui dire simplement : « tu m'as déçu », il avait besoin de provoquer en elle une douleur physique pour qu'elle comprenne à quel point elle l'avait blessé moralement. Mais il ne parvint pas à les tuer. Au lieu de les empoisonner, il entra pistolet à la main dans le même *meublé* où ils avaient fait l'amour tous les deux, quelques mois plus tôt. D'un coup de pied dans la porte, il pénétra dans la chambre et pointa le canon de son arme sur la tempe du lieutenant-général Espejo, déshabillé et en état d'infériorité. La fille resta muette de surprise, pétrifiée de peur. Mais Tutusaus, l'implacable Tutusaus, fut incapable de tirer. Il laissa son supérieur allongé par terre, avec un début d'angine de poitrine, et s'en alla. Après s'être remis de sa frayeur, le lieutenant-général cria vengeance pour cette humiliation. Heureusement pour Tutusaus, entre les pressions de l'entourage de Franco, qui ne voulait pas faire de publicité pour les aventures extraconjugales d'un haut dignitaire de l'armée sur le point d'être promu, et la rapidité de réaction du général Pozos Bermúdez, qui avait emmené Tutusaus avec lui à près de deux mille kilomètres de distance vers une nouvelle affectation au Sahara, l'affaire fut étouffée de manière plus incompétente que discrète. Quant à la jeune fille, personne ne sut ce qu'elle était devenue : elle disparut du jour au lendemain. Tout comme les envies de tomber amoureux de Tutusaus. « Jamais plus », s'était-il dit. Et lorsque Tutusaus disait jamais plus, c'était jamais plus.

Il observa Heredero à côté de lui, immobile, et lança :

— La vie, c'est de la merde, et l'amour de la merde en barre.

Le bruit du moteur couvrit sa voix, les passagers l'entendirent, sans comprendre. Ils attendirent quelques secondes pour voir si Tutusaus répétait son message, en vain. La route était pleine de nids-de-poule et Heredero veillait à ne rien heurter de sa tête. Il pensait que l'absence de suspension de la Seat 1400 de Tutusaus parviendrait à provoquer ce que son exécuteur même avait raté. À l'arrière, l'estropié parlait, parlait. Son ventre plein le rendait de nouveau loquace. Il parlait tout seul. Il gesticulait furieusement et serrait parfois l'épaule de Tutusaus ou d'Heredero pour souligner quelque chose. La femme, à genoux sur la banquette, regardait par la lunette arrière. Tutusaus observait ses fesses et ses jambes dans son rétroviseur et réfléchissait, il avait envie de lâcher le volant. Il imaginait sa voiture continuant à rouler tout droit, comme si la ligne au centre de la chaussée était une sorte d'aimant qui guidait le véhicule. L'estropié tira Heredero par la manche :

— Racontez-moi une histoire drôle, s'il vous plaît... Vous aimez les taureaux ?

— Les taureaux ? Tu veux dire les *corridas* ?

— Oui.

— Je n'y connais pas grand-chose.

— Eh bien moi si. Quel malheur qu'on vive si mal dans cette putain de ville. Je parle de Barcelone, hein... Ils se vantent d'avoir un public d'amateurs très calés. Peut-être, oui, qu'ils sont très calés, mais amateurs, j'ai des doutes, parce que vu le nombre qu'ils sont... Vous croyez pas ?

Heredero ne l'écoutait pas. L'unijambiste s'adressa alors à Tutusaus :

— Et toi, t'en penses quoi ?

— Que tu pues.

— Encore ? Mais va te faire foutre ! Tu penses peut-être que tu peux me traiter comme ça, juste parce que tu m'as invité à manger un bout d'omelette aux patates ?

Le silence s'installa quelques minutes dans le véhicule, avant d'être de nouveau rompu par l'estropié, qui n'avait pas perdu le fil de ses pensées. Il se mit à parler, comme pour lui-même :

— Les jours de corrida, on s'approche des arènes pour faire la manche. Là-bas, si je laisse la fille au concierge pour qu'il la pelote un peu, il m'installe au premier rang...

— Tu veux dire qu'en plus, tu la prostitues ? demanda Heredero d'un ton outré.

— Uniquement quand c'est indispensable...

— Mon Dieu...

Mais l'estropié continuait sur sa lancée :

— Une fois, un des maîtres qui toréait cet après-midi-là m'a vu à la porte et a ordonné à son mandataire de me donner cent balles. Cent balles ! Il s'est approché et je lui ai serré la main. Je lui ai demandé si les toreros avaient peur... Et vous savez ce qu'il m'a répondu ?

Silence. Il secoua Heredero et répéta sa question :

— Vous savez ce qu'il m'a répondu ?

— Mais je n'en sais rien, moi...

— Il m'a répondu : « La peur, ça n'est pas la même chose que la lâcheté. Si un torero était un lâche, il ne pourrait jamais se mettre devant le taureau. N'importe quel torero a peur, mais il a en même temps assez de couilles pour se glisser dans son *habit de lumière* et se jeter dans l'arène... » Qu'est-ce que vous en dites ? Grandiose, non ?

— Moi, je trouve que c'est exagéré, répondit Heredero.

— Exagéré ? Monsieur trouve ça exagéré ? Et qu'est-ce que vous en savez, vous...

— J'ai entendu dire qu'il y a des toreros qui comparent la tauromachie à un acte sexuel avec une femme qui te rend fou de désir, ajouta Heredero.

— Ça me plaît déjà mieux, ça, mon petit monsieur. Quand une grosse bête de six cents kilos et deux cornes passe tranquillement à quinze centimètres de toi, sûr qu'on doit ressentir quelque chose, un peu comme quand on gicle.

Tutusaus pensait qu'on éprouve aussi cette sensation quand on tue quelqu'un après avoir pris un certain risque. Cela lui était arrivé la seule fois où il avait assassiné une femme. Comme souvent, le scénario initial ne le prévoyait pas. À l'égal de Mme Vilallonga, elle se trouvait au mauvais endroit, au mauvais moment, et avec la mauvaise personne. Il s'agissait de l'épouse d'un indic. Quelqu'un s'était méfié de ce dernier, il semblait utiliser sa femme pour jouer un double jeu. On fit donc suivre son épouse. Elle s'en rendit compte et prit peur. L'indic téléphona et demanda un rendez-vous. Il semblait fort nerveux. Tutusaus et le général s'y rendirent. C'était dans une auberge tranquille et agréable du vieux Madrid, en pleine nuit, en dehors des heures habituelles de travail. L'homme était déjà là. Une fois assis, le général lui demanda s'il désirait boire quelque chose. Lui, frisant l'hystérie, lui lança :

— J'ai demandé ce rendez-vous pour vous communiquer la chose suivante. En deux mots : laissez ma femme tranquille. Si vous continuez à la surveiller et à agir comme si je n'étais pas réglo, je vous jure que là, oui, ça me foutra sur les nerfs, et là, je serai capable de tout.

— Ah oui ? Et de quoi ? interrogea le général d'un ton glacial.

— Je vous ai prévenus. Bonne nuit.

L'homme se leva. Le général l'agrippa par la manche et le fit se rasseoir.

— Tu t'en vas nulle part, espèce de chiffe molle.

Le type prit peur et essaya de se dégager d'un mouvement

brusque. Il perdit l'équilibre et tomba en arrière, emportant deux tables dans sa chute. Sa tête heurta le sol et il s'évanouit. Tutusaus se redressa au moment précis où la femme de l'indic sortait inopinément des toilettes d'hommes, arme au poing. Elle vit son mari à terre et le général qui s'approchait, elle n'hésita pas une seconde et tira une balle qui le blessa au bras. Tutusaus, instinctivement, se retourna vers elle, encore désarmé. Il s'avança et lut dans ses yeux qu'elle avait l'intention de le tuer. C'était une jolie femme, bien faite. Elle tira et le rata. Elle recula. Il glissa la main dans sa veste et en sortit son pistolet. Elle tira de nouveau et, cette fois-ci, la balle frôla sa tempe droite. La douleur et le sang qui coulait sur son visage l'excitèrent. Il était tout près d'elle. Voyant qu'elle pensait tirer de nouveau, il lui colla une balle dans la tête. Le général, rendu furieux à cause de sa blessure, ordonna à Tutusaus de faire disparaître les corps le plus vite possible. Ce qu'il fit. Il les emporta à Montsol. Il liquida l'indic à l'aide d'un poison très particulier, à base de sang de taureau en décomposition. Il garda la femme deux jours, nue, allongée sur la table, parfaitement nettoyée. Deux jours extrêmement longs où la vision de ce cadavre le troubla si fort qu'il eut du mal à l'emporter dans le bois avec les autres. Et ce souvenir le troublait tant que son pantalon s'en gonflait encore à la hauteur de la braguette. Il les avait enterrés ensemble. C'était la seule tombe double de Montsol... Ça ne serait peut-être pas la seule : le rire de l'estropié et de sa femme le ramena à la réalité. L'homme lui tapa sur l'épaule :

— Et toi, alors ?

— Alors quoi ?

— Ça te ferait jouir de sentir un taureau te passer au ras des couilles ?

Il ne répondit pas. Heredero avait appuyé sa tête sur son dossier, il était blême et respirait difficilement. Il était soudain entré en crise. Il porta lui-même à sa bouche quelques médicaments.

— Tu vois pas que cet homme est en train d'étouffer,

espèce de salaud ? dit l'estropié en tirant Tutusaus par sa chemise.

— Tu empestes... lui jeta ce dernier, entre ses dents.

L'estropié avait le don de le rendre nerveux, rien que par le ton de sa voix. De toute manière, il allait devoir s'arrêter. Le moteur chauffait, il perdait un peu d'huile...

Ils dépassèrent un âne blanc qui cheminait en solitaire, paresseusement, mais bien discipliné sur la droite de la route, chargé de quatre besaces en alfa hermétiquement fermées. Quelques dizaines de mètres devant lui, après un virage, alors qu'ils avaient déjà perdu l'âne de vue, une gamine surgit au milieu de la chaussée. Tutusaus ne put faire autrement que s'arrêter. La petite, âgée d'une huitaine d'années, coiffée de deux nattes et vêtue d'une jolie robe, s'approcha tranquillement de la vitre de la voiture. Elle marchait pieds nus, ses espadrilles à la main. Une vraie femme en miniature. Heredero baissa sa glace et, après avoir essuyé sa sueur et toussé, lui demanda ce qu'elle voulait.

— Vous êtes passés il y a pas longtemps à côté d'une bourrique idiote ? demanda-t-elle très sérieusement.

— Un âne blanc ?

— Oui, et idiot aussi.

— Alors oui, il n'y a pas longtemps. Ne te soucie pas, il ne va pas tarder à arriver, lui dit Heredero en s'efforçant de sourire.

— Ça vaut mieux pour lui. Il a refusé d'avancer et je l'ai laissé tomber avec son chargement. Je suis têtue, moi aussi. Heureusement, il sait ce qu'il a à faire. Et vaut mieux que le lait ne tourne pas, sinon je le tue. Il y a une demi-heure que je l'attends. Vous êtes des touristes ?

— Pas exactement, dit Heredero.

Il se remit à tousser, et constella son mouchoir de sang.

— On peut descendre à la rivière ? questionna Tutusaus pour détourner l'attention de la gamine.

— Oui, un peu plus loin, il y a un chemin sur la droite...

— On peut y garer la voiture ?

— Oui, il y a un petit coin pour.

— Merci.

— Au revoir.

— Au revoir.

Et cette gamine qui ressemblait tant à une femme s'écarta et les laissa passer. Elle se dirigea vers le bas-côté, la mine maussade, et s'assit sur une pierre pour attendre son âne. Heredero se tourna péniblement vers Tutusaus et s'apprêta à lui dire quelque chose, mais l'estropié le devança :

— Qu'est-ce qui te prend, avec cette histoire de rivière ? Vous voulez donc prendre un petit bain, monsieur Tutusaus ?

— Tu empestes. Alors, la ferme.

— Je ne veux pas me taire ! J'en ai marre ! Et fais gaffe, parce que tel que t'es, espèce de taré, je pourrais t'ouvrir le crâne d'un coup de béquille et...

Tutusaus freina brusquement, sortit de la voiture, ouvrit la portière arrière, extirpa l'estropié d'un seul geste et, l'attrapant d'une main par le col, le gifla de l'autre à quatre reprises. Puis il le jeta sur la chaussée telle une poupée désarticulée, revint vers la voiture, attrapa la béquille et la lui balança dessus. Il reprit sa place et démarra sans un mot. Derrière lui, l'estropié, au milieu de la route, levait les bras en criant, et rapetissait à mesure qu'ils s'éloignaient. Dans la voiture, la femme, inexpressive, l'observait par la lunette arrière.

— Tu penses le laisser là, sur la chaussée ? demanda Heredero.

— Non, répondit Tutusaus.

Ils arrivèrent au chemin de traverse qui descendait vers la rivière. Tutusaus mit son clignotant et tourna. L'ombre des arbres fondit sur eux sans crier gare. Une minuscule esplanade se trouvait à une vingtaine de mètres de là, tout près de la Corb, qui coulait en contrebas, dans une zone sombre à proximité de la station thermale de Vallfogona. Un coin de forêt, caché et plein de mousse. Ils sortirent de la voiture. L'odeur de la rivière montait jusqu'à eux.

— Il va falloir changer l'huile et remettre de l'eau dans le radiateur. On va laisser le moteur refroidir, dit Tutusaus.

— Ça me fera du bien de prendre l'air, ajouta Heredero.

Tutusaus ouvrit la portière arrière, mais la femme ne bougea pas d'un poil. Il haussa les épaules, prit un petit bidon et descendit jusqu'à la rivière en compagnie d'Heredero. Il remplit le bidon d'eau et laissa l'industriel barboter. Il revint vers la voiture. La femme avait disparu. Il ouvrit le capot et commença à remplir le radiateur. Il allait réintroduire la jauge d'huile dans son emplacement quand il la vit arriver par le petit chemin, venant de la route, avec l'estropié. Elle le portait à califourchon sur son dos, la béquille tenue à la perpendiculaire, comme un couple de gamins en train de jouer aux cavaliers prêts à s'affronter lors d'un tournoi. Ils s'arrêtèrent à côté de lui. L'estropié mit pied à terre et fixa Tutusaus.

— Ça, je m'en souviendrai. Tu ne cesseras jamais d'être un taré. Le plus grand taré que...

— À l'eau... le coupa brusquement Tutusaus, avant d'ajouter : Il y a du savon dans la boîte à gants. Et elle aussi.

L'estropié souffla bruyamment, puis obtempéra sans mot dire. Tutusaus referma le capot et les suivit. La femme se mit à l'eau tout habillée. Lui se déshabilla complètement et s'assit dans le lit de la rivière tandis qu'elle lui frottait la tête et le dos à l'aide de la savonnette. Tutusaus s'assit à côté d'Heredero.

— Mais quel salaud tu es, Tutusaus ? lui demanda l'industriel, d'un seul coup, après une minute de silence.

Tutusaus ne répondit pas.

— Tu avais déjà tué des gens avant cette nuit ?

Tutusaus réfléchit, pour savoir si ça valait la peine de répondre. Finalement, il dit :

— Oui.

— Tu me tuerais, moi ? l'interrogea Heredero en changeant brusquement de ton, devenant sec et méprisant.

Tutusaus le dévisagea. Il en avait déjà vu des mélancoliques de cet acabit, des gens qui pouvaient d'un instant à l'autre devenir de dangereux maniaco-dépressifs. L'anémie d'Heredero était criante. Tutusaus se souvint que pour déterminer si un hémophile souffrait d'une hémorragie interne, il fallait examiner ses selles. Pâle et faible, l'homme faisait de la peine. Il répéta sa question, cette fois-ci plus doucement :

— Tu me tuerais ?

Tutusaus lui répondit :

— S'il le fallait, oui.

— Tu dois me tuer ?

— Pour le moment, non.

— Et de quoi ça dépend ?

— Des ordres.

— Tu es un assassin...

— Tout dépend de la manière dont on se place.

— Tu es un bourreau, alors...

— Peut-être, oui.

— Un serviteur modèle de l'État. Heureusement que, pour le moment, nous sommes associés.

Tutusaus, tournant les yeux vers la rivière, ne répondit pas. Les feuilles des arbres s'agitaient et renvoyaient des éclaboussures de lumière. Il fut soudain surpris par la vision de la femme. Elle était nue ? Elle avait tout enlevé, excepté son collier. Ses cheveux, jusque-là toujours attachés, flottaient sur l'eau. Les couches de crasse avaient dissimulé un corps plutôt joli et encore bien conservé. L'estropié la lavait avec une étonnante délicatesse, tout en lui disant à voix basse des mots que Tutusaus ne pouvait entendre. Heredero eut une moue dégoûtée et dit :

— Je n'ai pas envie de discuter avec toi, Tutusaus. Protège-moi si c'est ce qu'on t'a demandé. Mais que ce soit bien clair : si quelqu'un t'ordonne de me liquider, je me défendrai. Je n'ai absolument pas peur.

— Ça vaut mieux.

Une minute de silence s'écoula. Heredero demanda :

— Et puisqu'on en parle, par curiosité, comment tu me tuerais ? Je suis un peu morbide, je sais...

— Proprement, répondit Tutusaus.

Puis il ajouta, d'un ton pernicieux :

— Sans souffrance.

— C'est trop aimable.

— C'est ce que je fais avec tout le monde.

— Pourquoi tu as commencé ? Non, ne me le dis pas, il y a des choses qui nous dépassent, n'est-ce pas ? dit Heredero, cynique.

Tutusaus le regarda sérieusement et répliqua :

— Oui.

— Et, parfois, il est évident qu'on peut faire du bien en tuant quelqu'un, non ?

— Le Généralissime a mené une guerre nécessaire.

— Nous ne sommes pas en train de parler de guerre. Une guerre, c'est différent. Je te parle de paix. Il faut écarter la pomme pourrie du panier, c'est ça ?

— Oui.

— Tu m'exaspères ! Tu es cinglé. Tu liquides quelqu'un en pensant que, de cette manière, tu sauveras d'autres vies ?

— Le général le dit. Et je le crois.

— Ce qui veut dire que tu agis en étant mû par le respect de la vie ?

— Non. Je suis mû par ce qu'on m'ordonne.

— Oui, bien sûr... Et le général t'a enseigné à ne respecter que les vies qui en valent la peine, c'est ça ?

— Oui.

— Et qui établit le nombre de points à partir duquel une vie vaut la peine ? Le général aussi ? Tu crois peut-être que les gens que tu as tués ne pensaient pas, eux aussi, que leur vie était la plus importante du monde ?

— C'est possible. Mais le général dit que beaucoup de traîtres se surestiment.

— Le général dit, le général dit... Mon Dieu, où ai-je été me fourrer... Je pressentais que des gens comme toi existaient mais, évidemment, je n'en avais jamais rencontré... Alors, tu es donc une sorte de bourreau, un professionnel.

— Un fonctionnaire.

— Très bien, d'accord, tu me l'as déjà dit mille fois. Toi, au moins, tu sais clairement que c'est ton boulot, et voilà. Si on te demande de liquider quelqu'un, tu le chopes et tu le liquides.

— Oui.

— Même si c'est illégal, il faut bien nettoyer les égouts de temps en temps, et supprimer les rats, c'est ça ? Et puis, comme je le disais à ton vénéré général Pozos, tout le monde le fait : Américains, Britanniques, Français... Tu sais le latin, Tutusaus ?

— Non.

— Il y a deux phrases : « salus publica suprema lex » et « fiat justitia, pereat mundus ». Ce qui veut dire « Le salut de l'État est la loi suprême » et « Que la justice soit faite, même si le monde doit en périr. » Ça peut paraître contradictoire. De deux choses l'une : soit on met l'État au-dessus de tout, et alors l'existence de gens comme toi est normale et même obligatoire, dernier maillon insignifiant dans la chaîne d'auto-défense, soit on demande la justice avant tout, même si celle-ci comporte la destruction de l'État. Je ne suis pas un puritain, j'accepte le régime, le régime a fait de moi un multimillion-naire, il m'a tout donné. Et je comprends qu'il faut parfois faire des choses répugnantes pour maintenir un certain ordre...

— Alors c'est parfait...

— Parfait... Mais qu'est-ce qu'il me prend, putain... gémit Heredero. Pourquoi faire tant de manières ? Au fond, je ne vaux guère mieux que toi. J'ai même l'impression que je suis pire, bien pire que toute cette bande que je vous ai présentée le premier jour, au club Palomo. Des vantards, qui s'affichent sans aucune discrétion. Tu t'en souviens ?

— Oui.

— Je suis pire qu'eux, parce que, au fond, ce qui me dérange est une question purement esthétique : nous appor-tons notre soutien à un État déterminé pour que, entre autres, il soit efficace et maintienne les égouts propres, en secret, et sans éclaboussures. Je ne demande qu'à ceux qui s'enrichis-sent grâce à leurs privilèges qu'une chose : rester discrets. Comme je le fais moi-même, merde ! Il y a même des fonc-tionnaires qui commettent des délits en profitant, avec un culot inouï, des moyens juridiques, économiques et humains que l'État a placés entre leurs mains pour qu'ils fassent leur travail. Et s'ils se font prendre en flagrant délit, ils entendent bien continuer à profiter de ces mêmes moyens et privilèges pour faire obstruction à l'action de la justice ! Quand on discute avec eux et qu'on leur suggère, pour éviter de sombrer dans le ridicule, d'abandonner ne serait-ce qu'un temps leurs activités économiques et politiques, ils s'indignent, te racontent n'importe quoi, te menacent même... Ils attirent trop l'attention... Je suppose que tu dois penser que je suis cynique. Peut-être que oui. Mais puisque je dois vivre entouré d'incapables, qu'ils sachent au moins garder les formes. Rien que pour ça, déjà, je ferais un bon roi. À propos, puisqu'on parle de garder les formes, justement, si je suis un jour chef de l'État, je devrai peut-être demander à ce qu'on te condamne et qu'on t'applique le garrot vil, parce que tu es un assassin... Qu'est-ce que t'en penses ?

— Rien.

— Et je pèserai même de toutes mes forces dans ce sens.

— Je ne fais qu'obéir aux ordres.

Heredero, fatigué, se tut et Tutusaus lui en sut gré. Cette conversation ne menait nulle part. Il ne faisait qu'obéir aux ordres. Et pas à tout le monde, uniquement au général Pozos. Il trouvait cela juste. En 1939, ce dernier aurait pu l'écraser aussi facilement qu'un ver de terre. Le général avait raison quand il lui rappelait, de temps en temps, qu'il aurait pu le tuer, comme son père, et qu'il ne l'avait pas fait. Tutusaus considérait donc que le sens de sa vie dépendrait toujours de ce que le général voudrait bien lui donner. C'était aussi simple que ça. Et s'il se sentait soudain un peu anxieux, c'était justement parce que le manque d'ordre concret commençait à le faire souffrir.

— Comment les gens se laissent-il tuer ? demanda Heredero en rompant brusquement le silence.

Tutusaus le dévisagea. Il n'avait jamais parlé si franchement avec ses futures victimes. Et il n'était pas encore très sûr qu'Heredero en fasse partie.

— Ça dépend... répondit Tutusaus.

— Il y en a qui se défendent ?

— Oui.

— Les audacieux... rétorqua Heredero, d'un ton sarcastique, avant de poursuivre : Tu n'as aucun mérite. Tu as l'avantage, ils n'ont pas l'expérience de la lutte pour la survie, alors que toi tu as une grande pratique à l'heure de tuer.

— Je n'échoue jamais.

— Certains meurent avec indifférence ?

— Parfois.

— Et avec rage ?

— Aussi.

— Et pour la plupart ?

— Ils ne s'en rendent même pas compte.

— Ils ne te disent rien ? Ils n'essayent pas un discours au dernier moment ?

— Quelquefois. Des idéalistes...

— Non, des imbéciles : ils n'ont pas de public. Tu es plus dur que la pierre.

Tutusaus lui coupa soudain la parole :

— Les discours sont des histoires de vivants.

— Et quand on se retrouve seul avec toi, tu veux dire que ce qu'il faut, c'est préparer des histoires de défunts, c'est ça ?

— Plus ou moins.

— Tu me fais peur. Je ne sais pas si je veux être roi. Je ne veux pas être roi. Je vais foutre le camp. J'ai beaucoup d'argent à l'étranger. Je vais recommencer une nouvelle vie sous une fausse identité. Vous n'arriverez jamais à remonter jusqu'à moi. Non, je ne veux pas être roi.

— Vous serez ce qu'on vous dira d'être.

Tutusaus se souvint d'une de ses lectures favorites : l'histoire des empereurs romains morts empoisonnés. Son préféré était Claudius. Tout comme Heredero en cet instant, il ne voulait pas non plus être empereur. Après l'assassinat de Caligula, Claudius se cacha derrière des rideaux du palais. C'est là qu'il fut découvert par quelques centurions qui s'empressèrent de le proclamer empereur. Des années plus tard, son penchant pour les champignons le conduirait à la mort.

— Tutusaus...

— Quoi ?

— Tu ne t'es jamais posé la question de savoir si tu t'étais trompé, si nous nous étions trompés ?

— Non.

C'était un mensonge, mais Tutusaus ne voulait pas l'admettre devant Heredero. Se tromper, se tromper... Qu'est-ce qu'il en savait, lui, s'il s'était ou non trompé ? Et puis, quelle importance revêtaient ses erreurs ? Tutusaus songeait que seuls les gens tels qu'Heredero, des personnes importantes, étaient éduqués dans la considération de leurs erreurs et de leurs réussites. Leurs décisions, en revanche, n'avaient que bien peu de valeur. Heredero venait de rendre Tutusaus nerveux. Il était si changeant, à la fois cynique et sentimental, courageux et trouillard... Tutusaus avait du mal à imaginer qu'il puisse devenir roi d'Espagne, et encore moins prendre la succession de Son Excellence...

Tout à leur bavardage, ils s'étaient désintéressés de l'estropié et de sa femme. Ces derniers, une fois rhabillés, tremblant comme des feuilles dans l'air frais, semblaient s'être métamorphosés. Heredero et Tutusaus découvrirent alors que, de sous la couche de crasse, c'était finalement une jeune femme, et non une femme, qui avait émergé. Elle devait avoir vingt-cinq ou trente ans maximum, alors qu'on lui en aurait donné quarante, une demi-heure plus tôt. Elle ressemblait à ces vendeuses de vingt ans qui paraissent en avoir dix de plus à cause de leur maquillage et de leur tenue. Ses cheveux étaient châtain clair. Quelques instants auparavant, on se demandait s'ils étaient gris de crasse ou d'un indéfinissable gris crasseux. Dans son visage propre, ses yeux débarrassés de leurs croûtes, ces mêmes yeux qui se perdaient toujours au-delà des épaules de ses interlocuteurs, paraissaient plus petits et plus vifs. Vraiment, elle n'était pas laide. L'estropié lut la même chose sur les deux visages, celui d'Heredero et celui de Tutusaus :

— Vous la baiseriez bien un coup, hein ?

Tutusaus lui jeta un regard sans équivoque.

— Bon, bon, très bien, très bien, ne te fâche pas ! Je commence à les connaître, tes changements d'humeur...

L'estropié avait changé, lui aussi. Il ne portait que le tricot de corps et le caleçon neuf achetés par Heredero le matin même. Sa dégaine frisait le ridicule. Accroupi au bord de la rivière, il ressemblait à un poulet sans défense, tandis que la jeune femme achevait de lui essuyer les cheveux. Il était mince et efflanqué. Et également assez jeune. Il avait nettoyé ses vêtements, une chemise, un pantalon et une veste, avec le même morceau de savon. Ils devaient maintenant reprendre la route. L'estropié s'enroula dans une serviette, et le baluchon de vêtements à moitié propres et encore mouillés atterrit dans le coffre. La fille entra dans la voiture avec sa robe humide.

— T'es pas content ? Odeur de roses ! lança l'estropié d'un ton moqueur à l'attention de Tutusaus. Puis il partit d'un grand éclat de rire. Tutusaus se contenta de lui faire un signe de la tête pour qu'il entre dans la voiture, et vit pour la première fois le moignon de sa jambe, à mi-cuisse, d'un rose luisant inaccoutumé, fruit de l'action de l'éponge. Heredero aussi le vit. Ils étaient déjà sur la route en direction de Guimerà et de Lérida, lorsque l'industriel se retourna et demanda abruptement :

— Et ta jambe, quand est-ce que tu l'as perdue ?

— Ma jambe ? Qu'est-ce que ça peut vous faire ?

— Qu'est-ce que ça peut me faire ? Mais rien, rien du tout...

Heredero fixa de nouveau la route, devant lui. L'estropié, piqué dans son orgueil, réclama son attention et lui dit :

— Si vous voulez savoir, c'est cette putain de police qui me l'a coupée. Je suis une victime des atrocités policières de ce pays.

Tutusaus l'observa, méfiant, dans le rétroviseur. L'estropié s'en rendit compte et lui fit un clin d'œil.

— Et comment ils te l'ont coupée ?

— Ils m'ont torturé, ils m'ont attaché à une table, les bras dessous et un policier moustachu s'est approché de moi avec un poignard. Il me l'a planté brutalement dans la jambe. J'ai perdu connaissance et quand je me suis réveillé, ma jambe n'était plus là.

Heredero hésita quelques secondes et fut sur le point de tomber dans le panneau :

— Mais on ne coupe pas une jambe pour torturer quelqu'un, imbécile ! Pour couper la jambe d'une personne sans que celle-ci meure d'hémorragie, il faut lui faire subir une intervention chirurgicale dans les règles...

— Ah bon ?

— Mais oui, évidemment.

— Alors je n'ai pas dû la perdre de cette manière (il se mit à rire), j'ai peut-être rêvé. Peut-être que ces choses-là n'arrivent jamais...

Ses rires redoublèrent, entraînant la jeune femme. Ils riaient comme des fous.

— Ça n'arrive jamais, hein c'est vrai, Tutusaus ? cria soudain l'estropié.

Et à Heredero :

— Vous voulez savoir comment je l'ai perdue, en vraie ? À la cimenterie de Garraf. Vous en avez entendu parler ?

— Bien sûr...

— Une sale explosion... Ils ont mis trois heures à me sortir des décombres. Ma jambe y est restée.

— Je suis désolé...

— Comment vous pouvez être désolé, putain...

Le ciel s'assombrit brusquement et libéra d'un seul coup des trombes d'eau, qui semblaient vouloir écraser la voiture sur la route. De chaque côté défilaient des villages, et quelques bars et restaurants plantés telles des bornes kilométriques. C'était un véritable déluge qui obligeait Tutusaus à conduire très lentement. Les essuie-glaces ne parvenaient pas à chasser toute l'eau qui s'abattait sur eux. Des éclairs déchiraient l'obscurité. À l'intérieur du véhicule, Heredero continuait à s'intéresser à l'estropié. Il avait l'impression de se trouver face à un spécimen étrange – un spécimen qu'il rencontrait pour la première et, espérait-il, dernière fois de sa vie :

— Ça fait combien de temps que tu es à la rue ?

— Pas longtemps. Cinq ans, à peu près. J'ai été licencié tout de suite après avoir perdu ma jambe. Au début, je pensais que j'étais foutu ; j'avais pas un rond et j'avais pas appris à en demander. J'ai passé deux jours à traîner, mort de faim.

— Et depuis, tu fais la manche ?

— Non, pendant un temps, j'ai reçu une pension.

— Une pension ? De quoi ?

— De mutilé de guerre.

— Tu te fous de moi ? En 39, tu devais avoir dix ans au maximum...

— J'en avais sept, Monsieur le dégourdi, mais j'ai falsifié mes papiers, j'ai fait les démarches, et personne ne m'a rien demandé.

— Quel pays...

— Ces enflures ont payé ma pension pendant presque un an. Mais quand ils se sont rendu compte de l'affaire, j'ai dû partir en prenant mes jambes à mon cou. Bon, « ma jambe » à mon cou. Qu'ils aillent se faire foutre...

— Tu as vraiment besoin de terminer tes phrases de cette manière ?

— Je termine mes phrases de la façon que ça me sort du bout de la queue, et vous, avec tout votre pognon...

— Ça va, ça va... Et la fille ?

— Je l'ai rencontrée à la cantine des pauvres. Elle aidait les bonnes sœurs. Je leur ai posé des questions à son sujet et elles m'ont dit qu'elle était attardée, qu'elle ne comprenait rien et qu'elle resterait enfermée là toute sa vie. Chaque fois que j'y allais, je l'observais, et je suis bien le seul à m'être aperçu que c'était pas vrai qu'elle comprenait rien. J'ai même découvert la seule chose qui lui donnait vie, comme si on lui allumait le cerveau en appuyant sur un bouton.

— Et c'était quoi ? questionna Heredero, piqué par la curiosité.

— Doña Carmen Polo.

Tutusaus jeta un coup d'œil dans le rétroviseur. Il ne supporterait pas que quelqu'un se fiche de Madame. Heredero, déçu, fit un geste de mépris et se retourna, bien disposé à ne plus écouter les histoires de l'estropié, mais au même moment, il croisa les yeux de la jeune femme et vit qu'ils bougeaient et s'animaient. L'estropié s'en rendit compte, se pencha vers elle et lui dit :

— Hein, c'est vrai ?

Puis s'adressant à Heredero :

— Vous voyez, c'est pas des conneries.

— Vraiment ?

— Bien sûr ! Un dimanche après-midi, lors d'une séance de cinéma que les bonnes sœurs avaient offerte aux pauvres, j'ai vu que lorsque Carmen Polo, avec son allure, ses petits gants, ses petites dents, ses chapeaux et ses perles apparaissait au No-Do, la fille s'éveillait, relevait la tête et fixait attentivement l'écran. J'ai pensé que la femme de Franco lui rappelait peut-être sa mère, ou quelque chose du genre. Après le No-Do, ça ne l'intéressait plus, et elle ne regardait même pas l'écran pendant le film. Elle faisait toujours pareil. J'ai failli l'expliquer aux bonnes sœurs, mais finalement je l'ai pas fait, je voulais pas qu'elles me prennent pour un fêlé. Un jour, j'ai profité d'un moment où elles étaient occupées pour lui apporter un morceau de journal où on voyait doña Carmen à côté de Franco, pour je ne sais quelle inauguration. J'ai planté la photo devant ses yeux et j'ai prononcé les mots magiques : « Polodefranco ! » Elle a automatiquement ouvert les yeux et m'a regardé. Un jour, je l'ai trouvée qui m'attendait dans la rue. Elle s'était échappée. Elle ne dit rien, mais elle comprend beaucoup de choses. Elle ne fait attention qu'à moi. Pour le reste du monde, c'est comme si elle était idiote et sourde... À propos, vous qui êtes un homme important, vous connaissez peut-être doña Carmen...

Heredero, sans même se retourner, répondit d'un ton plein de suffisance :

— Évidemment.

— Vous pourriez pas lui raconter quelque chose, à la fille ? lui dit l'estropié, avant de s'adresser à elle : T'as entendu ? Le Monsieur connaît doña Carmen Polo de Franco !

Au seul nom de Polo, les yeux de la jeune femme s'illuminèrent. Elle demeura bouche ouverte, suspendue aux lèvres d'Heredero comme s'il s'agissait d'une fontaine d'où il ne pouvait jaillir que des merveilles.

— Pourquoi pas ? dit Heredero. Ça nous distrairait... Ça ne te fait rien, hein, Tutusaus ?

Et sans attendre de réponse, il expliqua, un léger sourire aux lèvres :

— Doña Carmen est une femme de caractère, comme le démontre le fait qu'elle ait épousé Franco alors qu'il n'était que commandant, et ce contre la volonté de sa famille, et notamment de sa tante qui avait suppléé sa mère décédée. Doña Carmen se trouvait déjà dotée d'une grande volonté, inaccoutumée chez une jeune fille de quinze ans, et elle a suivi jusqu'au bout le chemin qu'elle s'était fixé, après un long et difficile combat. Les Polo étaient de bonne famille et Franco rien de plus qu'un militaire d'infanterie, sans avenir qui plus est. À cette époque-là, beaucoup d'entre eux mouraient au Maroc.

Heredero, les yeux fixés au plafond de la voiture, parlait, parlait. La jeune femme était littéralement émerveillée. Tutusaus, agrippé à son volant, n'en perdait pas une miette.

— On peut pas dire que le Généralissime était un bon parti, hein, majesté ? cria l'estropié en riant.

— Oh non ! Surtout pour une jeune fille d'une bonne famille d'Oviedo, qui semblait prédestinée à épouser un de ces nombreux millionnaires qui avaient fait fortune dans les Asturies, avec les mines, lors de la Première Guerre mondiale. Mais elle a pris le risque et elle a gagné. Et il l'a récompensée en la couvrant de gloire.

Tutusaus, bien que terriblement confus, ne put résister et demanda d'une voix presque touchante :

— Au fait... C'est vrai qu'elle joue du piano ?

— Et d'autres instruments, oui ! Sans avoir peur d'exagérer, huit ou dix... C'est une femme cultivée, même si on sait qu'elle n'a guère de passion pour les livres.

Heredero se tut. La jeune femme fronça les sourcils. L'estropié vociféra :

— Encore !

— Encore ? Je ne sais pas quoi vous dire...

— À moi non, à elle !

— Bien sûr, bien sûr... (La jeune femme souriait de nouveau.) Donc, bon, chère amie, s'il est vrai que Franco a eu des expériences amoureuses préalables avant de connaître doña Carmen, rien ne dit que, dans sa jeunesse, elle en ait eu elle aussi. Contrairement aux rumeurs, qui disent qu'elle se mêle des décisions politiques de son mari, elle est, et c'est la vérité, d'une stupéfiante discrétion. Elle m'a confié, il est vrai, qu'elle avait encouragé Franco sur la question du « soulèvement », parce qu'elle a toujours montré de l'intérêt à voir son époux gravir les échelons de la hiérarchie militaire...

— Elle vous l'a dit en personne ? questionna Tutusaus.

— D'aussi près que nous le sommes, toi et moi, en ce moment.

Tutusaus en eut un frisson. Heredero, soudain plus animé, interrogea l'estropié à propos du collier de la jeune femme.

— C'est moi qui lui ai acheté des pois chiches blancs, aussi durs que de la pierre, et qui lui ai fabriqué. Après, je lui ai fait voir une photo de Carmen Polo, je lui ai montré le collier qu'elle portait, je lui ai montré celui que je lui avais fait et je lui ai mis aussitôt autour du cou. Elle a failli en faire une attaque, tellement elle était émue. Elle a parfaitement bien compris. Et j'attends de voir le malin qui y touchera. Elle l'enlève jamais, et elle préférerait mourir plutôt que de le laisser... C'est une passion bien innocente, vous trouvez pas ? Elle ne fait de mal à personne...

— Et pourquoi tu la gardes avec toi ?

— Ça n'offre que des avantages : elle mange peu et me sert à tirer ma petite charrette, et je la baise aussi. Si je la mets en cloque, je la renverrai chez les bonnes sœurs.

— Tu ne crois pas qu'elle serait mieux chez elles, comme un être humain, plutôt qu'avec toi, traitée comme une bête ? dit Heredero.

— Vous croyez ça ? Alors essayez donc de la ramener, essayez donc ! Il suffit qu'elle comprenne où vous voulez la conduire et vous pouvez alors toujours vous rhabiller : vous imaginez pas la force qu'elle peut avoir. C'est un vrai diable. Elle serait capable de se laisser tuer, ou de vous sauter à la gorge. Avec moi, elle est libre de voir le monde.

— Et en échange, elle te sert de mulet, et de pute, gratuitement... Je ne sais pas qui y trouve le plus son compte.

— Elle, elle le sait très bien. On va sous les porches des églises pour mendier. Le soir, on fait un tour sur les marchés, pour ramasser les résidus des étals. Beaucoup de gens nous connaissent et nous mettent des choses de côté. Des croûtons de pain sec, on n'en manque jamais. Parfois, quelqu'un vient nous porter une assiette de pot-au-feu. On dort dans la rue. En hiver, il y a des gardiens des marchés municipaux qui nous laissent passer la nuit à l'intérieur. Dans des églises, parfois aussi. Quand on a ramassé un peu de fric, on va dans une pension pour deux ou trois nuits. On se lave, et on lave nos vêtements...

Toutes ces histoires, dans une voiture qui roulait sous la pluie, ressemblaient presque à un conte. Ils demeurèrent un moment silencieux. Dans une montée, après un virage, apparut une pompe à essence toute déglinguée et, un peu plus loin, une sorte d'énorme serre d'hiver, plantée en bord de route. C'était un restaurant, avec des baies vitrées en guise de murs. Tutusaus mit son clignotant et tourna à droite. De l'extérieur, et malgré la pluie, on pouvait voir tout ce qui se passait à l'intérieur. Deux camions étaient déjà garés, ainsi qu'une Seat 1500 noire, neuve. Heredero respirait de nouveau très mal et semblait avoir perdu connaissance. Il allait avoir besoin de médicaments. Tutusaus s'apprêta à sortir. Le restaurant était à cinq mètres environ, mais il tombait des trombes d'eau.

— Qu'est-ce que tu fais ? demanda Heredero sans ouvrir les yeux.

— Qu'est-ce que je fais quoi ?

— Tutusaus, je pars en capilotade, mais je ne suis ni sourd

ni idiot. Nous avons quitté la route et nous nous sommes arrêtés. Pourquoi ?

— Je dois entrer un moment dans ce restaurant.

— Seul ?

— Oui.

— Ça n'est pas pour aller téléphoner, hein ?

— Non. Je veux acheter des sandwichs.

Heredero, les yeux toujours clos, murmura :

— Bon, ne tarde pas. Nous avons fait un pacte...

— Moi j'ai faim et j'ai froid ! cria l'estropié.

Tutusaus lui répondit d'un claquement de portière. Malgré le peu de distance qui le séparait du bâtiment, il ne put éviter, en moins de dix secondes, d'être trempé de la tête aux pieds. Évidemment qu'il voulait téléphoner. Sur la porte d'entrée, on pouvait lire l'avertissement suivant : « Il est interdit d'apporter sa nourriture. » On entendait des coups de feu. Un film qui passait à la télévision. Deux hommes, sans doute les conducteurs du camion garé dehors, attendaient devant la caisse pour payer. Une femme, menue et silencieuse, nettoyait les tables. On aurait dit une serveuse, mais c'était la patronne. Il n'y avait, semble-t-il, pas d'autres clients. Les camionneurs finissaient de payer tout en se racontant une blague sur Franco :

— C'est la fin d'un banquet. Tout est plein d'ambassadeurs et de ministres. Brusquement, un aide de camp se rend compte que Franco s'est endormi. Pour le réveiller sans attirer l'attention, il attrape un siphon et remplit le verre du Général. Celui-ci se réveille à cause du bruit et dit : « Carmen, quand tu auras fini, passe-moi mon urinoir... »

Les deux hommes passèrent à côté de Tutusaus en direction de la pluie, tout en se tapant dans le dos. Le patron saisit son regard peu amène.

— Ne faites pas attention, vous savez ce que c'est, les routiers... lui dit-il, sur un ton légèrement suppliant.

Tutusaus savait bien que les gens se racontaient des plaisanteries sur Franco. Et ça ne lui plaisait pas. Mais ce qui l'énervait vraiment, c'étaient des histoires comme celle qu'il

306

venait d'entendre, où il n'était pas obligatoire qu'il s'agisse de Franco. Ce pouvait être n'importe quel vieux avec sa femme, lors d'un dîner de Noël... Ça n'était pas juste... Le patron essaya de le distraire :

— Bienvenue, monsieur ! Vous êtes au bar routier le moins cher d'Espagne ! Nous ne vivons pas ici, mais nous y passons tellement d'heures que finalement, on pourrait le croire...

Pourquoi lui disait-il cela ? En quoi cela le concernait-il ? Pourquoi tout le monde se mettait-il à lui parler sans lui demander son avis ? Pourquoi les gens étaient-ils aussi pénibles ? Des odeurs de ratatouille, de saucisse et de lardons se mélangeaient. Quelques gamins mangeaient un casse-croûte sur une petite table, devant le poste de télévision. Ça n'était pas un film qui passait, mais un épisode de *Bonanza*.

— Quelle belle invention, la télé... Ils regardent tout. Mais vous savez, ça, c'est rien. Le dimanche après-midi, ils sont quasi hypnotisés. Ils passent *Rintintin*. Vous connaissez ?

— Pas vraiment.

— Ce sont les aventures du jeune caporal Rusty et de son fidèle chien Rintintin. Et ça arrive que même les camionneurs de passage restent babas devant.

Tutusaus commençait à en avoir marre des chiens. Il ne manquait plus qu'il en sorte par douzaines du petit écran.

— Vous allez pas me croire, mais mon aîné, il se met un foulard autour du cou comme s'il portait l'uniforme du petit soldat, et il joue à Rintintin...

L'homme était intarissable. Tutusaus lui commanda des sandwichs et demanda où se trouvait le téléphone. Mais le patron préférait que, au lieu de sandwichs, il lui achète des friands :

— ... Ma femme, ici présente, cuisine une farce maison pour les friands... Ça, oui, ce sont des friands, et ça n'a rien à voir avec ceux qu'on trouve déjà tout préparés. Ma sœur aussi nous aide, et son fiancé...

Tutusaus accepta de changer ses sandwichs pour des friands, au cas où ça le ferait taire.

— Et le téléphone ? répéta-t-il.

— Oui, au fond à gauche, sous l'escalier qui mène aux chambres.

Tutusaus décrocha et composa le numéro secret convenu. Plus ça allait, plus il devenait nerveux. Il entendit la tonalité, mais personne ne répondit. Il jeta un coup d'œil distrait vers l'escalier tout en écoutant les sons froids de l'appareil qui lui confirmaient qu'il n'y avait personne, ou qu'on ne voulait pas lui répondre. Il raccrocha au moment précis où la porte d'une des chambres, au premier étage, se referma. Elle était hors de sa vue. C'est alors qu'il l'entendit à nouveau : un dé qui claque dans un gobelet. Son cœur se mit à battre plus fort, d'un seul coup. Il fit un rapide calcul. Il se souvint de la 1500 noire garée dehors. Ils devaient être plusieurs. Ses chances de réussite étaient nulle. Il fallait foutre le camp. La roulette se remettait en marche ; on allait voir où la boule s'arrêterait, cette fois-ci...

Il revint aussi tranquillement que possible au comptoir. Il fallait simplement que personne ne descende cet escalier à ce moment-là. La boule roulait, roulait...

— Vous êtes sûr que vous ne voulez pas rester dîner et dormir ? lui dit la femme. Une nuit pareille, la dernière chose dont on a envie, c'est bien de voyager. Et d'ailleurs, je viens de donner une de nos chambres il n'y a pas une demi-heure.

Tutusaus lui demanda si la 1500 noire garée dehors appartenait à quelqu'un de chez eux.

— Non, c'est à ces clients dont je viens de vous parler.

— Trois hommes ?

— Non, quatre. Vous les connaissez ? Ils sont en haut. Tenez, vos friands. Vous ne voulez rien à boire ?

— Non, au revoir.

Il lui tendit un billet et partit sans attendre sa monnaie. S'ils avaient loué une chambre cela signifiait qu'ils prenaient cette course-poursuite calmement, mais sans se fourvoyer. Il regarda prudemment dehors, avant de sortir. Tout paraissait en ordre. Il regarda à l'intérieur du restaurant. Le patron et la patronne le saluèrent en même temps d'un geste de la main.

Personne d'autre. Il sortit en trombe vers la voiture, s'y engouffra, jeta les friands à l'arrière et démarra. Tout fut si soudain que personne n'eut le temps de réagir. La 1400 patina et partit à toute allure sous l'orage.

— On peut savoir ce qui se passe ? lui demanda Heredero.

— Ils étaient au restaurant.

— Qui ?

— Eux.

— Qui ?

— Nous devons partir.

Heredero, devant l'attitude de Tutusaus, renonça à obtenir davantage d'éclaircissements. Les phares perçaient avec difficulté le rideau de pluie. La visibilité était extrêmement réduite. Bon conducteur, Tutusaus pouvait se permettre le luxe de rouler à toute allure, malgré les intempéries. Il n'était pas encore huit heures du soir, la clarté du jour, déjà faible, décroissait cependant rapidement. Depuis qu'ils avaient quitté le restaurant, ils n'avaient pas croisé d'autres véhicules. Au bout de dix minutes, ce qui était un soupçon devint alors une conviction : sous la pluie, derrière eux, à une vingtaine de mètres, des phares de voiture ne les lâchaient pas. Lorsqu'il accélérait, le véhicule faisait de même. Quand il réduisait son allure, il la réduisait à son tour. Tutusaus distingua même la silhouette d'une 1500 noire.

Il posa sa main sur le bras d'Heredero.

— Ils nous suivent. Accrochez-vous bien.

— Tu penses pouvoir aller plus vite ?

En guise de réponse, Tutusaus appuya à fond sur l'accélérateur. Ses poursuivants réagirent à l'instant. La pluie tombait dru, on ne voyait rien et Tutusaus s'engageait dans les virages pratiquement en aveugle. Chaque fois qu'il en passait un avec succès, il espérait que ceux de derrière n'y parviendraient pas. Mais ils s'en sortaient également. C'étaient des bons. Ils semblaient jouer au chat et à la souris. Ils se maintenaient à égale distance. Peut-être parce qu'ils savaient qu'il était trop dangereux d'essayer de l'aborder sous cette pluie et à cette vitesse. Il n'était même pas possible de tirer d'un véhicule à l'autre.

Malgré sa fatigue, Tutusaus prenait plus de risques que jamais. Ils traversèrent deux villages à toute vitesse. Avant d'entrer dans Lérida, il prit la route qui menait à Fraga. Il fallait que ses poursuivants pensent que son itinéraire suivait la route de Madrid. Pendant quelques instants la pluie tomba moins fort. C'est à ce moment qu'ils tentèrent d'approcher. Ils tirèrent même quelques coups de feu. Tutusaus ne savait que faire. Cette course-poursuite ne pouvait pas durer toute la nuit. Le moteur poussé au maximum, il se retrouva face à un pont très étroit enjambant un ravin. Il y avait devant lui, au milieu du pont, un tracteur conduit par un paysan qui se protégeait des trombes d'eau à l'aide d'un parapluie. Il avançait très lentement. De l'autre côté, en face, un énorme camion à l'arrêt attendait que le tracteur ait fini de traverser, car il ne pouvait passer qu'un seul véhicule à la fois. Tutusaus s'élança à toute allure, sans la moindre hésitation. Il se colla derrière le tracteur quelques secondes et lorsque ce dernier fut sur le point d'arriver au bout du pont, il s'avança dans l'espace réduit qu'il avait sur sa gauche, et passa en frottant la carrosserie le long du parapet. Il allait se fracasser contre l'énorme camion lorsqu'il donna un coup de volant à droite et prit la poudre d'escampette entre le camion et le tracteur. Il était passé à un millimètre de la roue avant gauche des deux véhicules. En moins de dix secondes, comme un éclair. La frayeur du paysan fut telle qu'il pila net. Mais ce ne fut rien comparé au freinage de la voiture qui les poursuivait, qui tenta la même manœuvre et échoua. Une spectaculaire collision s'ensuivit. L'estropié poussa un cri de victoire. Ils avaient eu leur compte. Il se fichait de savoir qui ils étaient. Cela leur permettrait de gagner un temps précieux. La route dégagée, Tutusaus continua à conduire à vive allure. Personne ne disait rien. Il prit le premier chemin de traverse qu'il trouva pour revenir en direction de Lérida. Avec un peu de chance, on les poursuivrait vers Madrid. Ils traversèrent la ville, déserte en raison de la pluie. Il roulait toujours comme un fou. Il se rendit compte trop tard qu'il était en route vers

Balaguer au lieu de Benavarri et du Val d'Aran. Heredero, le visage déformé par l'effroi, lui dit :

— Tutusaus, je ne sais pas qui c'était, mais quoi qu'il en soit, nous les avons laissés derrière nous, tu n'as plus besoin de rouler aussi vite... Ce n'est plus nécessaire !

Mais Tutusaus ne l'entendait même pas. Il avait les yeux rivés sur la pluie qui tombait dru, frappant sur la carrosserie. Au cœur de la nuit et sous ce déluge, Tutusaus, ivre d'excitation, maintenait sa voiture collée à la ligne blanche. On aurait dit un homme saoul. Il se sentait perdu. Et ce rideau de pluie devant ses yeux lui rappelait les jours passés au Sahara, lorsqu'on leur donnait une jeep avec juste cinquante litres d'eau, et qu'on les envoyait patrouiller dans le désert, parfois pour prendre en chasse une bande de rebelles. Ils se harnachaient de la même manière que les Sahariens eux-mêmes, avec des turbans noirs, pour résister aux cinquante degrés, pour ne pas avaler de poussière et protéger leurs cheveux, leurs yeux et leurs oreilles. Ils partaient à leur poursuite en sachant qu'ils avaient devant eux des gens durs, des gens qui, si besoin était, mangeaient et buvaient à peine et ne transpiraient même pas. Des gens qui savaient se cacher dans le désert. Eux non. Ils pourraient y vivre dix années de plus et ils continueraient toujours à s'y perdre. Les paysages changeaient, les dunes se déplaçaient, des maquis apparaissaient et disparaissaient. Tout cela qu'il pleuve ou qu'il ne pleuve pas. Mais de tout le temps passé là-bas, il ne plut jamais, pas même une seule fois. Pas comme là, où c'était un vrai déluge.

— Tutusaus, tu ne m'écoutes pas ! Tutusaus ! s'époumonait Heredero.

S'ils devaient aller à Balaguer, alors ils iraient à Balaguer, de là ils pourraient récupérer vers le nord par la route de Sort. Tutusaus ne disait rien, n'entendait rien ni personne. La chaussée était mauvaise et le sol glissant. L'estropié, hystérique, le suppliait également de ralentir, hurlant qu'ils allaient déraper... Mais Tutusaus ne jetait même pas un coup d'œil dans son rétroviseur et roulait encore plus vite. Brusquement, il arriva à un virage si serré qu'il était impossible de pouvoir le prendre correctement à cette vitesse-là, et avec ce véhicule-là. Il freina et... dérapa. La voiture oscilla et fit quelques embardées, patinant sur les roues arrière, puis elle fit un tour entier sur elle-même et, privée de contrôle, s'en alla droit dans le fossé. Ils se retrouvèrent embourbés dans une mare à environ cinq mètres de la route. Ce devait être un pré ou un terrain cultivé, sans un seul arbre, mais il pleuvait tant qu'on aurait dit un lac. Un silence impressionnant se fit. On n'entendait plus que le vent gémir et la pluie cogner. La secousse avait été rude, néanmoins ils avaient eu de la chance. À l'arrière, l'estropié était à moitié assommé car il avait heurté la portière avec sa tête. Il gémissait comme un gamin. Heredero, qui s'était cramponné jusque-là aux poignées du siège et du plafond, fulminait. Il s'en était pourtant sorti sans la moindre égratignure.

— Je commence à en avoir marre de toi, Tutusaus, cria-t-il. Mais vraiment marre. Quelle que soit la façon dont tout ça va finir, tu vas me le payer, je te le jure. T'as vraiment un problème au cerveau. Je ne sais pas si t'es paranoïaque, mais en tout cas, t'es un incompétent. Et ce qui m'énerve le plus chez quelqu'un, c'est l'incompétence. Tu vas me le payer, je te le jure...

Il appuya sa tête sur le dossier et ferma les yeux. Sa lèvre supérieure tremblait légèrement. Il était en rage, pâle et malade. Tutusaus ne lui répondit pas. Heredero avait raison. Ce qui lui arrivait ces jours-ci ne lui était jamais arrivé. Il n'était plus le même. Il demanda à l'industriel s'il se sentait bien.

— Qu'est-ce que j'en sais, imbécile ! Mais ne t'inquiète pas, si tu m'as causé une hémorragie interne, tu le sauras très vite...

Tutusaus tenta de redémarrer, en vain, la voiture était plantée dans la boue. L'eau arrivait à mi-roues et celles-ci patinaient. Heredero, effrayé, ajouta :

— La douleur est insupportable, tu sais ? On ne peut pas la cacher...

L'estropié, encore sous la violence du choc, se mit lui aussi à l'engueuler :

— Il n'y a rien à faire ! Qu'est-ce que tu veux, maintenant ? Foutre ta batterie à plat ?

Tutusaus abandonna. Ils demeurèrent une minute sans rien dire, à écouter tomber la pluie. Un très fin filet de sang coulait du nez d'Heredero. Cela valait peut-être mieux qu'une hémorragie interne. L'homme s'essuya avec son mouchoir et chercha un de ses médicaments dans sa trousse de toilette. Il se rendit compte que Tutusaus l'observait dans l'obscurité.

— Ne t'inquiète pas, c'est rien. Ça m'arrive un jour sur deux... dit-il, déjà plus fatigué qu'en colère.

Il prit son médicament et appuya sa tête sur le dossier du siège, les trous de nez bouchés par deux morceaux de coton hydrophile. L'estropié, brusquement, sans que ce soit très à propos, tapa sur l'épaule de Tutusaus et lui dit :

— Tu sais ce qu'il nous a dit, ce monsieur, tout à l'heure, quand t'étais au restaurant ? Qu'il était le futur roi d'Espagne !

Mais qu'est-ce qu'il me sort, celui-là ? pensa Tutusaus, alors qu'Heredero ne bronchait pas. Pourquoi leur avoir raconté ça ? Est-ce qu'il croyait que, une fois l'estropié au courant, il serait plus en sécurité ? Il se tourna vers la banquette arrière et dit :

— Il a raison, il vous a dit la vérité.

L'estropié, toujours en tricot de corps et caleçon, se mit à rire, et la jeune femme suivit. Tutusaus s'aperçut alors que les pois chiches de son collier étaient maculés de sang. Il se retourna complètement et vit qu'elle s'était entaillé superficiellement le doigt. Il sortit un mouchoir de la boîte à gants et tenta de prendre sa main blessée pour arrêter le saignement. Mais la jeune femme ne voulait pas et tirait dans le sens contraire. Sa robe bâillait à moitié et on lui voyait la naissance des seins. L'estropié se rendit compte de ce que Tutusaus lorgnait et sourit. Il lui arracha le mouchoir des mains et enveloppa le doigt de la jeune femme sans qu'elle ne montre plus de résistance.

— Il n'y a qu'avec moi qu'elle se laisse faire, Tutusaus. Pour tout, il n'y a qu'avec moi qu'elle se laisse faire.

Et il se mit à lécher les pois chiches tachés de sang du collier pour les lui nettoyer.

Soudain, un éclair illumina l'espace alentour et un immense oiseau aux longues ailes parées de tons roses aux extrémités et au beau poitrail châtain, prit son envol sous la pluie, juste devant eux. Tutusaus l'observa : s'il avait eu un fusil, il lui aurait tiré dessus.

CHAPITRE 15

Quelques minutes plus tard, Heredero, la tête tranquillement appuyée au dossier de son siège, les yeux clos, s'était un peu calmé et ne disait plus rien. Tutusaus lui demanda de prendre le volant.

— Qu'est-ce que tu comptes faire ?

Il lui expliqua que, avant que la batterie ne soit à plat, ou qu'il n'y ait plus d'essence, il voulait essayer de désembourber la voiture à l'aide d'une grosse branche ou d'une pierre.

— Alors on pourra peut-être repartir... Ou non, conclut-il, laconique.

Il sortit. L'orage continuait, accompagné d'une pluie torrentielle ; le bruit de l'eau était étourdissant. Tutusaus s'enfonça dans la boue et se mit à chercher quelque chose sur quoi les roues pourraient adhérer, mais il ne trouva rien. Il essaya même de pousser la voiture, en vain. Il fit signe à Heredero de démarrer et ne réussit qu'à se retrouver en quelques secondes couvert de boue des pieds à la tête, éclaboussé par les roues qui patinaient. Et cette pluie qui ne cessait de tomber à verse... Il soupira, ouvrit la portière, jeta un coup d'œil à l'intérieur de l'habitacle et dit :

— Je reviens tout de suite.

L'estropié demeura stupéfait :

— Quoi ? Et où tu veux aller, espèce d'ordure ? Tu vas pas nous abandonner maintenant ! Tu vois pas qu'il va y avoir une inondation ? On va mourir noyés ! Et je peux pas nager, moi, avec une seule jambe !

Tutusaus observa de nouveau la jeune femme : elle contemplait, fascinée, l'index enveloppé de sa main droite, avec sa petite tache de sang, tandis que sa main gauche se repliait sur son collier. Il rétorqua à l'estropié que s'il ne la fermait pas, il se lamenterait peut-être de ne pas être mort noyé, puis Tutusaus claqua la portière et partit à pied, tandis que les cris de l'estropié s'évanouissaient progressivement, ce dernier l'insultant encore, le torse à moitié sorti par la vitre.

Une minute plus tard, Tutusaus ruisselait mais c'est à peine s'il le sentait. Il recueillait l'eau qui coulait sur son visage avec sa bouche et la buvait. Il marchait droit devant lui, sans s'arrêter, pratiquement dans le noir. Il arriverait bien quelque part. Au bout de cinq minutes, toute la boue qui le recouvrait avait disparu, entraînée par la pluie. C'était une situation extrêmement dangereuse, sur laquelle il n'avait aucun contrôle. Il pouvait se passer n'importe quoi. Pour se rassurer, il pensa au général Pozos. Il essaya de réfléchir au fait que personne ne répondait à ses appels. Il ne voulait pas l'admettre, mais la possibilité qu'il soit arrivé quelque chose d'irréparable au général Pozos ne cessait de le tourmenter, depuis le premier instant. Que ferait-il, sans le général ? Rien. Le général l'avait littéralement créé. Ce jour de 1939, en l'enlevant pour servir le régime, c'était pratiquement comme s'il l'avait mis au monde. Il lui disait qu'après avoir tué son père, il pouvait le tuer, lui, à n'importe quel moment, qu'il lui suffisait de lever le petit doigt et on le retrouverait le lendemain au camp de la Bota, le corps criblé de balles. Que perdait-il, Tutusaus, en se joignant à lui ? Pour éviter d'être une victime, le plus simple était de prendre place dans les rangs des bourreaux. Un bourreau tue toujours, mais lui, on ne le tue pas. Tu ne veux pas qu'on te tue ? Alors deviens bourreau, avait-il pensé. Une réflexion aussi fallacieuse que lorsque le général lui disait :

— Céspedes, tu me dois la vie sauve. J'aurais pu te la prendre, et je ne l'ai pas fait. Si bien que tu me la dois.

Pour Tutusaus, cela n'avait absolument pas d'importance. Il restait aux côtés du général parce qu'il le voulait bien. Au fond, il pensait qu'il n'existait personne au monde qui n'ait pas loué son cul d'une manière ou d'une autre. Qui loue son cul ne s'assied pas quand il le veut, dit la chanson. Lui, au moins, en était conscient et ne le regrettait pas. Il y avait des gens qui passaient leur vie à penser qu'ils étaient libres, qu'ils ne devaient rien à personne, et lorsqu'ils se rendaient compte que ça n'était pas le cas, c'était déjà trop tard. Ils vivaient alors leurs dernières années submergés par la mélancolie. En tout cas, Tutusaus, sous la pluie, craignait pour la vie du général. Il s'agissait d'une affaire de grande envergure. Encore plus si ce qu'avait insinué Heredero à propos de cette supposée réunion d'opposants à Munich était vrai... Et si le général manquait de partialité ? Il restait toujours la discipline.

— On exige de moi une obéissance aveugle, et je l'exige pour toi aussi, lui avait-il dit un jour, avant de poursuivre : Quel bonheur, non ? C'est comme une chaîne...

Une chaîne... Tutusaus avait déjà compris qu'elle pouvait comporter des maillons forts et des maillons faibles. Ou, pour le dire autrement, une chaîne avec des maillons de différentes grosseurs, selon l'interprétation de celui qui la formait. Parce que même le général n'était pas fait d'une seule pièce. Il prêchait l'obéissance aveugle, mais avait enfreint cette règle plus d'une fois. Tutusaus le savait. Et le général savait que Tutusaus savait. Et tous les deux s'étaient tus. Un des cas s'était présenté en juillet 1953, près du village de Besalú. Tutusaus avait participé à l'élimination de trois membres du PSUC[1], le général apportant sa contribution en tirant sans hésiter sur des hommes déjà morts afin de s'assurer qu'ils l'étaient bien. Ils laissèrent en vie un quatrième élément qui permit l'arrestation, à Barcelone, d'un petit groupe d'activistes et la découverte d'un local à Igualada où une imprimerie clandestine

---

1. PSUC : Parti Socialiste Unifié de Catalogne, alors interdit. (*N.d.T.*)

cénétiste[1] tirait leur journal *Solidaridad Obrera*. Au total, trente arrestations dans les rangs des communistes et des anarcho-syndicalistes. La chasse avait été bonne. Tout le monde eut droit aux félicitations. Le général Pozos retint durant vingt-quatre heures l'information sur l'existence de l'imprimerie. Le mouchard avait parlé de l'existence d'une forte somme d'argent en espèces gardée en guise de caisse noire. Pozos et Tutusaus fouillèrent tous les deux les lieux pour leur compte, incognito, de nuit. Tout en mettant sens dessus dessous une armoire, Tutusaus observait du coin de l'œil le général qui s'était arrêté un peu trop longtemps devant une simple machine à écrire. Il ne pouvait voir ce que faisait ce dernier : son corps lui bouchait la vue. À un moment donné, Tutusaus s'approcha et, à l'insu de son supérieur, découvrit une cache très ingénieuse. La machine à écrire, trafiquée, cachait sous sa carcasse l'argent des cénétistes. Un tas de billets crasseux et froissés. Un petit trésor. Il ne toucha à rien, et ne dit rien non plus. Une demi-heure plus tard, lorsqu'il revint, l'argent s'était envolé. Or il n'y avait personne d'autre qu'eux dans la pièce. Il ne fit aucun commentaire. Quelques heures plus tard, alors qu'un ordre strict avait été donné de garder le mouchard en vie puisqu'il pouvait encore fournir de nombreux renseignements, la première chose que fit le général fut de le tuer, pour qu'il ne parle pas plus que nécessaire...

Tutusaus était fatigué de marcher sous ce déluge et s'assit sur une pierre près de la route, tête baissée. L'eau lui frappait la nuque. Il levait de temps en temps la tête vers le ciel pour recevoir plus d'eau encore. Cela lui plaisait. Quel goût a l'eau de pluie ? Vif et doux à la fois. Enfin, une voiture arriva, venant vers lui. Des lumières jaunes déchirèrent soudain le rideau de pluie. Tutusaus se mit au milieu de la route et agita les bras. Le conducteur dut être effrayé à mort : il écrasa la pédale de frein et dérapa sur quelques mètres. Par chance, il

---

1. Cénétistes : membres de la CNT (confédération Nationale du Travail) anarcho-syndicaliste, également clandestine. (*N.d.T.*)

n'allait pas trop vite. Il s'agissait d'une Dauphine blanche, toute neuve. Tutusaus s'approcha et fit signe au conducteur de baisser sa vitre. Ce dernier ouvrit directement la portière avant, pour que Tutusaus puisse monter.

— Qu'est-ce qui vous est arrivé ?

C'était un homme d'une cinquantaine d'années, en costume-cravate. Un mégot de cigarette collé aux lèvres. Tutusaus lui dit qu'il avait eu un accident. Qu'il n'y avait pas de blessés, mais une urgence : sa voiture s'était enlisée et il transportait des gens malades.

— Malades ?

— Plus ou moins. J'emmenais une débile, un estropié et un hémophile.

L'homme lui jeta un regard soupçonneux.

— Vous ne vous foutez pas de moi, hein ?

— Évidemment que non !

— Eh bien alors... Et vous alliez où, à cette heure et sous cette pluie ? Parce que vous n'êtes pas d'ici...

Le cerveau de Tutusaus, une fois de plus, fonctionnait à toute allure.

— Nous allions... Nous allions... à Lourdes. Nous sommes des pèlerins, et nous nous apprêtons à visiter la grotte de la Sainte Vierge, voir si elle fait des miracles et peut apporter la guérison.

Tutusaus se faisait peur. Le mensonge était si grotesque qu'il y avait de quoi mourir de rire. Ou peut-être non, si on se souvenait que le chargement qui l'attendait dans sa voiture était encore plus grotesque que son mensonge.

— À Lourdes... ?

— Oui, un voyage spécial pour le mois de Marie. Nous appartenons à une association mariale.

— Bien sûr, oui... Et vous vous y rendez en passant par Balaguer ?

— Je devais les laisser à Tremp pour la nuit, au collège des Pères de la Sagrada Família. C'est de là que le départ en autocar devait avoir lieu...

L'homme se méfiait.

— Oui, bien sûr, l'autocar... Je vais vous dire ce que nous allons faire. Je vis près d'ici, tout à côté de Balaguer, dans une ferme. Nous allons chercher vos passagers, je les laisse dans une pension du village et vous téléphonez à Tremp pour tranquilliser ceux qui vous attendent. Si votre voiture n'a rien, j'enverrai une dépanneuse la chercher demain matin et l'affaire est réglée.

Tutusaus se détendit et répondit que tout cela lui semblait parfait. Et songea aussi qu'il n'avait rien à perdre.

— Comment vous appelez-vous ?

— Tutusaus, Josep Licini Tutusaus.

— Moi, Albert Durant. Je travaille à Balaguer, dans un bureau d'assurance agricole...

Et il démarra, tout en jetant un œil sur son interlocuteur, et notamment sur la flaque d'eau qui s'était formée à ses pieds, sur une moquette immaculée étrennée à peine quinze jours plus tôt. Ils mirent une dizaine de minutes à rejoindre la voiture accidentée.

— Vous voulez que je vous aide, avec vos amis ?

Tutusaus lui répondit qu'il allait se mouiller s'il sortait, et qu'il s'en chargerait lui-même. L'homme insista, mais Tutusaus se montra inflexible. Il retrouva Heredero tordu de douleur sur son siège. Il se tenait le ventre en haletant, un peu de sang séché sur le menton.

— Ça fait cinq minutes qu'il est comme ça, dit l'estropié avec une relative indifférence.

Le spectacle qui s'offrit à M. Durant, quelques minutes plus tard, le persuada rapidement de la véracité des propos de Tutusaus. Sans le moindre doute, ce groupe avait besoin d'un miracle, et rapidement. Ou plutôt de deux ou trois miracles. On aurait dit une vision surgie de l'imagination la plus débridée d'un fou : Heredero, une armoire à glace démantibulée, souffrante et craintive, une trousse de toilette de femme à la main, s'accrochait aux épaules de Tutusaus. Tout en se couvrant le corps et la tête à l'aide de sa veste, l'homme luttait contre les rafales de vent et de pluie qui fouettaient son visage d'une extrême pâleur. L'estropié, en caleçon et tricot de corps, appuyé sur sa béquille, ne pouvait s'arrêter de rire après avoir écouté l'histoire que Tutusaus avait inventée sur eux, la Sainte Vierge de Lourdes et les miracles. La jeune femme, curieusement, ne riait pas et regardait le ciel tout en essayant de recevoir la pluie sur son visage, bouche et yeux ouverts. Ils se blottirent tous les trois sur la banquette arrière de la petite Dauphine et Tutusaus s'installa devant. M. Durant ne savait pas quoi dire :

— Ça, pour vous, on peut dire que c'est de la foi...

— C'est pour moi que vous le dites ? demanda l'estropié en se retenant pour ne pas éclater de rire. Qu'est-ce que vous croyez ? Que je veux demander à la Sainte Vierge qu'elle me fasse pousser une nouvelle jambe, comme si j'étais un lézard ?

— Je ne voulais pas vous offenser.

— Vous ne l'avez pas offensé, répliqua sèchement Tutusaus tout en fusillant l'estropié du regard.

— Si vous voulez que je vous dise la vérité, poursuivit M. Durant, quand je vous ai vu, je me suis dit : celui-là, ce qu'il veut, c'est demander à ne pas perdre l'autre jambe. Je suppose que quand on n'en a plus qu'une, de jambe, la peur de perdre l'autre doit être très grande...

L'estropié demeura bouche bée, et ne sut que répondre. M. Durant dit :

— Nous sommes bientôt arrivés. Balaguer est ici... Et vous, monsieur, comment vous sentez-vous ? demanda-t-il à Heredero.

L'industriel était, de loin, celui qui semblait le plus mal en point, même si, après qu'il eut avalé un autre médicament, son état paraissait s'améliorer un peu. Les poches, sous ses yeux, formaient une bosse impressionnante.

— Plutôt mal. Moi, oui, j'aurais besoin qu'elle me donne un coup de main, la Sainte Vierge... Je ne me suis pas présenté. Je m'appelle Felipe Heredero. J'abuse de votre amabilité, mais j'aimerais vous demander une faveur...

Tutusaus se retourna, il ne savait pas où il voulait en venir. M. Durant le regardait d'un air désolé dans le rétroviseur :

— Dites, dites...

— M. Tutusaus vous a expliqué qu'il nous emmenait dans une pension... Vous voyez, vous ne devriez pas le savoir. Je suis, en effet, ce qu'on appelle un homme public, et j'ai entrepris ce voyage à Lourdes incognito. Si cela était dévoilé, cela me mettrait dans une situation compromettante...

— Avoir la foi n'a rien de laid ni de mauvais pour qu'on doive s'en cacher.

— Bien sûr que non... Mais si quelqu'un a vent de mon voyage, on saura que je suis malade... Je suis un homme d'affaires très important... Plus d'un attend que je casse ma pipe...

— Je vois où vous voulez en venir...

— Si vous acceptiez de me loger chez vous...

— Chez moi ? Ma maison est bien petite... Je ne sais pas, il y a ma mère, qui a quatre-vingt-dix ans...

— Je serais disposé à vous payer...

— Non, non, ça n'est pas une question d'argent.

— Ce serait si aimable de votre part... Je pourrais vous offrir jusqu'à cinq mille pesetas pour votre attention et votre discrétion.

— Cinq mille pesetas ? dit M. Durant en ouvrant les yeux devant ce qui, pour lui, représentait une forte somme.

Heredero insista :

— Rien que pour cette nuit. Que nous puissions nous reposer, dîner un peu et dormir. Nous nous arrangerons de toutes les manières...

— Je ne sais pas...

— Je pourrais monter jusqu'à six mille... Vous ne me croyez pas ?

Il sortit aussitôt six billets de mille de son portefeuille et les agita en l'air. L'esprit de M. Durant n'était pas préparé à cela. Était-ce son jour de chance ? Il croisait une bande de types bizarres sous la pluie, et voilà qu'une de ces créatures, un géant aux longues jambes et lèvres charnues, plus mort que vivant, venait de lui offrir un mois de salaire pour les loger une seule nuit. Il valait mieux ne pas se fourrer dans les ennuis et aller directement à la caserne de la Garde civile...

Tutusaus lut quasiment dans ses pensées. Il prit les billets de la main d'Heredero et les glissa dans la poche de la veste de M. Durant.

— Je sais que tout ça doit vous sembler un peu étrange, mais n'hésitez pas, acceptez l'argent de M. Heredero. Vous nous rendez service et vous vous rendez service.

La résistance d'un employé de bureau de Balaguer avait aussi ses limites. Il accepta le marché et se sentit soulagé. Heredero ajouta :

— Nous vous saurions gré si vous pouviez fournir quelques vieux vêtements pour ce pauvre malheureux, dit-il en se référant à l'estropié. Il a perdu les siens en se baignant dans la rivière... Je vous les paierai à part...

— Non, non, ça n'est pas nécessaire... Je pense que j'ai des affaires qui lui iront bien...

— Ah oui ? Pauvre de moi ! rétorqua l'estropié en lui riant au nez.

Tutusaus se détendit, bien que toujours trempé jusqu'aux os. Il lui semblait au moins qu'au-dehors il ne pleuvait plus aussi fort. Dans la voiture, M. Durant s'était animé. La douce chaleur des six mille pesetas au fond de sa poche commençait peut-être à faire de l'effet... Il n'arrêtait plus de parler.

— Les gens des villes pensent que la vie dans nos régions est ennuyeuse... Mais ça n'est absolument pas vrai. Il nous en arrive autant, et même plus qu'à vous...

— Peut-être bien, dit Tutusaus.

— Je connaissais un type qui avait pardonné à sa femme d'avoir essayé de le tuer. Imaginez, cet homme est parti en France après la guerre parce que c'était un rouge, et il est revenu quinze ans plus tard accompagné de la Française avec qui il avait vécu toutes ces années-là. Il ne revenait que pour dire qu'il allait bien, ramasser deux ou trois affaires, faire les démarches en vue d'une séparation, et repartir. Sa femme l'attendait avec le fusil de chasse de son père, armé. Elle lui a tiré dans le ventre et il a été à deux doigts d'y passer. La Française, elle, a dû courir au moins jusqu'à Perpignan. Lui, il n'est pas reparti, il a pardonné à son épouse, il en est retombé amoureux et a réussi à la faire sortir de prison. Et elle, la première chose qu'elle a faite, dès qu'elle a pu, ç'a été de lui retirer dessus. Et cette fois-ci, elle ne l'a pas loupé. C'est fort, hein ?

— Il a cessé de pleuvoir... dit Heredero.

M. Durant ne l'entendit même pas. Ce vieux garçon vivait dans une petite maison de campagne de la banlieue de Balaguer. Un héritage familial. On y accédait par un chemin, à une cinquantaine de mètres de la route. Il y avait, devant l'entrée de cette maison plutôt pimpante, une terrasse semicirculaire délimitée par un muret de pierre d'environ un demimètre de haut. Derrière le muret se dessinaient un petit potager et, à côté, des parterres jardinés. L'eau avait tout abîmé. Dans la maison, personne.

La mère nonagénaire n'existait pas. L'homme avait dit cela par précaution. Il sortit de la voiture, avec Tutusaus.

— Écoutez, si ça vous convient, je laisse la chambre de mes parents à M. Heredero ; la jeune femme peut dormir sur le canapé de la salle à manger et l'estropié dans le couloir, sur un matelas posé par terre. Vous, sur un lit pliant, dans ma chambre, avec moi... Je vais vous préparer un petit dîner...

Tutusaus lui dit qu'il trouvait ça bien, et l'observa tandis qu'il se dirigeait vers la porte, tout content. L'homme devait déjà avoir dépensé mentalement les six mille balles : une partie pour anticiper le crédit de cette jolie Dauphine, une autre pour aller voir les putes à Lérida...

Tutusaus s'apprêtait à le suivre lorsque l'estropié attira son attention tout en sortant la tête par la vitre de la voiture :

— Eh, je crois qu'on ne va pas aller beaucoup plus loin, celui-là, à côté de moi, il est au bout du rouleau.

Tutusaus ouvrit la portière du côté d'Heredero et ce qu'il vit ne lui plut pas du tout. L'homme respirait si faiblement qu'il semblait mort. Tutusaus lui tâta le front, il lui parut fiévreux. C'était celui des quatre qui s'était le moins mouillé, mais dans un tel état de faiblesse, on ne savait jamais... Il ne réagit pas aux claques sur les joues, pas plus qu'aux secousses. Tutusaus fouilla dans sa trousse de toilette, prit un des médicaments et le lui glissa sous la langue. Dans la maison, on voyait M. Durant, derrière les fenêtres, en train de mettre joyeusement la table.

— Qu'est-ce que tu penses faire avec Monsieur le roi ? demanda l'estropié d'un ton moqueur.

Tutusaus observa de nouveau Heredero. Ses paupières remuaient, imperceptiblement. Et soudain, faisant un gros effort, le malade parla :

— On va vers le sud ?

Il reperdit aussitôt connaissance. Tutusaus était indécis. Heredero risquait de mourir là. Finalement, il comprit clairement qu'ils ne pouvaient pas s'arrêter. Dans la maison de Durant, il ne pourrait pas se défendre. De plus, il voulait livrer Heredero vivant – encore qu'agonisant – au général. Il sentait bien que ça ne constituait pas une décision ni une réflexion très brillantes, mais il ne voyait pas d'autre solution. Il revint vers la maison, et avant même de comprendre ce qui se passait, M. Durant reçut dans la nuque un coup qui l'assomma. Il n'aurait plus besoin de raconter les aventures d'autrui ; désormais, il pourrait raconter la sienne. Tutusaus l'attacha sur une chaise et le délesta de ses clefs de voiture. Le lendemain tombait un dimanche, quelqu'un s'inquiéterait bien de son absence. Et sinon le surlendemain, lorsqu'il ne se présenterait pas au travail. On viendrait alors le chercher. Il lui laissa les six mille pesetas dans la poche, pour le dérangement. Puis il se déshabilla, enleva sa chemise et son pantalon, s'essuya avec une petite serviette de toilette, et prit des vêtements secs appartenant à M. Durant, qui avait plus ou moins la même taille que lui. Il en prit aussi pour l'estropié. Il réquisitionna une autre serviette sèche et, dans la cuisine, quelques fruits, du pain et un saucisson. Après ce déluge, la nuit était magnifique. Tutusaus pesa le pour et le contre et arriva à la conclusion qu'il n'avait pas besoin de retourner à la 1400, qu'ils avaient sur eux l'indispensable, surtout la trousse de toilette d'Heredero et ses médicaments, et lui, son armement. Il se glissa presque machinalement dans la Dauphine. Les trois autres se nichèrent sur la banquette arrière. Tutusaus était fatigué et il avait sommeil.

— Tu l'as pas liquidé, hein ? dit l'estropié.

— Tiens.

Tutusaus lui tendit ce qu'il lui avait apporté, ainsi qu'une serviette pour la jeune femme, encore trempée. Il ne souhaitait pas qu'elle attrape une pneumonie :

— Essuie-la, ordonna-t-il.

Il appuya sa tête sur le volant quelques secondes, puis démarra. Il avait du temps devant lui pour s'en aller avant qu'on ne porte plainte pour le vol du véhicule, et il fallait en profiter. Il reprit la route, droit devant. Il devait être dix heures du soir, et il n'avait pas dormi la nuit précédente. L'estropié se goinfrait de nourriture. Tutusaus freina, se retourna et cria :

— Essuie-la !

L'estropié prit peur et obéit : il commençait à connaître les humeurs de Tutusaus. La jeune femme, entre Heredero et l'estropié, se laissait faire comme une enfant. Elle resta les seins nus et les bras levés pendant un bon moment, jusqu'à ce que l'estropié lui fasse enfiler une des chemises propres. Heredero demeurait à demi inconscient.

La route était mouillée et il flottait dans l'air frais des odeurs entêtantes, mélange de fleurs et de fumier. Ils passèrent rapidement par Balaguer en direction d'Artesa de Segre et de Ponts. De là, ils pourraient emprunter la route traditionnelle vers la Seu d'Urgell et l'Andorre. De longues lignes droites sous la clarté lunaire, de longues rangées de poteaux télégraphiques qui ondulaient à perte de vue. La Dauphine n'était pas très rapide, mais elle avait du répondant. Si certains des villages qu'ils traversaient semblaient endormis, d'autres paraissaient morts. À partir de Ponts, le paysage changeait, la route suivait le cours du Segre ; l'humidité qui montait du fleuve s'infiltrait jusqu'aux os. À l'entrée d'Organyà, derrière le panneau indicateur de la commune, Tutusaus remarqua un joug et des flèches, tout tordus ; on aurait dit qu'un type costaud s'était amusé à les plier. Personne ne s'était soucié de le réparer, malgré la rouille. Il ne pouvait s'agir d'un acte isolé, d'une histoire de vauriens qui utilisent ce symbole du régime comme cible pour faire un carton à l'aide d'une carabine à plomb, une plaisanterie à prendre pour ce qu'elle est, et qui ne mérite pas de punition. Là, pour la première fois, Tutusaus pensa que quelqu'un avait agi sciemment. Prendre les flèches et les plier de la sorte, jusqu'à les casser, impliquait un profond accès de rage. Tutusaus demeurait songeur lorsqu'il pensait à tous ces gens-là, qui ne filaient pas droit, des gens de l'opposition qui œuvraient dans les catacombes, dans l'ombre. Des rouges, des francs-maçons, des séparatistes, des anarchistes... Toute une foule sans visage et sans nom qui soudain prenait corps sous la forme d'un joug et de flèches tout tordus, sur une route à côté du fleuve Segre. Des opposants, Tutusaus en avait rencontré quelques-uns, et même tué plusieurs. Et ce qui l'avait toujours surpris, c'était que, très souvent, ils ne se comportaient pas comme les rats qu'ils étaient supposés être. Mourir, ça ne plaît à personne, et il comprenait qu'ils puissent craquer au dernier moment. Mais il avait aussi vu des gens mourir dans une absolue tranquillité, des gens qui se laissaient tuer sans se défendre, sans peur mais également sans orgueil, et surtout sans maudire le monde. Cette disparition silencieuse retournait Tutusaus quelques secondes et le laissait dans la confusion la plus totale ; il n'éprouvait alors aucune sensation de victoire. C'était ce qu'il avait tenté d'expliquer à Heredero, assis près de la rivière.

À un moment donné, il quitta la route. Un chemin surgissait sur la droite et devait mener à une ferme. Il l'emprunta sans réfléchir. Il voulait se reposer quelques heures, hors de vue de la route. Le chemin était irrégulier et plein de flaques ; la Dauphine cahotait, formant des gerbes d'eau et de boue. Cinq minutes plus tard, Tutusaus arrêta la voiture sous un châtaignier et éteignit les phares. Dans la nuit, on ne voyait plus que l'un des boutons rouges du tableau de bord. À cet endroit, le chemin était assez large pour qu'on puisse y effectuer un demi-tour. La jeune femme poussa un léger gémissement, comme effrayée.

— Des cauchemars d'idiote... grommela l'estropié.

Tutusaus n'en pouvait plus. Il jeta un coup d'œil à l'arrière. Heredero n'avait pas repris connaissance. Il était peut-être mort, mais Tutusaus ne fit rien pour le vérifier. Les deux autres venaient de se rendormir. Un cri de chouette se fit entendre. Il sortit respirer un peu d'air pur et fut soudain impressionné : ils étaient entourés, de part et d'autre du chemin, d'un océan d'herbes vertes et odorantes, éclairées par la lune. Une odeur de fientes fraîches et d'eau chaude. Sous les feuilles mortes il y avait des châtaignes rongées par les mulots des bois. Il remonta dans la voiture et appuya sa tête sur le volant. Puis ferma les yeux.

Les nuits de printemps sont froides dans le haut Urgell. Il dormit cependant comme une souche.

Chapitre 16

Tutusaus se réveilla d'un sommeil profond et sans rêves, et fut saisi d'une frayeur telle qu'il n'en avait pas éprouvé depuis longtemps : devant lui, une énorme tête de vache s'activait à lécher le pare-brise, d'une langue démesurément longue. Il sourit, rassuré. Ils étaient en montagne : splendide matin ensoleillé, air frais, rosée, cimes rougeâtres, nuages bleutés et... mélancolique troupeau de vaches aux têtes blanches entourant la voiture. Une carte postale suisse. Les bêtes demeuraient immobiles et paisibles. Elles avaient trouvé là ce véhicule, et puisqu'elles ne pouvaient passer au travers, elles s'étaient arrêtées et attendaient. Tutusaus pensait qu'il allait devoir descendre pour les chasser lorsqu'elles se mirent à avancer, lentement, faisant tinter leurs clarines et mugissant à l'encontre de cette cochonnerie inconnue qui se dressait, impertinente, sur leur lieu de passage habituel. Le berger, à l'arrière du troupeau, salua Tutusaus d'un léger signe de la tête et continua son chemin sans rien dire, comme s'il trouvait des voitures garées sous ce châtaignier tous les matins. Les autres occupants de la Dauphine dormaient encore. Ils étaient restés tous les trois sur la banquette arrière, serrés les uns contre les autres. Pendant la nuit, la jeune femme s'était blottie contre le ventre de l'estropié.

Tutusaus démarra et partit comme une flèche vers la route. La clarté du matin illuminait les herbes vertes aux abords du chemin. L'estropié et la jeune femme se réveillèrent. Heredero aussi : il regarda autour de lui, les yeux dans le vague, et se rendormit. Il valait mieux. À partir de là, le décor ne varia plus : des montagnes sous le soleil. Avant d'entrer à la Seu d'Urgell, Tutusaus s'arrêta et fit le plein d'essence. Assis sur un banc de pierre appuyé contre le mur de la station-service, quatre vieux attendaient déjà que le soleil chauffe un peu plus. Ils paraissaient sereins, comme si dans cette région personne n'éprouvait de suspicion à l'égard d'autrui. Avec les sports d'hiver et les Barcelonais qui montaient en Andorre, ils étaient habitués à voir des touristes : hommes au volant et femmes signalant les panneaux sur la route, consultant les cartes, promenant leur regard partout à la fois avec méfiance ou arrogance, et demandant leur chemin pour retourner à Barcelone. Tandis que l'employé remplissait le réservoir, deux gardes civils arrivèrent à pied et engagèrent la conversation avec les vieux. Ils portaient encore les capotes des brigades de nuit. De temps en temps, ils jetaient un coup d'œil à la Dauphine. L'un des gardes, son tricorne à la main, se grattait la tête, et fumait discrètement ; l'autre surveillait la route tout en détachant son mousqueton porté en bandoulière. Tutusaus se félicitait de ne pas s'être autorisé une pause-déjeuner au passage. En s'en allant, il eut l'impression qu'un des gardes civils relevait l'immatriculation du véhicule. Ils laissèrent derrière eux la Seu d'Urgell, grouillante de militaires, policiers, carabiniers et gardes civils, et continuèrent par la route du Segre, vers la Cerdagne. Tutusaus trouvait bizarre de devoir éviter le contact avec les militaires et les forces de l'ordre. Ils étaient pourtant alliés. Plus qu'alliés : frères. Mais les instructions du général étaient formelles : si on ne lui précisait pas expressément le contraire, il ne devait obéir qu'à lui, et ne jamais partager d'information avec quiconque, même s'il avait besoin d'aide. Tutusaus l'avait écouté des milliers de fois ; si jamais il était fait prisonnier, que ce soit dans ou hors du pays, le général nierait avoir eu la moindre relation organique avec lui et n'essaierait pas de le sauver, même en sous-main. Dans le cas d'Heredero, la question de savoir s'il fallait tenir l'affaire ne se posait pas et l'industriel devait être livré sain et sauf au général. Une identification fortuite, même par quelqu'un qui ne chercherait pas à mal, pouvait déclencher des effets en cascade, ce que personne ne souhaitait. Il fallait continuer, ne pas s'arrêter, parvenir à la ferme, à Montsol. Là, en terrain connu, Tutusaus pourrait réfléchir tranquillement et mieux se défendre. Il avait envie de rentrer. Depuis combien de temps était-il parti ? Le général l'y attendait peut-être...

La matinée était ensoleillée, presque chaude. La station thermale de Sant Vincenç, Pont de Bar, Martinet, toute une série de lieux sur la route longeant la vallée cerdane du Segre, défilèrent sous leurs yeux à toute vitesse. Il décida de s'arrêter à Bellver, même si cela l'obligeait à bifurquer. Il était presque dix heures et demie et il flottait dans l'air un certain air de fête. La place principale, entourée d'arcades et de vieilles maisons décrépites à côté d'autres plus neuves ou retapées, conservait toutes ses banderoles de papier, comme après une fête de village. Deux ou trois ânes, très chargés, cheminaient lentement. Il y avait du monde dans la rue, et une certaine effervescence y régnait. Un homme, coiffé d'un béret et vêtu d'une gabardine en toile, arrosait le pavé tandis que quelques personnes indifférentes vaquaient autour de lui à leurs occupations quotidiennes. Ils roulèrent au pas sur les dalles encore humides pour ne pas attirer l'attention. Un gamin de douze ou treize ans marchait au milieu de la chaussée, un seau rempli de sable sur l'épaule. Il entendit la voiture, se retourna, jeta un coup d'œil, mais ne s'écarta pas. Tutusaus klaxonna, ce qui ne servit à rien. Voyant que le garçon continuerait à marcher à son rythme, au milieu de la chaussée, il décida de s'arrêter et d'en profiter pour demander où se trouvait la pharmacie à une passante qui arrivait face à lui, son bébé dans un bras et un sac de courses dans l'autre. La dame lui dit qu'il n'y avait pas de pharmacie dans le village, qu'est-ce qu'il croyait ! Il fallait aller à Puigcerdà... Impossible, évidemment, ils ne pouvaient en aucun cas changer de cap. Heredero allait devoir attendre que tout soit fini pour obtenir ses vitamines K2. Au prochain arrêt, Tutusaus lui ferait avaler une bonne ration d'épinards, de tomates, d'œufs et de foie, si l'industriel était alors capable d'ouvrir la bouche. En attendant, il devrait se contenter des médicaments dont il disposait. L'homme au tuyau d'arrosage les observait, un peu jaloux parce qu'ils avaient demandé leur chemin à cette femme et pas à lui qui, tout de même, était un fonctionnaire municipal (des parcs et jardins certes, mais fonctionnaire tout de même). Il recula jusqu'à la prise d'arrosage, ferma l'arrivée d'eau et vint vers la voiture. Tutusaus s'en aperçut. Cependant, le gamin au seau n'avait pas disparu de leur champ de vision et s'était même arrêté au milieu de la route, le temps de bavarder avec un autre garçon. L'homme se pencha à la hauteur de la vitre après avoir écarté la passante sans ménagement. Il jeta un coup d'œil inquisiteur à l'intérieur du véhicule et se présenta :

— Je suis de la mairie. Si je peux vous aider...

Tutusaus le remercia : la dame lui avait déjà expliqué que la pharmacie la plus proche se trouvait à Puigcerdà...

— S'il s'agit d'une urgence...

— Non, non, une légèrement indisposition de notre ami, mais ça n'est rien, dit Tutusaus.

Pour dévier l'attention du fonctionnaire, il l'interrogea sur les raisons des banderoles. Le village était-il en fête ? Si Tutusaus avait eu l'intention de le flatter, ce fut l'effet inverse qui se produisit. L'homme grimaça, contrarié, et les laissa plantés là, prétextant un nœud à son tuyau d'arrosage. Tutusaus demanda à la passante, qui n'avait pas bougé d'un pouce, quelle mouche venait de piquer le jardinier municipal. Elle sourit, narquoise, et dit à mi-voix :

— Hier, ils ont reçu avec les honneurs un groupe de petits messieurs de Gérone ; des représentants du ministère de Madrid chargé des travaux... Ils sont restés toute la matinée avec leurs appareils, à aller de-ci de-là. Les mairies de Bellver et de Martinet leur ont offert un déjeuner de première. Ils ont promis d'arranger la route et de canaliser la rivière pour éviter les risques de crue.

— Et ça n'est pas bien ?

— Si, bien sûr. Mais ils ont déjà fait la même chose il y a trois ans. Cette fois-là, ils étaient repartis pareil qu'ils étaient venus, après avoir bâfré comme des voleurs. Et on n'en a plus jamais entendu parler. Alors pourquoi ça devrait être différent aujourd'hui ?

— Les gens semblent contents.

— Évidemment ! Hier, c'était comme un dimanche.

— Et si nous étions, nous, du ministère ? jeta Tutusaus en s'énervant un peu. Il n'aimait pas les critiques envers le régime dès les premiers échanges entre inconnus.

— Si vous étiez du ministère ? Vous fâchez pas, mais je crois pas que vous pourriez éviter les crues, vous... répliqua la femme d'un ton sarcastique. Bon voyage, monsieur.

Tutusaus la quitta d'un signe de la tête et reprit son chemin. M. Durant, à l'heure qu'il était, avait peut-être déjà été découvert. Dans ce cas, leur signalement et celui de la voiture circulaient déjà dans les casernes de la garde civile. Il fallait se dépêcher. Une fois de plus, Tutusaus se livra à une de ses occupations favorites : regarder les gens s'approcher dans son rétroviseur, puis rapetisser sur les bords de la route jusqu'à devenir une tache minuscule, puis s'évanouir. Au volant de la Dauphine, Tutusaus voulait penser que c'était lui qui grandissait, que le monde qui l'entourait grandissait également, et que c'était à lui de se lancer sur la route et de parier sur le prochain incident. C'est alors qu'Heredero se mit à délirer. Cela dura un bon moment. Il agrippait l'estropié par le bras et lui donnait des ordres d'achat de porcelaines, comme s'il s'adressait à l'un de ses délégués lors d'une vente aux enchères. Il respirait fort, les narines dilatées, et marmonnait des choses telles que :

— Merde, Sotarribes ! Tu ne vois pas qu'il s'agit d'une pièce de la dynastie Sung ? Paie ce qu'ils demandent, point final, c'est un investissement...

Tutusaus se demandait si le fait qu'Heredero délire était bon ou mauvais signe.

À la hauteur d'Alp, ils prirent la direction de Toses. Ils arrivèrent au sommet à midi, en plein soleil, et s'arrêtèrent au restaurant du col. Le panorama qui s'étendait sur toute la Cerdagne était superbe. Ici, cela ne se passa pas comme à la station-service avec les quatre vieux. Les gens – habitués aux touristes bien habillés qui se rendaient à Molina – observèrent attentivement le curieux spectacle qu'offrait ce trio négligé. À cela s'ajoutait la mystérieuse silhouette d'Heredero somnolant dans la voiture. Sur une des baies vitrées, à l'entrée du restaurant, à côté des prix affichés, on informait les visiteurs que l'établissement servait de guichet pour l'achat des billets de l'autocar régulier qui assurait la liaison Barcelone-Puigcerdà. À l'intérieur, tout était sombre. Une voix, jaillissant d'une radio vieille de vingt ans, affirmait que pour l'image et le son, rien ne valait Askar, qu'Enkalene était une chemise qui avait fait ses preuves, que Valdespino demeurait le xérès de toujours, et qu'avec Duward Continental, produit de la manufacture suisse, on pouvait mesurer plus précisément la marche du temps. Une vieille édentée, un foulard sur la tête et un panier pendu à son bras, empilait, imperturbable, des pièces de dix centimes ; trois ouvriers en bleu de travail jouaient au bésigue autour d'une table, et pas un seul ne leva la tête vers eux. Ce devaient être des employés de la Compagnie électrique, leur fourgonnette était garée dehors. Au plafond pendait une bande de papier tue-mouches ou moustiques, pleine d'insectes collés. Tutusaus fit asseoir l'estropié et la jeune femme près de la porte, afin de pouvoir contrôler d'un simple coup d'œil ce qui se passait dehors, puis s'approcha du comptoir. Une fillette écarta le rideau à lanières qui séparait la salle de la cuisine. Une odeur pénétrante de friture et des éclats de voix accompagnèrent son geste. Elle sortit d'un tiroir un cahier et des crayons de couleur et se pencha sur le comptoir pour dessiner, très concentrée. Tutusaus profita d'un instant où radio et tue-mouches faisaient silence pour attirer son attention. La fillette leva momentanément la tête, le dévisagea, se rendit compte qu'elle ne le connaissait pas, rebaissa la tête et dit :

— Nous ne vendons les billets qu'une demi-heure avant le départ.

Elle continua à dessiner.

— Je ne veux pas de billet, dit Tutusaus d'un ton sec.

La fillette releva la tête, le dévisagea de nouveau, se remit à dessiner et beugla :

— Papa !

Elle venait de hurler comme une forcenée, et continuait à écrire comme si de rien n'était. Le rideau à lanières multicolores s'ouvrit et livra passage à un homme en sueur. Il alla droit vers la gamine, sans un mot, et lui flanqua une claque qui lui écrasa le nez contre son cahier telle une balle en caoutchouc.

— Combien de fois je t'ai dit de ne pas gueuler comme ça ! Je ne suis pas sourd !

La fillette se mit à pleurer.

— Tu vas pas chialer, maintenant ! Retourne à l'intérieur avec ta mère...

Et, pour souligner sa phrase, il lui reflanqua sur la tête une gentille taloche qui lui fit presque perdre l'équilibre, alors qu'elle passait en sanglotant devant lui. Puis il s'adressa en souriant à Tutusaus :

— Ah, ces enfants... Qu'est-ce qu'on peut y faire ? Vous attendez pour l'autocar ?

— Non.

— Qu'est-ce que je vous offre ?

Tutusaus lui expliqua qu'il conduisait un groupe de trois malades, qu'il devait faire preuve de patience, que celui à la béquille était un pauvre estropié, la fille une pauvre idiote et qu'il y avait aussi, dans sa voiture, un pauvre hémophile.

— C'est quoi, ça ?

— Une maladie du sang.

Tutusaus lui commanda n'importe quel plat dans lequel il y aurait de la tomate, des épinards, des œufs ou du foie. Pour les autres, des sandwichs, un porró de vin et une eau gazeuse. Il vit la jeune femme et ajouta :

— Pour elle, un *Fruco* d'ananas.

— Parfait.

— Où est le téléphone ?

L'homme le lui indiqua. Tutusaus avait déjà le combiné à la main lorsqu'il laissa tomber ; il avait d'un seul coup perdu toute envie de téléphoner.

La radio, après avoir offert un cha-cha-cha, vantait les mérites des matelas indéformables Sema : « Rien que de dire Sema, il s'est endormi. »

À ce moment-là, l'estropié répéta la phrase à haute voix :
— Rien que de dire Sema, il s'est endormi ?

Il se mit à rire aux éclats, tandis que la jeune femme, qui pour une fois le regardait sérieusement, semblait tout à fait normale. Une seule chose comptait pour elle : le *Fruco* d'ananas qu'elle sirotait.

— Vous ne m'aviez pas dit que c'était elle, la débile ? s'enquit le patron.

Tutusaus acquiesça. L'estropié riait toujours. Il réclama l'attention de Tutusaus :
— T'as entendu ça, Tutusaus ? Rien que de dire Sema, il s'est endormi. Et le plus beau, c'est que c'est une réclame pour les matelas ! Ah ah ah... Bah, t'as pas compris ? Ah, non, c'est sûr que t'as pas compris.

Tutusaus sortit voir dans quel état se trouvait Heredero. L'industriel délirait à nouveau. À ce moment-là, tout seul dans la voiture, il s'imaginait en train de dicter à sa secrétaire une lettre personnelle à l'attention de don Juan de Bourbon. Il vit Tutusaus à travers la vitre et lui fit signe de s'approcher :
— Tutusaus, cher ami, je suis enchanté de vous revoir. Le général va bien ? Vous pouvez y aller, Josefina, merci, dit-il en s'adressant au volant de la Dauphine. Approchez-vous, Tutusaus, regardez, vous voyez ces petites crevettes... Vous n'avez pas ça à Madrid, ah non... On appelle ça des crevettes « en chemise », c'est bien trouvé...

Tutusaus restait planté là, indifférent. Heredero, les yeux mi-clos, la parole hésitante, paraissait fier de ses crevettes imaginaires et se mit à les manger sans plus attendre...
— Pour l'amour du ciel, Tutusaus, faites-moi le plaisir de manger, allez... Détendez-vous... Vous n'arriverez pas à mon âge de cette manière... Ici, tel que vous me voyez, je peux

crever d'un tas de choses, mais d'un infarctus, je vous garantis que non...

Heredero croyait qu'il tenait un bout de crevette dans chaque main, la bouche pleine, une serviette en papier nouée autour du cou.

— Tutusaus, si vous rencontrez don Juan, dites-lui que je veux le voir, que je demande audience...

Puis il ferma les yeux et s'endormit aussitôt. Tutusaus l'allongea sur la banquette pour qu'il soit plus à l'aise et revint au restaurant. L'estropié s'enfilait son second sandwich. La jeune femme avait six petites bouteilles vides de *Fruco* d'ananas alignées devant elle. Le patron expliquait à l'un des ouvriers en bleu de chauffe qu'après avoir été camionneur pendant vingt ans, il avait eu envie de changer de boulot. La route étant ce qu'il connaissait de mieux, il avait opté pour un restaurant routier. La gamine sortit, une assiette à la main, et la laissa sur le zinc. C'était un sandwich à l'omelette et aux épinards pour Heredero.

Sur un bout de comptoir, Tutusaus aperçut un magazine d'actualité faisant sa Une sur le mariage royal de Juan Carlos de Bourbon et de Sofia de Grèce, qui devait être célébré dix jours plus tard, le tout expliqué dans ses moindres détails. Il eut une idée. Il le prit et l'emporta à la table pour le feuilleter. Il paya les consommations et laissa un bon pourboire. Le patron enveloppa le sandwich et se montra enchanté :

— Aujourd'hui, vous savez, ça n'est plus comme avant. On ne fait plus autant d'affaires. Avant, le voyageur qui s'arrêtait dépensait cinq duros. Maintenant, il en dépense un, et encore...

Tutusaus lui demanda s'il pouvait emporter la revue.

— Mais oui, bien sûr. Nous l'avons déjà lu trente fois. Il n'y a rien à faire ici, la nuit, quand c'est fermé. Prenez-la, prenez-la...

On entendit un bruit de dés roulant à l'intérieur d'un gobelet. Tutusaus se retourna ; les ouvriers avaient troqué leurs cartes pour une partie de petits chevaux. Son corps s'était brutalement couvert de sueur. Cela lui déplut. Ils quittèrent les lieux.

Ils redressèrent Heredero, s'engouffrèrent dans la Dauphine et redescendirent le col de Toses. Assis devant, à côté de Tutusaus, l'estropié, volubile, parlait du bon vieux temps, quand il avait ses deux jambes et qu'il était un chauffeur hors pair.

— Pas comme toi, Tutusaus, qui fais une putain de peine à voir conduire. T'aurais vu comment je conduisais, moi ! Parfois, je pilotais les camions de la compagnie. J'avais un collègue, Benet, mais tout le monde l'appelait « la Saumure » tellement il puait. Eh bien celui-là, il conduisait encore plus mal que toi. Parfois, je l'accompagnais avec la jeep de l'entreprise pour aller à l'usine, à Vallcarca. Chaque fois qu'un camion apparaissait sur la route côtière de Garraf, il mettait un temps fou avant de le voir. Je devais lui dire « Putain, Benet, le camion ! » quand on était sur le point de se le payer. On voyait le visage du camionneur, mort de trouille. Benet donnait un grand coup de volant et s'écartait au dernier moment. Il était comme ça, Benet.

— Il est mort ?

— Oui.

— D'un accident de voiture ?

— Oui, le seul de sa vie où ça n'était pas de sa faute.

Tutusaus s'engageait comme un fou sur des ponts étroits enjambant des torrents, et descendait les virages du col aussi vite qu'il le pouvait.

À droite, un bois de pins touffus, à gauche, des précipices qui tombaient à pic des centaines de mètres plus bas. L'estropié se cramponnait tout en donnant des leçons théoriques sur ce qu'il fallait faire et ne pas faire, expliquant sa manière à lui de conduire quand il avait ses deux jambes, et de quelle manière les pilotes de formule 1 prenaient les virages serrés, et comment faisaient ceux qui n'en avaient pas la moindre idée, comme Tutusaus... Il dit soudain :

— T'as pas les couilles d'arrêter le moteur et de te mettre au point mort...

— Non.

— C'est bien ce que je pensais... Moi, je l'ai fait une fois, je dépassais les autres bagnoles et...

La jeune femme l'interrompit, elle venait de vomir tous les *Frucos* d'ananas qu'elle avait bus quelques minutes plus tôt. Tutusaus jeta un coup d'œil dans le rétroviseur mais ne s'arrêta pas. Tandis que l'estropié houspillait sa compagne, ils laissèrent derrière eux les chalets de montagne de la zone de Ribes de Freser et Campdevànol. Avant d'arriver à Ripoll, Tutusaus coupa sur sa droite et s'enfonça dans la montagne par un chemin de terre. La troisième étape du voyage vers Montsol commençait. Tutusaus réfléchissait : avec la Dauphine, ils n'iraient pas loin. Beaucoup de pistes forestières étaient en bon état et parfaitement carrossables pour un véhicule normal, mais le fait de circuler en haute montagne ouvrait la porte à toutes sortes d'imprévus : des glissements de terrain qui obstruent le passage jusqu'aux chutes d'arbres ou de pierres. La pauvre Dauphine, avec sa caisse très basse, n'était pas préparée à ça. Il fallait monter jusqu'à neuf cents mètres d'altitude et passer par une petite crête. Montsol se trouvait de l'autre côté. Soit une trentaine de kilomètres à parcourir au total par des contrées et des chemins inconnus, qui ne menaient souvent nulle part, infranchissables en hiver et peu ou pas recommandables en été. Les cahots réveillaient Heredero de temps à autre, sans qu'il parvienne à recouvrer sa lucidité. Il confondait Tutusaus avec le général, la jeune femme avec sa secrétaire, l'estropié avec l'un de ses amis juge. Personne ne l'écoutait. La voiture roulait sur des chemins extrêmement étroits, avec des précipices de part et d'autre. Ils traversaient des petits torrents – terrorisés à l'idée que l'eau puisse pénétrer dans le moteur –, encaissaient les dénivelés...

— Merci, Tutusaus, dit Heredero après une secousse. Je respire l'odeur de la mer... Tu m'as emmené vers le sud...

Ce que les autres occupants du véhicule respiraient, c'était la puanteur du vomi de la jeune femme. Et à son tour, l'estropié accusait Tutusaus d'être sale :

— Tu pourrais t'arrêter, t'es vraiment un porc, un sale porc...

Tutusaus s'en fichait éperdument. Heredero, quant à lui, se sentait de plus en plus heureux parce qu'il voyait les plages de Punta Umbría :

— Voilà, on arrive... Tu m'avais promis de m'emmener dans le Sud et tu as tenu ta promesse. Dès que nous serons installés, je demanderai une audience à don Juan. Je suis sûr que les membres de son conseil doivent déjà être là, à l'attendre...

La Dauphine roulait au pas dans la montagne depuis au moins trois heures. Tutusaus, pareil à un chien de chasse, prenait un chemin, de mémoire, se rendait compte au bout d'un moment de son erreur, et effectuait un demi-tour. On aurait dit un Indien suivant une piste. L'air qu'il respirait, les arbres, les bruits ressemblaient de plus en plus à ce qu'il connaissait et cela l'encourageait. Un des cahots avait cabossé le carter. Un minuscule filet d'huile s'épanchait derrière la voiture, tel du sang s'échappant d'une blessure. Lorsque Tutusaus s'en rendit compte, il était déjà trop tard, le témoin rouge clignotait sur le tableau de bord. Il s'arrêta. Il ouvrit la portière, aida Heredero à sortir et l'assit sur une pierre, au bord du chemin afin qu'il puisse respirer ce qu'il croyait être les effets merveilleux de la brise marine. Tutusaus regarda dans le coffre. Il fallait s'y attendre : il ne contenait pas de bidon d'huile de rechange. Il calcula qu'il leur restait environ sept ou huit kilomètres à parcourir jusqu'à son cimetière et sa cabane. Le chemin n'était pas mauvais, ils y arriveraient peut-être. Quelques minutes plus tard, il lui parut évident qu'en voiture – avec cette voiture-là, en tout cas –, ça ne serait pas possible : la Dauphine refusait de redémarrer. Arrivée là, il n'était plus question pour elle de faire un mètre de plus. Elle était morte.

— Cette bagnole ne démarre pas... remarqua l'estropié.

— Très observateur, grinça Tutusaus.

— Et qu'est-ce que tu comptes faire ? Appeler les pompiers ?

Tutusaus ne répondit pas. Il commença à rassembler les affaires dont il avait besoin et les mit dans un sac. L'estropié le regardait sans comprendre quelles étaient ses intentions.

— On peut savoir, putain, ce que t'es en train de faire ?

Tutusaus chargea Heredero sur ses épaules après lui avoir dit qu'ils partaient en balade. Le malade s'agrippa à son cou en souriant béatement.

— Allons-y, Tutusaus, allons-y... On m'a dit que don Juan ne jettera pas l'ancre avant ce soir...

Tutusaus entreprit la descente du chemin, Heredero juché sur son dos. L'estropié, bouche bée, ne put que constater que Tutusaus le laissait de nouveau tomber, pour la troisième fois consécutive en moins de quarante-huit heures :

— Tutusaus ! Tutusaus ! Reviens ! Salaud ! Sale fils de pute !

La solution vint d'elle-même, tout comme la veille. L'estropié sauta à cheval sur la jeune femme et elle le rattrapa au vol. Il s'égosillait, la traitant comme une bête de somme :

— Allez, va, va vite, ma salope, qu'il ne nous laisse pas en arrière. Il est pire qu'une bête. Une pierre a plus de sentiments que lui. Tutusaus ! Tutusaus ! Attends-nous ! S'égosillait-il tout en brandissant sa béquille telle une lance.

L'estropié pesant trois fois moins qu'Heredero, et Tutusaus ayant opté pour une marche lente mais régulière, les deux couples se retrouvèrent à peu près au même niveau au bout de cinq minutes.

— Alors, Tutusaus, qu'est-ce que tu croyais, salopard, que t'allais me laisser choir en pleine montagne ? Et vous, majesté, comment allez-vous ?

Heredero ouvrit les yeux, vit l'estropié derrière lui et lui dit :

— Vous êtes aussi de la balade ? On dit qu'il y a une vue magnifique, mais si je peux me permettre, je vous conseille de mettre une casquette, on dit aussi que le soleil de la côte atlantique tape très fort et qu'il brûle...

Même en observant des pauses toutes les trente minutes, au bout de deux heures, ils furent épuisés. Ils s'arrêtèrent près d'une fontaine, au bord du chemin. Il s'agissait en réalité d'un petit cours d'eau niché sous l'herbe, coulant tout au long du versant sur le chemin. Il devait être cinq heures du soir ; la jeune femme semblait épuisée. Il fallait la surveiller, comme on l'aurait fait avec un cheval : elle était bien capable, en effet, de porter l'estropié jusqu'à son dernier souffle et de tomber raide morte sans avoir laissé échapper le moindre soupir. Tutusaus enfonça une pierre plate sur la paroi du talus et un filet d'eau se mit à sourdre. Tout le monde but et se rafraîchit. Heredero murmurait qu'on lui avait assuré que cette eau du Guadiana, si près de l'embouchure, possédait des vertus curatives.

Des pins, très hauts et tout droits, se dressaient de l'autre côté. L'écorce de quelques-uns avait été grattée : des sangliers rôdaient dans les parages.

— Le sanglier aime s'empiffrer de résine... murmura Tutusaus.

— Hein ? dit l'estropié.

— Rien.

— T'es vraiment cinglé. T'es pire que celle-là, s'exclama-t-il en désignant la jeune femme. Je le répète, t'es qu'une bête. Elle, au moins, ne me ferait jamais de mal. Elle se laisserait mettre en pièces pour moi. Toi, tu serais capable de torturer ta propre mère...

Tutusaus l'écouta attentivement. L'estropié, étonné par cet intérêt soudain, eut peur et se tut aussitôt. Suis-je une bête ? s'interrogea Tutusaus. Si oui, il y avait longtemps qu'il ne s'en rendait plus compte. Au début, il n'en allait pas ainsi. Il se souvint de l'hiver 46, lorsque le général Pozos lui avait remis l'un de ses premiers ordres de mission.

— Le type fait de l'hypertension, lui avait expliqué le général. Ça doit ressembler à une embolie, Céspedes. Tu feras au mieux. Tant pis si ça laisse des traces, personne n'osera pratiquer d'autopsie...

— Pourquoi ?

— Qu'est-ce que ça peut te faire ? Enfin, c'est vrai que c'est toi qui vas t'en charger, mon salaud, tu as le droit de savoir... Tu veux que je te le dise ? Alors voilà. Il s'agit de Teófilo Cañas, une grosse huile du régime. Il est devenu multimillionnaire depuis la fin de guerre, grâce au marché noir. Ça fait longtemps qu'on l'a prévenu qu'il dépasse les bornes, mais il s'en moque. Il y a quinze jours, il s'est accaparé soixante-quinze pour cent de la farine qui circule à Madrid. Ça a duré vingt-quatre heures, mais il a doublé sa fortune, au risque de déclencher une révolte populaire aux conséquences imprévisibles. Avant-hier, le service d'inspection de la délégation provinciale d'approvisionnement nous a envoyé un message secret, nous signalant que M. Cañas, en plus du marché noir à grande échelle, se consacrait également à la falsification des coupons et des cartes de rationnement. On l'a de nouveau mis en garde, et il a répondu qu'il était un ami personnel du Généralissime, et a demandé qu'on lui fiche la paix. Le pauvre va être victime d'une embolie. J'en ai parlé avec ses héritiers et ils sont d'accord. Ainsi que sa femme et sa « chérie ». Évidemment, on ne leur a pas dit que Cañas allait être neutralisé. On les a consultés sur l'opportunité de le convaincre de se retirer. Ils n'y ont vu aucun inconvénient, ils ont compris nos raisons. De cette manière, quand il sera mort, ils accepteront et se résigneront plus facilement. C'est plus pratique pour tout le monde. C'est même une question d'image. Les étrangers qui admirent en toute bonne foi la propagande faite par notre État sont surpris de voir de pauvres gens, dans les rues, ramasser la peau des caroubes qui tombent des besaces passées à l'encolure des chevaux. Ou sont effrayés quand ils se cognent en pleine nuit sur des gamins fouillant dans les seaux à ordures aux portes des maisons. Ça ne peut pas durer, je suppose que tu es d'accord...

— Bien sûr, chef.

— Nous ne devons pas nous voiler la face, Céspedes, il y a une certaine pénurie au niveau des produits de base. Et ceux qu'on trouve restent inaccessibles pour la majeure partie de la population, en raison des prix du marché noir. Le niveau des salaires est extrêmement bas et ils se dévaluent de plus en plus. Et qu'est-ce que tu crois ? Que le Généralissime ne le sait pas, tout ça ? Tu crois que Son Excellence est en train de bayer aux corneilles ? Bien sûr que non. Mais on ne fait pas jaillir du sang des pierres. Toutes ces années difficiles sont une traversée du désert. Le complot de l'extérieur contre l'Espagne n'a pas désarmé. On ne se remet pas d'une guerre du jour au lendemain. Alors, pendant que les choses s'améliorent, il faut faire le nettoyage sélectif des populations risquant d'engendrer des conflits, tu comprends ? Donc, nous devons discrètement sortir de là M. Teófilo Cañas, cet inconscient que rien n'arrête. Le régime, et surtout Son Excellence, est généreux envers ceux qui l'ont aidé à gagner la Croisade, il fait preuve d'une certaine souplesse à l'égard de ses éléments les plus proches, mais il y a une limite à tout. Le monopole de Cañas sur le marché noir a commencé à produire des troubles de toutes sortes. Il est donc coupable, et bien coupable. Cela dit, ça n'empêche malheureusement pas qu'il faille de temps en temps éliminer aussi des innocents. Et ne me regarde pas comme ça. Viens avec moi.

Le général devait se rendre à une messe d'enterrement dans un quartier chic de Madrid. Quand ils arrivèrent, l'église paroissiale débordait de monde. Un mendiant avait tué accidentellement un militaire qui lui demandait ses papiers. Le défunt était le fils d'un ami du général. Il faisait froid et tout le monde s'était mis sur son trente et un – dames et messieurs vêtus comme pour un mariage, sans doute en raison de la présence de personnalités civiles et militaires. En chaire, un aumônier militaire avait adopté un ton de fausse résignation. On devinait en lui une agressivité contenue.

— Le problème de la mendicité, disait-il, doit être combattu en premier lieu en éliminant l'attraction que les centres urbains exercent sur les aventuriers et les feignants. Le travail rend digne et élève l'homme sur terre. L'oiseau est né pour voler et l'homme pour travailler. Vous travaillez dans un bureau ou un atelier ? Vous travaillez dans un commerce ? Il s'agit toujours de bien travailler, tout le temps qui vous est imparti ; vous vous sentirez mieux devant Dieu et devant les Autorités. L'ambition enflamme les pauvres âmes bien avant les grandes, tout comme le feu enflamme les maisons de paille bien avant les palais... Tout cela est l'effet de cette propagande étrangère qui ne cesse d'empoisonner notre jeunesse. La conscience vive et lumineuse du destin de l'Espagne dicte notre devoir : imposer l'autarcie morale et intellectuelle. En dernier recours, nous pouvons nous résigner aux influences économiques, mais jamais aux pénétrations étrangères soi-disant éducatives, basées sur le matérialisme, qui marquent les pensées et les lignes de conduite. Si nous avons su gagner la guerre, ne perdons pas maintenant la paix. Nous ne voulons pas de vagabonds, de faux mendiants, de joueurs patentés, de paresseux et de gens de cette espèce qui fondent sur la ville, attirés par le mirage de l'oisiveté, de la liberté, du vice et de la vie facile...

Une fois la cérémonie achevée, au lieu de rentrer, le général donna l'ordre à son chauffeur de les emmener, Tutusaus et lui, dans un des quartiers de la périphérie de Madrid.

— T'as entendu le curé ? dit Pozos. Il a raison. Depuis quand un mendiant ose se battre avec un militaire ? Avant, ça n'arrivait jamais. Ce sont les premiers symptômes d'une très grave maladie qu'il faut enrayer le plus vite possible. Note bien tout ce que tu vas voir...

Tutusaus put alors palper la brèche qu'ouvrait la misère à mesure qu'ils s'éloignaient du centre et traversaient les bidonvilles et les grottes de la proche banlieue.

— Ici, les gens ont faim et souffrent de carences et de maladies. Tu crois que nous ne le savons pas ?

Tutusaus descendit aux enfers conduit par le général Pozos lui-même. Sans sortir de voiture, il vit des gamins et des gamines déchaussés en plein mois de décembre qui les observaient des pas-de-porte ombragés de leurs maisons creusées à même la montagne. Ces espèces de trous blanchis, ouverts sur l'extérieur et à peine protégés d'un rideau étaient tous vides, sans meubles. Des bébés malades gisaient là, au milieu des ordures.

— Tu vois ces gens ? Ils sont innocents. Ça n'est pas de leur faute s'ils sont pauvres. Mais ils n'ont pas la moindre perspective d'avenir, ils ne s'en sortiront jamais. Tu ne peux pas imaginer à quel point la misère abrutit. Ils deviennent des bêtes. Ils auraient dû mourir à la guerre. Que le pays reste bien propre. Regarde ceux-là, ils vivent dans trente mètres carrés. Ils n'ont qu'une seule chambre : tous ces individus, hommes et femmes, vivent ensemble dans une même pièce, partageant jusqu'à leur lit, dans la plus grande des promiscuités. C'est bien pire de voir tous ces crève-la-faim qu'un mineur des Asturies gagné au communisme ! Il y a quinze jours, un fourgon de nourriture a été pris d'assaut et désossé en pleine route de la Corogne par des types armés et munis de gourdins. Le conducteur, par chance, n'a eu qu'un bras luxé. Tu comprends bien que ça ne peut pas durer ! Avec des incidents de cette sorte, nos adversaires attisent les conflits au travers de leurs radios et de leurs agents, que cela touche à la vie quotidienne ou au monde du travail. Et parmi cette racaille farcie de rancœur, il faut notamment surveiller de près les intellectuels ; la République est tombée sous la coupe d'une culture artificielle, infestée d'apports étrangers et presque entièrement gauchistes. Il reste encore aujourd'hui, dans quelques chaires, des intellectuels camouflés qui, au lieu d'éduquer, ne font que désorienter nombre d'intelligences, et remplir de chimères les têtes de notre jeunesse.

— Et qu'est-ce qu'on peut y faire ?

— Attendre que la situation économique s'améliore. Il y a d'autres solutions, mais elles sont un peu trop expéditives. Tu sais ce qu'a répondu à cette même question, il n'y a pas deux ans, l'honorable ambassadeur du Reich lors d'une réception au palais royal ? Il a plus ou moins préconisé la solution finale. Il a dit, tranquillement, tout en léchant ses grandes moustaches enduites des restes de la liqueur qu'il était en train de boire : « Il faut mettre un frein à l'explosion de la natalité dans les quartiers indigents. Avec l'arrivée de ces médicaments modernes, ils vont se multiplier comme des lapins. Croyez-moi. » Je lui ai répondu que c'était les considérer a priori comme des ennemis. Il m'a alors rétorqué : « Est-ce que cela veut dire que vous êtes d'accord avec les

346

révoltes populaires ? » Je lui ai répondu qu'évidemment non. Et c'est là que Monsieur l'ambassadeur m'a minutieusement expliqué qu'ils effectuaient des stérilisations massives de juifs, gitans et autres éléments subversifs. Et qu'il nous suggérait d'agir de même. Je lui ai objecté que le succès n'était pas assuré, que les Anglais avaient essayé il y a quelques années, sur les Noirs de certaines colonies, en leur offrant une bicyclette en échange d'une stérilisation, d'une castration volontaire... L'ambassadeur allemand s'est enflammé : « Les Anglais ? C'est un peuple dégénéré ! Ils sont timorés, ils ont mauvaise conscience. De plus, ils n'ont même pas idée de ce qu'ils font : le nègre ne se laissera jamais castrer parce qu'il sait qu'il doit faire beaucoup d'enfants et très vite. Pour qu'il en reste quelques-uns de vivants pour maintenir et perpétuer la race. Il mourrait de honte, malgré toutes les bicyclettes qu'il pourrait exhiber, s'il devait passer dans son village devant les maisons de ses voisins pleines de marmaille en se sachant incapable de procréer... Croyez-moi, Pozos, l'idéal serait un empoisonnement massif. On fait d'une pierre deux coups ; on balaye les éléments perturbateurs et on pratique en même temps une retenue démographique. » Qu'est-ce que t'en penses, Céspedes ? Il y allait fort, hein ? C'était juste une idée. Mais t'imagines ? Toutes les heures supplémentaires que t'aurais eues à faire... Des litres et des litres de poison. Toute une rangée de baraques éliminée d'un seul coup de balai... Puisque les gens consomment même l'eau non potable des égouts, la justification était toute trouvée : contamination massive. Ça ne s'est pas fait. C'est pour ça, pour éviter des maux encore pires, qu'il est pour le moment plus avantageux de mettre hors circuit des gens tels que Teófilo Cañas. Nous allons réquisitionner toute sa marchandise et c'est nous, les jours prochains, qui allons la faire circuler via le marché noir. Les prix vont baisser pendant un moment et le climat social s'apaiser. Nous aurons gagné du temps, et c'est ce que nous voulons.

Ils n'échangèrent plus un mot et rentrèrent à Madrid. Le lendemain, Ils se rendirent chez un certain Cañas qui tenait tripot chez lui. Tutusaus le reconnut aussitôt : le crâne à moitié dégarni sur le devant, bilieux et grassouillet, un mégot éteint à la commissure des lèvres qu'il rallumait sans cesse à l'aide son briquet à essence. Tutusaus se proposa de lui servir son troisième whisky. À deux heures du matin, l'homme était mort. Victime d'une crise cardiaque, il tomba la tête la première sur le tapis de jeu. Ses cartes restèrent à la vue de tous : avec ce jeu-là, il aurait gagné. On respecta donc le résultat probable de la partie et on en offrit les gains aux héritiers qui, pour ne pas offenser tant de bonnes intentions, les acceptèrent... Tutusaus reçut les félicitations écrites du général, une petite prime et quelques jours de vacances supplémentaires.

Les cris de l'estropié le ramenèrent à la réalité :

— Eh, Tutusaus ! Espèce d'idiot ! Tu vois rien, ou quoi ?

Heredero, sur son dos, venait de lui vomir du sang dessus. Mauvais signe. Le liquide coulait dans son cou, tachant sa nuque, ses oreilles et ses épaules... Tutusaus le posa sur le sol, attendit que l'hémorragie s'arrête, puis lui fit avaler deux comprimés d'un coup. L'homme n'avait pas complètement repris connaissance. La flaque de sang, par terre, était sombre, épaisse, presque noire. Du sang veineux, donc. L'image d'une multitude de petites veines éclatant dans le corps d'Heredero parut presque obscène à Tutusaus. Quelques minutes plus tard, ce dernier le chargea de nouveau sur son dos et reprit sa marche. Derrière, plus lentement, la jeune femme, dirigée et éperonnée par l'estropié, essayait de ne pas perdre sa trace.

Tutusaus se taisait et marchait, concentré. Le chemin avait disparu depuis un bon bout de temps. Il aurait été, de toute manière, impossible d'arriver jusque-là en voiture. Passant à travers champs ou à flanc de montagne, il fallait rester à l'affût pour ne pas se perdre. Par chance, les médicaments avaient fait leur effet et arrêté l'hémorragie d'Heredero. L'estropié était étrangement optimiste ; avec son unique jambe, tel le chevalier errant à la triste figure, il parlait à voix haute et chantait tout en frappant la cuisse de la jeune femme, pour qu'elle garde le rythme :

— On y est, ma salope, ne perdons pas de vue Sa Majesté !

On rase les porcs tout autant que les rois après leur mort ! Ah ah ah, comment va, Majesté ?

C'est au crépuscule, après plus de trois heures de marche, que l'imposant massif de Montsol apparut devant eux. Ils se trouvaient donc à l'extrême nord du bois d'Entraigües, avec ses arbres couverts de plantes grimpantes. Normalement, à partir de là, Tutusaus ne mettait pas plus de vingt minutes pour se rendre au cimetière et à la cabane. Mais il était fatigué, et la jeune femme également, par la longue marche avec leur charge respective, et ils mirent encore trois quarts d'heure avant d'y parvenir, et quand enfin ce fut fait, le soleil était presque couché.

Tutusaus entra dans la cabane et allongea Heredero sur le lit de camp.

Une caisse de fruits tout abîmée traînait par terre, remplie de crottes de rats. Au plafond, quelques toiles d'araignées. Dans un coin, quatre pierres noircies et une branche à demi brûlée étaient les seules traces qu'avait laissées Tutusaus lors de son dernier passage. Sur les étagères, des livres et des flacons contenant des substances les plus inavouables. Il cherha les bougies et, par chance, les retrouva près d'une petite boîte d'allumettes. Les dernières lueurs du jour pénétraient par une fente. La ferme se trouvait à une vingtaine de minutes, plus haut dans la montagne. Mais avec cette troupe, et Heredero dans cet état, il laissa tomber. Ils allaient dormir dans la cabane : c'était un endroit dont absolument personne ne connaissait l'existence. Ils monteraient à la ferme le lendemain.

— Tutusaus, est-ce que nous sommes à l'hôtel ? demanda Heredero dans un filet de voix.

— Oui.

— Tu dois prendre contact avec don Juan. Il va arriver d'un moment à l'autre... Mon Dieu, j'ai tellement besoin de l'avoir devant moi, tu comprends ?

— Oui...

Il demeura ainsi, la tête reposant sur l'oreiller, les yeux fermés. Tutusaus devina qu'il était en train de mourir. Cela pouvait prendre une heure, ou bien une journée. S'il voulait voir don Juan, il le verrait. Cette illusion le maintiendrait peut-être en vie un peu plus longtemps. Tutusaus secoua l'estropié, qui ronflait déjà, assis par terre. L'homme se réveilla, effrayé, il devait être en train de rêver. Il s'effraya davantage encore lorsque Tutusaus lui dit :

— Secoue-toi !

— Qu'est-ce que tu veux, putain ?

Tutusaus lui balança une gifle d'un revers de main.

— T'as du boulot.

— Très bien, très bien, t'es pas obligé de me faire sauter les dents à chaque fois que t'as quelque chose à me demander...

— Tu sais lire ? lui demanda Tutusaus.

— Évidemment que je sais lire, qu'est-ce que tu crois ? Que tout le monde est aussi bête que toi ?

— Alors, lève-toi.

— Qu'est-ce que je dois faire ?

— Jouer la comédie.

CHAPITRE 17

Tutusaus prépara la représentation. Il prit les pages du magazine ramassé dans le restaurant du col de Toses et commença à modifier l'article concernant le mariage du prince Juan Carlos. Il écrivit « nous nous sommes dirigés » à la place de : « nous nous dirigerons », et chaque fois qu'il y avait un Juan Carlos, il ajoutait « mon fils » devant... En quinze minutes, c'était terminé. Il ordonna à l'estropié d'essayer de mémoriser le texte, ne serait-ce qu'un petit bout.

— À tes ordres, l'idiot. Quand tu voudras, tu m'expliqueras ce que tu comptes faire.

Tutusaus changea la disposition des quelques meubles qui se trouvaient dans la cabane. Il alluma toutes les bougies qu'il possédait et les dissémina dans la pièce, sauf dans le coin où il installa l'estropié. Il le déplaça jusqu'à trouver la bonne disposition, afin qu'il reste dans la pénombre, à l'autre bout de la pièce par rapport au lit d'Heredero. Il lui mouilla les cheveux et le peigna en arrière, prit une des couvertures toute rongée, et la lui glissa sur les épaules, telle une cape.

— Franchement, t'es vraiment cinglé ! Putain, qu'est-ce que tu crois, Tutusaus ? Cet homme est malade, pas imbécile...

— La ferme...

— Ouh, ne t'inquiète pas... On fait comme tu dis, il manquerait plus que ça.

Tutusaus fit tomber la couverture du côté de la béquille, comme une cape nonchalamment portée.

— Tu peux la couvrir, va, la béquille, tu la cacheras pas... Je peux te poser une question ?

— Quoi ?

— Pourquoi c'est pas toi qui joues le rôle ? Moi, je sais pas de quoi il s'agit, je peux me tromper...

— Moi, il me connaît.

Tutusaus s'était rendu compte qu'Heredero, chaque fois qu'il délirait, le reconnaissait, lui, tandis qu'il confondait l'estropié et la jeune femme avec d'autres personnes.

— Et moi non ?

— Non. Lis !

— Très bien ! Je lis, cher maître et seigneur !

Il s'approcha de la clarté d'une bougie.

— Ne bouge pas !

— J'y vois rien !

— Lis !

Tandis que l'estropié murmurait son texte, Tutusaus prit la jeune femme avec douceur – c'était la seule façon dont elle acceptait d'être traitée par quelqu'un d'autre que son compagnon –, et la fit asseoir à côté de ce dernier, sur la caisse de fruits renversée, les jambes serrées et légèrement inclinées, comme une dame. Ils passèrent plus d'une demi-heure à répéter et à faire des essais. Heredero ne sortait pas de sa léthargie. Une bougie posée à ses côtés accentuait les traits de son visage. Tutusaus se souvenait de lui : fier, souriant, courageux, brillant, sympathique, sans une once d'amertume, toujours si étrangement optimiste ; il le voyait marcher à grandes enjambées dégingandées d'adolescent... Il ne lui restait plus longtemps à vivre. Tutusaus voulait se convaincre qu'il montait toute cette comédie pour l'apaiser et le livrer ainsi dans les meilleures conditions possibles. Il ne voulait pas accepter qu'il faisait tout cela parce qu'Heredero était en train de mourir et qu'il voulait qu'il meure en paix. Cinq minutes plus tard, le malade tenta de se redresser sur son lit, en vain. Il toussa et dit d'une toute petite voix :

— Où sommes-nous, Tutusaus ?

— À l'hôtel, à Punta Umbría.

— Je respire le parfum de la mer. Je ne me sens pas bien. Tu as téléphoné au numéro que je t'ai donné ?

— Oui.

Tutusaus lui expliqua qu'on lui avait confirmé l'arrivée de don Juan de Bourbon pour cette nuit même. Et les conseillers Pemán et Valdecasa qui l'attendaient sur les quais étaient même sûrs qu'il viendrait lui rendre visite...

— À moi ?

— Oui.

Tutusaus ajouta que ces mêmes conseillers lui avaient confié que don Juan parlait souvent d'Heredero.

— Don Juan parle de moi ?

— Oui, et de vos porcelaines.

Et il précisa aussi que, visiblement, don Juan en possédait un certain nombre dans sa maison d'Estoril. Heredero écoutait, du plus profond de ses cernes, et gobait le tout :

— Mon Dieu, Tutusaus, je vais l'avoir devant moi. Tu te rends compte ?

Tutusaus parvint à le calmer. Il fit mine d'aller ouvrir une porte.

— On frappe. Monsieur Heredero, voilà don Juan, accompagné de doña Mercedes...

— Merci, Tutusaus. Entrez, Majestés. Pardonnez-moi de vous recevoir de cette manière... Je ne peux pas me lever.

L'estropié, comme cela ne figurait pas dans le scénario, ne pipa mot. Tutusaus lui fit signe de commencer à lire. Heredero le regardait mais ne le voyait pas. La lumière des bougies n'éclairait que vaguement la zone où se trouvait l'estropié. Cela empêchait Heredero de découvrir la supercherie, mais empêchait également l'estropié, qui tenait difficilement debout, sa béquille sous le bras, de lire correctement. Il hésitait et Tutusaus commença à devenir nerveux. Heredero se redressa un peu et dit :

— Vous lisez un texte ?

L'estropié resta la bouche ouverte. Tutusaus se pencha vers

le lit de camp et glissa à l'oreille d'Heredero que don Juan avait préparé un petit discours. Heredero fit un geste de complicité et dit :

— Il ne fallait pas vous déranger, Majesté...

L'estropié, encouragé par Tutusaus, ne répondit pas et entreprit sa lecture. Il ânonnait et s'arrêtait tous les deux mots pour consulter discrètement son metteur en scène :

— Cher don Heredero, je suis enchanté de vous rencontrer. Quelle émotion, en vous voyant ; j'ai cru mourir de peur, on ne vous a jamais dit que vous êtes le portrait craché de mon père ?

— Non...

— Vous êtes l'image vivante de Sa Majesté Alphonse XIII, qu'il repose en paix. Vous pourriez parfaitement passer pour son sosie !

— Ah oui ?

— Oui, c'est évident ! À propos, don Heredero, on m'a dit grand bien de vos porcelaines. Vous contribuez à rendre la vie plus belle, et c'est inestimable, n'est-ce pas, cher ami ?

Heredero fit une grimace nerveuse et répondit :

— Non.

Un silence sépulcral tomba sur la cabane. Heredero, perdu dans son délire, ne s'en aperçut même pas, et poursuivit :

— Loin de moi l'idée de corriger Votre Majesté... Mais les porcelaines Heredero ne font pas qu'enjoliver la vie, elles sont de la culture à l'état pur. Une grande culture. Chaque figurine a une haute valeur culturelle – autant, dirais-je, qu'un livre d'histoire.

— Oui, oui... disait l'estropié, alors que Tutusaus lui faisait signe de continuer comme si de rien n'était. L'infirme reprit sa respiration. Il lisait en récitant tel un enfant de six ans lors d'une fête de fin d'année, ritournelle comprise :

— Prévenu de votre présence ici, à Punta Umbría, par mes conseillers, MM. Pemán et Valdecasas, je n'ai eu de cesse de venir vous rendre visite...

— C'est un grand honneur. À propos, vous portez une cape magnifique.

— ... vous rendre visite, même si mon séjour en terre espagnole doit être bref pour les raisons que vous et moi connaissons...

— Et que beaucoup regrettent.

— ... connaissons, mais la tentation était grande, et la discrétion et la magnanimité du Généralissime sont prodigieuses. Vous devez savoir que je me rends en Grèce en raison de l'union par le mariage de mon fils aîné, Juan Carlos, prince d'Asturies à...

— Oui, oui... Je suis sûr qu'il y aura beaucoup de monde. Moi-même, si je me sentais mieux...

L'estropié, qui commençait à s'énerver, le coupa sans ambages, et continua :

— ... la présence du ministre de la Marine, à bord du croiseur *Canarias*, donnera de l'importance à l'événement. Cent trente-trois membres des familles royales européennes ont confirmé leur présence lors de ces noces. Ces heures verront un renforcement du sentiment monarchiste, et influenceront indubitablement de manière favorable l'image de l'Institution et celle du prince Juan Carlos. Tout est prévu : défilé du cortège royal en direction de la cathédrale catholique Saint Denys, à l'intérieur garni d'œillets blancs et rouges. La princesse Sofia fermera le cortège, dans un carrosse tiré par six chevaux blancs. La future mariée entrera dans la cathédrale au bras de son père, le roi Paul Ier de Grèce. Le prince Juan Carlos, sanglé dans son uniforme de l'armée de terre espagnole, fera quant à lui son apparition au bras de sa mère...

— Mais, et Franco ?

— Franco ? dit l'estropié, la gorge sèche, cherchant Tutusaus du regard.

— Oui, Franco.

— Eh bien, Franco...

Tutusaus l'interrompit pour lui dire que Son Excellence s'était excusée de son absence auprès de son entourage en raison d'une journée de pêche au thon dans la mer Cantabrique, à bord de l'*Azor*. Heredero se troubla un instant et murmura :

— Évidemment... Les thons du Généralissime ne peuvent pas attendre...

Il se mit soudain à respirer plus vite et plus profondément, ses narines se dilataient, essayant d'obtenir l'air qui lui manquait. Il perdit aussitôt connaissance. L'estropié dit :

— Fin de la représentation.

Tutusaus, épuisé, se laissa tomber sur le sol pour se reposer. L'estropié jeta sa couverture et fit de même. La jeune femme, non. Elle demeura dans cette position, jambes inclinées, frottant avec ses doigts les pois chiches de son collier, comme si elle égrenait un chapelet.

— Tutusaus... dit l'estropié à mi-voix.

— Quoi ?

— Pourquoi t'as fait ça ?

— Quoi, ça ?

— Toute cette comédie. Heredero est un homme malade, il ne pourrait pas t'attaquer et il serait encore plus incapable de s'échapper... Pourquoi tu lui as donné ce plaisir ?

L'estropié était en train de formuler ce que Tutusaus avait pensé dix minutes plus tôt. Il essaya de lui apporter une réponse et lui dit qu'ainsi il serait plus calme et qu'il causerait moins de soucis.

— Ce qui se passe, lui rétorqua l'estropié, c'est que t'aimes pas reconnaître que t'es pas complètement une bête sauvage, qu'il te reste encore des sentiments. C'est évident que t'as fait tout ça parce que t'éprouvais de la peine pour Heredero...

— C'est pas sûr.

— Si.

— Ça suffit !

— T'as éclaté la tronche de ce type, dans la voiture, devant nous, sans aucun problème. Après, t'as failli faire la même chose avec la fille et moi. Et c'est sûr que tu l'aurais fait, sans aucun problème non plus. D'ailleurs, quand t'auras plus besoin de nous, tu pourrais bien nous écorcher comme deux lapins. T'es toujours comme ça ? T'as jamais eu aucun doute, aucun remords ? C'est pas possible d'être aussi entier. C'était peut-être la première fois aujourd'hui : Heredero t'a fait de la peine.

Tutusaus sortit sans le regarder ni même lui répondre. Tout semblait calme. Il n'entendait rien de spécial, rien que la rumeur habituelle du bois. L'estropié parlait de doutes. Et douter, pour Tutusaus, c'était mourir. Un tueur, s'il veut survivre, ne doit pas douter. En vérité, il avait déjà eu un moment de doute, des années plus tôt. Mais puisque cela s'était produit dans le bref intervalle où il était tombé amoureux, il avait toujours attribué ce fait au petit déséquilibre mental provoqué par l'amour. Comme il avait décidé de ne plus jamais tomber amoureux, il avait alors été certain qu'il ne douterait plus jamais. Un jour, sa petite amie madrilène de l'époque, Lía, se présenta à la pension accompagnée d'une jeune fille. Elles saluèrent la maîtresse de maison et entrèrent dans la chambre de Tutusaus.

— Je te présente Antònia. C'est une amie des cours du soir. Quand je lui ai dit que t'étais militaire, ça l'a effrayée. Mais j'ai quand même réussi à la faire venir. Je l'ai convaincue que t'étais un militaire différent.

Différent ? Différent de quoi ? pensait Tutusaus. Mais il n'avait d'yeux que pour sa petite fiancée, heureuse et mystérieuse. Ce jour-là, Tutusaus la trouva changée, et cela lui plut. En résumé, la jeune fille qui accompagnait Lía était recherchée par la police pour des raisons politiques, et Lía voulait que Tutusaus lui apporte une sorte de couverture, durant quelques jours.

— Je viens de dire à la maîtresse de maison que c'était ta cousine. De cette façon, elle n'aura pas besoin d'être inscrite sur les registres de la pension, puisque tu en réponds.

Pendant quelques secondes, personne ne se décida à parler. La jeune fille rompit le silence :

— Lía m'a dit que tu étais très lié au régime...

— Je suis militaire.

— Mais, enfin, l'un n'implique pas l'autre ! Il y a des militaires qui ne peuvent pas encaisser le régime. Et puis, être militaire ne t'interdit pas de penser par toi-même.

Tutusaus tirait à ce moment-là son dessus-de-lit afin qu'ils puissent s'y asseoir tous les trois, il stoppa net son geste et eut un premier doute : la jeune fille avait raison, ça ne lui était jamais venu à l'idée. Enfin, si, il avait pensé qu'un soldat devait penser, mais juste un peu, pas trop. Et que, dans tous les cas, il y avait toujours un supérieur pour lui indiquer la marche à suivre. Tutusaus, à cette époque-là, gardait encore une certaine naïveté vis-à-vis des concepts, même s'il y avait déjà presque huit ans qu'il empoisonnait à tout va... Logiquement, il demanda pourquoi la jeune fille était recherchée. Lía, après l'avoir amoureusement embrassé sur les lèvres, lui dit :

— Son père a vécu caché dans une remise à charbon pendant presque quatorze ans, depuis la fin de la guerre, en fait.

— Et alors ? dit Tutusaus.

Antònia prit le relais :

— Seule ma mère le savait. Nous sommes d'un petit village de Salamanque. Mon père était appariteur à la mairie durant la République, et il avait ostensiblement affiché son appartenance au parti républicain d'Azaña. Rien de plus. Ils n'auraient pu l'accuser d'aucun délit. Il n'avait rien fait. Ils l'auraient « épuré », comme tant d'autres fonctionnaires municipaux. Mais il a paniqué et s'est enfermé dans la remise à charbon. À moi, sa fille unique – j'étais toute petite à cette époque-là –, on a raconté qu'il était mort. Il y a un mois, il a décidé que ça suffisait, il est sorti au grand jour, du noir incrusté sous la peau après toutes ces années passées dans le charbon. Et c'est dans cet état-là qu'il est allé droit à la mairie ; la Garde civile n'a même pas de caserne dans notre village. Il s'est présenté devant la première autorité municipale venue, le secrétaire en l'occurrence, et il lui a dit : « Je suis untel, de tel endroit, et je viens me rendre, je suis resté caché quatorze ans dans la remise à charbon de ma maison. » Le fonctionnaire s'est mis à rire aux éclats. Il ne pouvait plus s'arrêter, il en chialait de rire, ce qui a attiré l'attention de l'adjoint au maire, qui est apparu, inquiet. Le secrétaire, entre deux éclats, lui a expliqué : « Imagine que je me présente et que je dise : "Je suis untel de tel endroit et je viens me ren-

dre..." et "Je suis resté caché dans la remise à charbon..." »
Et les deux types ont éclaté de rire. Mon père, humilié, restait
là, sans savoir quoi faire. L'adjoint au maire lui a lancé : « On
a toujours su que t'y étais, imbécile ! Et on s'est dit : Peut-
être qu'il aime ça, le charbon... Laissons-le, puisqu'il y passe
du bon temps... » Et ils se sont remis à rire... Mon père leur
a demandé pourquoi on ne l'avait pas arrêté. Ils lui ont
répondu que c'était parce qu'il n'y avait aucune charge contre
lui. Ce qui veut dire qu'ils l'avaient laissé pourrir là-dessous
toutes ces années pour rien. Ils lui ont dit : « T'es qu'un petit
rouge doublé d'un naïf... et ne te rengorge pas, sinon on t'y
renvoie. Tu vas fermer ta petite gueule et retourner chez toi,
voir s'ils te reconnaissent, sous ta couche de charbon... » Et
ils s'esclaffaient, comme si tout ça n'était qu'une plaisanterie.
Alors, le lendemain, j'ai attendu que l'adjoint au maire soit
seul, je suis allée le voir, et quand je l'ai eu devant moi, je
lui ai brisé un buste de Franco en plâtre sur la tête. J'ai pris
mes jambes à mon cou, et voilà, je suis arrivée ici.

— Il est mort ? demanda Tutusaus.

— Non, d'après ce que je sais, il est à l'hôpital.

Tutusaus se rasséréna. Politique, politique, l'affaire ne
l'était pas vraiment. Et sinon, de manière indirecte. Mais cela
ne le plongeait pas moins dans un sacré compromis. Cependant, sa petite amie lui fit les yeux doux :

— Allez, juste pour quelques jours... Ici, à la pension, avec
toi, elle sera en sécurité. Elle en aurait fait autant pour moi.
C'est mon amie.

— Une semaine.

— D'accord.

Puis la semaine se convertit en dix-huit jours, et il s'avéra
que ladite Antònia militait dans un de ces groupuscules obscurs dont Tutusaus ne voulut jamais rien savoir. Et que l'histoire de l'attentat plutôt folklorique contre l'adjoint au maire
de son village n'était que le dernier et ultime maillon d'une
série d'actions, toutes à caractère politique, pour lesquelles la
police la recherchait. Ce furent dix-huit jours d'angoisse pour
Tutusaus, que même sa petite amie, plus aimable que jamais,

ne parvint pas à apaiser. Mais ce qui le troubla le plus, dans tout cela, c'était qu'Antònia, jolie et douce jeune fille, n'avait jamais fait de mal à une mouche, l'épisode de la mairie mis à part. C'était quelqu'un de bien. Mais c'était en même temps une rouge, communiste, et allez savoir combien d'autres choses encore. Ils discutèrent deux ou trois fois ensemble... Ces jours-là furent vécus par Tutusaus un bouleversement total.

Quand il se promenait avec Lía, il lui disait :

— Enfin, Lía, ton amie est une rouge !

— Et alors ? L'amitié passe au-dessus des idées. Tu ne m'aimerais pas, toi, si moi aussi j'en étais une ?

Et Tutusaus l'assassin restait pétrifié et ne savait pas quoi répondre. Le pire étant que, contrairement aux autres fois, il ne pouvait s'en ouvrir au général.

Antònia lui parlait de concepts de démocratie et de dictature. Il lui disait qu'il ne voulait pas l'écouter et elle lui répliquait qu'on ne pouvait fermer ses yeux et ses oreilles à la vérité. Cela le déconcertait totalement. La tentation du simple doute était là, à côté de lui, sous les traits d'une jolie jeune fille courageuse, capable de fracasser des bustes de Franco sur la tête des autorités municipales. Quelques jours plus tard, Tutusaus déduisit que Lía, sa petite fiancée adorée, pour laquelle il avait pris tant de risques, partageait les mêmes idées que son amie :

— Bon, oui, d'accord, concéda-t-elle. Et si je supporte mon travail de domestique chez le lieutenant-général Espejo, c'est que je me dis, parfois, que je pourrais entendre quelque chose de capital et le transmettre à qui de droit...

Elle prenait Tutusaus dans ses bras, l'arrêtait au milieu de la rue de la Bola pour l'embrasser quand il la raccompagnait à Leganitos, où elle vivait chez son oncle et sa tante, qui semblaient être des républicains de longue date. Ceux-là étaient-ils les bêtes inhumaines dont parlait le général ? Tutusaus ne comprenait plus rien. Rien du tout. Il y avait dans sa tête une telle pagaille d'idées et de sentiments qu'il cessa même de se rendre à la caserne, prétextant une maladie quelconque, par peur que le doute ne se lise sur son visage. Pour couronner le tout, quand il rentrait à la pension, Antònia l'attendait. La jeune fille s'énervait contre lui, elle ne comprenait pas comment on pouvait être aussi insensible à ses paroles. Or ça n'était pas le cas, bien au contraire. Tutusaus l'écoutait avidement, mais le dissimulait. Antònia s'en alla sans savoir qu'elle avait semé le germe du doute dans le cœur de Tutusaus. En échange de ce trouble, sa petite amie et cette jeune fille lui offraient des discours et un espoir de futur ; ça n'était tout de même pas rien. Une semaine après le départ d'Antònia, un jour, en rentrant à la pension, il trouva Lía qui l'attendait, bavardant avec la maîtresse de maison. Elle le salua comme d'habitude et, une fois dans la chambre, lui tendit un paquet.

— Qu'est-ce qu'il y a dedans ?

— Je ne peux pas te le dire. Garde-le-moi jusqu'à après-demain.

— Lía est au courant ?

— Non...

— Je ne peux pas.

— S'il te plaît...

Il le garda. Tutusaus l'assassin, le tueur, le tordeur de cou, l'empoisonneur sans pitié, fut incapable de refuser, même en pensant que la police avait peut-être suivi la jeune fille jusqu'à la pension. Or, tandis qu'il gardait le paquet dans son armoire, il eut à exécuter une des missions pour le général. Pendant quelques heures, il appartint aux deux camps en même temps. Il ne s'en ouvrit jamais à personne, c'était un de ses secrets. Puis les jeunes filles disparurent de sa vie, et Tutusaus referma la porte à double tour sur cette période si agitée, une période où il ne fut plus très sûr de savoir s'il se trouvait du côté des bons ou des méchants. Cela dit, le germe du doute ne fructifia pas. Il était trop tard. Tutusaus avait déjà trop de morts à son actif et une dette personnelle envers le général. La question ne se reposa jamais plus.

Tout en s'éloignant de la cabane et des paroles de l'estropié, il arriva à son cimetière. La fosse qu'il avait creusée quelques semaines plus tôt était encore en bon état. Parfois, la pluie occasionnait de petits glissements de terrain et les trous se remplissaient tout seul comme par enchantement. En s'y promenant, Tutusaus laissait son odeur sur ce lieu. Les chiens seraient ainsi prévenus de son retour. Il s'assit sur l'une des pierres tombales. Il pensa aux dernières paroles de l'estropié et murmura que non, ça n'était pas la fin de la représentation, ni même la fin du deuxième acte.

TROISIÈME PARTIE

CHAPITRE 18

Les chiens le réveillèrent en pleine nuit. Il contempla Heredero, qui, dans son sommeil agité, qui murmurait des phrases
dépourvues de sens. Il lui toucha le front : l'industriel avait
de la fièvre. Soudain, il se rendit compte que l'estropié et sa
compagne n'étaient plus là. Il tendit l'oreille, mais n'entendit
rien. Il prit son pistolet et ouvrit la porte tout doucement. Il
devait être trois ou quatre heures du matin. Une fois dehors,
Tutusaus écouta de nouveau. Cette fois, Il saisit un bruit
venant de l'arrière de la cabane. Il s'avança de quelques
mètres jusqu'à ce qu'il perçoive des gémissements près d'un
arbuste. Il les vit alors, à un mètre de là. L'estropié dessous,
ventre à l'air, et elle dessus, le chevauchant et lui faisant
l'amour. Il respirait fort, les yeux fermés. Bras et jambes
écartés, on aurait dit une croix de saint André, une patte cassée, là où brillait son moignon. La jeune femme riait et s'activait en rythme, dans un mouvement de va-et-vient, les seins
à l'air et son collier dansant dessus. Elle avait juste débou-
tonné sa robe, qu'elle avait laissée glisser jusqu'à sa taille. Ils
ne s'étaient même pas déshabillés. Tutusaus les observa. Il se
souvint d'Heredero, des semaines plus tôt, faisant l'amour
dans la rue, également en pleine nuit. Il se rendit compte que,
depuis quelque temps, il s'était converti en un vulgaire petit
voyeur. Soudain, la jeune femme tourna la tête et le découvrit.
Elle lui sourit et il resta rivé sur place. Sous la clarté de la
lune, elle lui parut séduisante. Elle dut le comprendre puis-

qu'elle disposa les doigts de sa main droite en forme de pistolet et se mit à lécher aussitôt à l'intérieur et à l'extérieur de ce que l'on pouvait imaginer être le canon de l'arme. Elle voulait lui rappeler l'épisode de l'avant-veille, et sans cesser ses va-et-vient, elle ne le quittait plus des yeux tout en empoignant ses seins et se pinçant les tétons. Ils se regardèrent, face à face, quelques secondes. Tutusaus était excité et elle s'en rendit compte. Celui qui s'en aperçut aussi, ce fut l'estropié qui, ouvrant les yeux, découvrit la scène. Il repoussa la fille sans ménagement et remonta son pantalon. Puis se mit à rire de manière presque spasmodique. Au point qu'il ne parvenait plus à raccrocher l'épingle de nourrice qui retenait pliée la partie de son pantalon qui s'adaptait à sa jambe coupée. Tutusaus eut de nouveau terriblement envie de le tuer. Il fit volte-face et rentra précipitamment dans la cabane, poursuivi par le rire de l'estropié. Que les chiens le bouffent... Il s'assit à même le sol. Le malade dormait toujours et il n'y avait plus de traces de sang autour de lui. Au bout de deux minutes, Tutusaus vit qu'il lui serait impossible de se rendormir. Il se releva, prit les deux pistolets qu'il possédait, le sien et celui du jeune gars qui avait voulu assassiner Heredero au cabaret. Il sortit et aborda le couple une arme dans chaque main. À ce moment-là, ils étaient assis sous un arbre. Elle avait les yeux tournés vers le haut des branches, peut-être avait-elle vu une chouette. L'estropié, lui, dormait à moitié. Tutusaus lui balança un coup de pied dans les reins. L'homme, brutalement réveillé et de mauvaise manière, allait se jeter sur lui et le mordre à la jambe quand il vit les armes. Il s'arrêta net et arbora ce sourire entre moquerie et soumission qui irritait tant Tutusaus :

— Eh, eh ! qu'est-ce que tu fais ? Pardon, allez, c'était une blague, tu sais comment je suis... Prends-la, et fais-en ce que tu veux, lui dit-il en désignant la jeune femme. Elle est bonne... Elle fait ça bien...

Mais Tutusaus remit son pistolet dans sa poche, prit l'autre par le canon et le lui tendit.

— Tiens.

L'estropié, une fois l'arme à la main, surpris, se trouva déconcerté. Tutusaus attendit de voir ce qu'il allait faire. L'homme le visa et appuya sur la détente. En vain, évidemment : clic, clic, clic, clic, clic...

— T'es vraiment une enflure, Tutusaus... Qu'est-ce que tu imagines...

Tutusaus lui expliqua très calmement que leur seule chance de survie passait par lui, qu'ils devaient se mettre ça dans le crâne. S'ils fuyaient dans la montagne, ils se perdraient, dépenseraient leur énergie en pure perte et se feraient bouffer par les chiens. Il sortit une balle de sa poche et la lui tendit. L'estropié chargea le pistolet. Tutusaus ne bougea pas d'un millimètre. L'homme le visa, la main tremblante.

— Il vaudrait mieux pour toi que tu ne rates pas ton coup... lui dit Tutusaus d'une voix glaciale.

Puis il lui répéta qu'il n'y avait qu'avec lui qu'ils pourraient survivre. Maintenant, s'il tirait et qu'il ratait son coup, il ne vivrait pas longtemps non plus. Et il souffrirait beaucoup, vraiment beaucoup, avant de mourir. Finalement, l'estropié baissa son arme et la laissa tomber par terre. Tutusaus lui demanda de s'enfermer dans la cabane, de ne laisser entrer personne d'autre que lui s'ils ne voulaient pas risquer leur peau et de tirer une balle en l'air en cas de problème. Il entendrait...

— Si rien ne se passe, je reviens d'ici une heure.

— Qu'est-ce qui doit se passer ?

Mais Tutusaus courait déjà en direction de la ferme.

En prenant un raccourci, il gagna la lisière du bois en quatre enjambées. Et avant même d'avoir atteint la maison, il comprit qu'ils étaient là. Il ne voyait rien, il n'entendait rien, mais il en était sûr. Il fouilla le coin et n'eut aucun mal à découvrir la 1500 noire cachée sous des pins, hors de la route. Toute cabossée sur un côté, c'était celle de leurs poursuivants. Brusquement, il eut l'impression que tout s'accélérait, mais de manière très ordonnée. Sa première impulsion fut de mettre le véhicule hors service. Cependant, il renonça. Il n'avait pas le temps. Il pensait ne laisser personne en état de pouvoir l'utiliser. Et si c'était lui la proie, tant pis... Il s'approcha de la maison par mouvements concentriques, passant à côté des cadavres des chiens morts quelque temps plus tôt. Il n'en restait que les os.

Il mit vingt minutes à s'assurer qu'aucun gars ne planquait ou ne patrouillait aux alentours, et se rendit à l'entrée principale. Tout était désert. La lune dominait la scène de sa clarté, elle était présente sur chaque feuille, chaque buisson, les arbres devenant autant de fantômes immobiles, d'espions en attente. Tutusaus découvrit la silhouette d'un homme se découpant à contre-jour. À moitié caché, il avait sorti un moment la tête pour contrôler ce qui se passait à l'extérieur. Il devait penser que l'effet de surprise jouerait en sa faveur et ignorait que c'était exactement le contraire qui allait se produire. Lui et les siens croyaient peut-être que Tutusaus se présenterait tranquillement par la route d'accès à la ferme au volant d'une Dauphine volée. L'ombre n'avait pas encore disparu que Tutusaus s'était déjà avancé pour se plaquer contre l'un des murs de la ferme et aviser une des fenêtres fermées. Il y colla son oreille. Il perçut la présence d'individus : ils étaient plusieurs et attendaient, en bas, sûrement dans la salle à manger. Ils parlaient à voix basse. Tutusaus décida d'entrer dans la maison et de récupérer un second pistolet, planqué dans une cachette. Avec deux armes et le coutelas de montagne qu'il conservait dans la tige de ses bottes, il se sentait le courage de les liquider, s'ils étaient trois ou quatre. Et puis tout son corps le lui réclamait. La cache se trouvait dans l'une des chambres toujours fermée, au premier étage. Même s'ils avaient fouillé la pièce, Tutusaus savait qu'ils ne l'avaient pas découverte. Il se glissa à l'arrière du bâtiment : on pouvait accéder à l'étage en escaladant un des contreforts de la façade qui aboutissait à la fenêtre du couloir du premier. Il grimpa donc avec agilité et poussa le cadre d'une fenêtre qu'il savait toujours ouverte. Avant d'entrer, il prit le temps de tendre l'oreille. Pas un bruit. En bas, tout était sombre et semblait vide. Tutusaus se faufila à l'intérieur. La chambre qu'il cherchait se trouvait de l'autre côté du couloir. Il avança avec précaution, s'écartant de la rambarde qui plongeait sur le grand hall d'entrée d'où il était facile de le voir. Brusquement, sous ses pieds, une des lattes du plancher grinça. Assez fort pour que Tutusaus se rende compte qu'il fallait réagir rapidement. Il atteignit la chambre avant que ses visiteurs ne sortent le nez de la salle à manger. Il entra, ferma la porte, et se précipita vers le lit. Tutusaus avait fabriqué, des années plus tôt, une cache juste derrière. C'était un meuble monumental et, à travers la tête de lit, épaisse et massive, collée à la paroi, on accédait à une ancienne niche creusée dans le mur, où un homme pouvait se blottir. Dedans, il y avait son pistolet. Il décloua une petite planche qui servait de trappe et attrapa son Luger Parabellum 9 mm. Il revint vers la porte, l'ouvrit d'à peine un centimètre et écouta. Ses visiteurs agissaient avec mille précautions. Il les entendait monter et prendre position. Il se concentra sur leurs mouvements : désormais, il en avait la certitude, ils étaient trois. Peut-être en avaient-ils laissé un autre en bas. Ils se couvraient les uns les autres tout en avançant. Ils savaient comment encercler un espace, comment entrer dans une pièce, la fouiller, tout vérifier et en sortir, toujours couverts. Il avait affaire à des professionnels. Tutusaus avait conscience que s'il bougeait, et qu'ils s'en rendaient compte, ils réduiraient l'espace en l'encerclant dans une zone de plus en plus petite, puis ils avanceraient jusqu'à le coincer dans un coin, le privant de toute possibilité de fuite. Tutusaus vit clairement qu'il n'avait rien à gagner à un affrontement ouvert. Dans l'obscurité, les pas étaient lents sur le parquet. Il revint vers le lit, décloua les deux faux panneaux et se glissa dans la cachette, se recroquevillant autant que possible, telle une momie précolombienne. C'est à peine s'il pouvait respirer. Il remboîta les planches dans leur position originelle, de sorte qu'elles se trouvaient presque dans l'alignement des autres panneaux verticaux de la tête de lit. Il respira à fond et attendit. Moins d'une minute plus tard, ils entraient dans la chambre. Munis de lampes de poche, ils se faisaient le plus silencieux possible. Ce qui crispait Tutusaus, c'était qu'il allait, d'un moment à l'autre, entendre un dé dans un gobelet. Pour le moment, il ne discernait que la rumeur sourde de ces ombres qu'il voyait se déplacer à travers les fentes des planches. Ils écartaient les chaises, ouvraient les armoires et même les malles. Tutusaus sentit l'haleine de l'un d'eux, tout près de lui, qui venait de tirer le couvre-lit d'un seul geste. Un autre secoua le matelas, comme s'il cherchait quelque chose dessous. S'ils avaient bougé le lit de son emplacement, tout aurait été fini. Mais ils ne le firent pas. Tutusaus n'entendit pas non plus le dé dans son gobelet. Les pas s'éloignèrent brusquement et s'évanouirent. Il ne bougea pas d'un millimètre.

Soudain, cinq minutes plus tard, sans prévenir, les ombres revinrent. Les hommes donnèrent un coup dans la porte et entrèrent dans un grand fracas, bien différemment de la première fois. Ils se déplaçaient à présent rapidement. À l'aide d'un bâton ou de leurs armes, ils cognaient sur les murs, les objets, en criant. Un des coups tomba directement sur la tête-de-lit, mais les planches résistèrent. Puis ils avaient simulé un repli stratégique dans le but d'endormir les méfiances. Tutusaus connaissait ces tactiques d'intimidation, et saisit même l'instant précis où le chef du groupe ordonna un silence total afin de pouvoir mieux écouter. Quinze secondes, trente, une minute entière de silence. N'importe qui, caché, se serait fait entendre. N'importe qui, sauf Tutusaus. Ils s'en retournèrent comme ils étaient venus. Tutusaus souffla. Pour les prendre par surprise, il allait devoir attendre encore un bon moment. Il savait, par expérience, qu'après une fouille de ce genre le corps restait tendu et aux aguets pendant quelques minutes. Il fallait laisser passer un peu de temps pour qu'ils relâchent la pression. Tutusaus, recroquevillé dans sa niche, fit un exercice qui consistait à se projeter aussi loin que possible vers le futur ou vers le passé. Si c'était vers le passé, le défi consistait à se souvenir d'un maximum de détails. Il pouvait, ainsi, se remémorer les moments passés à la Maison de charité, pendant dans la guerre. Il « cadrait », vues du ciel, quelques-unes des situations vécues, comme s'il possédait une lanterne magique qui le lui permettait. Par exemple les réunions bimensuelles organisées par les religieuses avec un groupe de petits orphelins qui, en échange de pains au chocolat et d'un verre de lait, devaient assister au cours de catéchisme. Il réduisait le champ de ce qu'il pouvait « observer » jusqu'à ce qu'il puisse isoler une expression aussi précise que celle de la bonne sœur faisant la leçon aux enfants et leur disant que, même orphelins, ils étaient mieux lotis que les petits Noirs des Missions. Il passait aux enfants. Tutusaus en choisissait un – par exemple l'un de ces orphelins écoutant terrifié le récit d'une bonne sœur lui racontant que les enfants de Madagascar devaient manger des rats crus pour survivre –, puis il sélectionnait une partie du corps de cet enfant, mettons les yeux, écarquillés par l'effroi après avoir entendu que les rats en question étaient aussi gros que des poulets ; de ce bout de visage, il fixait un détail, la couleur des yeux, puis il séparait ce détail en plusieurs éléments, en prenait un et l'examinait...

Si l'exercice consistait à se projeter vers le futur, il allait jusqu'à sa mort et même au-delà. Tutusaus faisait un effort d'imagination et pensait à ce qu'il adviendrait de son corps, de ses os. Il aimait croire qu'il parviendrait peut-être à se transformer en fossile. Et imaginait que, d'ici quelques milliers d'années, quelqu'un, en creusant, le découvrirait ainsi. Il se voyait un peu comme un escargot fossile : une sorte de statue gisante, terreuse et ocre, entière, les bras croisés sur la poitrine, conservant tous les détails de sa silhouette, et si délicate qu'elle se fendillerait et tomberait en poussière à la plus petite imprudence. Il pensait à la surprise qu'auraient ces hommes, ces femmes du futur en le découvrant. Ce serait un événement de portée internationale : le fossile entier d'une personne du XXe siècle ! Les scientifiques l'étudieraient alors dans les moindres détails, cherchant à en savoir plus sur lui à travers les restes incrustés. Mais ils tomberaient tout le temps à côté de la plaque... Au moment de mourir, il devrait donc penser à ce qu'il faudrait faire afin que les futurs inventeurs de son fossile puissent interpréter correctement leur découverte.

De cette manière, Tutusaus parvint à rester trois quarts

d'heure aussi immobile qu'un mort, presque sans respirer, réduisant les battements de son cœur à ceux d'un homme tombé en léthargie. Puis il sortit tout doucement de sa cache et fit quelques flexions afin de récupérer la pleine mobilité de ses jambes. Il était en possession des huit balles du Luger, des trois restantes dans l'autre pistolet, et de son coutelas. Il pensa que cela suffirait. Il n'avait qu'à attendre que l'un de ses trois poursuivants se sépare du groupe pour entrer en action. Après cette fouille, la dernière chose à laquelle ils penseraient était que le danger puisse venir de l'intérieur...

Tutusaus sortit dans le couloir et écouta. Les voix de ses visiteurs lui parvenaient distinctement de la salle à manger. Ils n'avaient toujours pas allumé la lumière, bien entendu, et ils murmuraient plus qu'ils ne parlaient. Mais la clarté de la lune, qui filtrait par toutes les fenêtres de la maison, contribuait à éclairer un minimum cet espace. À la porte d'entrée, il n'y avait personne. Tutusaus descendit l'escalier discrètement et choisit d'attendre dans un des coins du salon qui demeurait dans la pénombre. S'il pouvait voir ceux qui sortiraient de la salle à manger, lui en revanche ne pouvait être vu. Dix minutes plus tard, un des types apparut. Ils devaient se relever pour aller effectuer des rondes dans la maison. En bras de chemise, il était nettement plus costaud que Tutusaus et portait un pistolet dans son étui, sous l'aisselle. Il passa à ses côtés et n'eut même pas le temps de prendre conscience qu'il était en train de mourir. Tutusaus le tua comme il avait vu faire les rebelles marocains d'Ifni : par surprise, immobilisant l'ennemi d'une clef, par-derrière, et lui plantant le couteau directement dans le cœur, d'un seul coup, entre les côtes. Ce qui l'avait le plus marqué dans la guerre d'Ifni, c'était de la quantité d'hommes tués par traîtrise. Le commandement les haranguait souvent dans ce sens : « Plus dangereux que la chaleur sont les Arabes réunis, toujours prêts à sortir les machettes et les poignards de sous leurs vêtements ! »

Tutusaus traîna le cadavre pour le mettre hors de vue. Le sang coulait à flots. Il calcula qu'ils mettraient bien trois minutes avant de s'inquiéter de leur collègue. Mais il leur en fallut moins, beaucoup moins. Ils réagirent immédiatement. Il tenait encore les pieds du cadavre quand deux types apparurent. Ils sortaient sans se méfier et Tutusaus fut sauvé par la seconde que l'un des deux hommes mit à percevoir, dans l'obscurité, que quelque chose allait de travers. Une seconde seulement, mais ce fut suffisant. Tutusaus et les deux types tirèrent pratiquement en même temps. Il avait une seconde d'avantage et deux pistolets, mais ils étaient deux en face de lui. Il y eut un violent échange de coups de feu. Un des attaquants fut tué sur le coup d'une balle dans la tête, l'autre demeura à terre, agonisant, et, après deux ou trois mouvements spasmodiques, succomba également. Tout se déroula en un éclair. Tutusaus courut se planquer derrière un meuble, l'arme au poing, une douleur cuisante à la jambe. Après être resté quelques instants à l'affût, il fut convaincu qu'il n'y avait personne d'autre. S'il existait un quatrième homme, soit il n'était pas venu jusqu'à Montsol, soit il s'était échappé. Tutusaus voulut se relever, mais n'y parvint pas. Il était blessé à la cuisse. Il déchira son pantalon et vit que la balle n'avait pas pénétré dans la chair. La blessure était impressionnante et assez profonde, mais il avait eu beaucoup de chance ; malgré la douleur ressentie, intense, cette blessure ne représentait rien de préoccupant. Il noua un mouchoir autour pour arrêter le saignement puis, en boitant, alla examiner ses ennemis. Il ne les reconnut pas. Il retourna leurs poches, ne trouva rien d'intéressant dedans, et comme il s'y attendait, ni gobelet ni dé. Tutusaus ne voulait pas les identifier, il cherchait juste quelques indices qui lui serviraient à calculer combien de temps il lui restait encore... Il n'en trouva pas. Il ne déplaça pas les corps, il était désormais inutile de les dissimuler. Il ramassa leurs pistolets, ils lui serviraient peut-être. Par curiosité, il en observa la crosse. Il n'en crut pas ses yeux : ces armes n'avaient pas de numéro de série. Ni limé ni râpé. Ces armes n'en possédaient simplement pas. Il les examina à nouveau, d'une manière presque compulsive, souhaitant ardemment qu'il s'agisse d'une erreur de sa part, en raison du manque de lumière. Il alla vers la fenêtre et la clarté de la lune lui confirma ce qu'il avait vu. Il se répéta : « Sans numéro de série. Ni limé ni râpé. Il n'y en a pas, tout simplement. » Il resta figé et, lentement, les armes glissèrent de ses mains et tombèrent sur le carrelage de la pièce. Il n'en voulait plus. Puis il se laissa à son tour glisser jusqu'à s'asseoir par terre. Il avait juste été blessé par une balle qui avait ripé, mais c'était comme si on venait de lui vider un chargeur entier dans le ventre. Il abandonna la ferme aussi vite qu'il put, en traînant la jambe. Il désirait arriver le plus tôt possible à la cabane.

Chapitre 19

Sur le chemin du retour, il eut le pressentiment que les chiens avaient reniflé son sang et qu'ils rodaient dans les parages. Plus il se dépêchait, plus la douleur de sa blessure à la cuisse s'amplifiait. De loin, il vit la jeune femme à la porte de la cabane et décela quelque chose d'anormal dans son attitude. Elle était seule. Elle semblait surveiller. Pas de traces de l'estropié. Tutusaus l'observa un moment. Il lui sembla évident que la jeune femme servait de gardienne. Et elle n'obéissait qu'à l'estropié. Que pouvait-il bien être en train de faire, dans la cabane, avec Heredero... Le jour n'allait pas tarder à se lever. Il s'approcha sans bruit de la fenêtre. Il entendit des voix. Les deux hommes discutaient, mais sur un ton inhabituel. Celui d'Heredero, quoique au débit encore un peu lent et laborieux, s'approchait de celui sûr et catégorique qui d'ordinaire était le sien, il semblait avoir tiré des forces d'où il n'en avait apparemment plus. Tutusaus jeta un rapide coup d'œil. Le malade était assis sur son lit, couvert jusqu'à la taille. La fièvre et des cernes prononcés accentuaient ses traits bourboniens. Son aspect avait empiré ; c'était le chant du cygne. Tutusaus s'appuya au chambranle de la fenêtre et, de l'extérieur, sans se montrer, écouta l'industriel qui disait :

— Si aucun homme ne peut se désintéresser de son héritage, les rois encore moins. L'héritage, représenté avant tout par la souche même de la dynastie, est pour eux le sang et la légitimité. Et mon sang, qui d'ailleurs est pourri, est la preuve la plus aveuglante de ce que je suis. Hier, j'ai fait la connaissance de mon frère, don Juan. Quand nous serons plus en confiance, je lui expliquerai qui je suis et quels sont les désirs du Généralissime. Je lui ferai comprendre que si je ne suis pas roi, ce ne sera ni lui, ni son fils, ni aucun de nous trois. Et ce qui compte, c'est la dynastie. Ça ne fait pas un mois que je sais que j'en fais partie, mais je la ressens déjà en moi comme si elle avait été mienne toute ma vie, comme si ma mémoire génétique s'était réveillée d'un seul coup. Alors, quand son Excellence me le demandera, j'accepterai d'être roi... Et permettez-moi de vous en offrir la primeur : moi, Felipe Heredero, je régnerai sous le nom d'Alphonse XIV, en hommage à mon grand-père. Et je signerai : Alphonse XIV, roi.

— Ça sonne bien...

— Et vous voulez que je vous dise ? Le moment venu, je me souviendrai de tous ceux qui ont été à mon côté. Et vous ne manquerez pas à l'appel, mon cher et infirme ami. Contrairement à Tutusaus, qui est un traître. Il a profité de moi et cela lui coûtera cher. Et bon, puisqu'on en parle... Aidez-moi à me présenter au premier endroit où je puisse trouver une autorité...

— Mais, Tutusaus, c'est pas n'importe qui ! Et s'il voit qu'on veut le doubler, on n'aura pas deux fois l'occasion de...

— Je peux m'engager à vous offrir une position confortable pour le restant de vos jours.

— C'est tout ?

— Et un poste, évidemment. Considérez cela comme acquis. Et pas n'importe lequel, un poste à responsabilités, je veux dire, de commandement. Commander, c'est toujours bien, même si ce n'est qu'un parc à cochons.

— Quel poste ?

— Je ne sais pas... Avec votre invalidité, je pourrais vous nommer directeur général de la santé, ou sous-directeur général des handicapés...

— Ça sonne bien.

— Ils seraient nombreux à en vouloir autant. Ce que je

vous offre, mon ami, est de toute évidence un poste de haute responsabilité où vous pourrez user des qualités qui vous ont permis de survivre dans la jungle de la rue... La première chose que nous ferons sera d'aller chez le tailleur. Je vous recommande le mien. Il se tient au courant des dernières nouveautés de Londres.

— Ça n'est pas en m'habillant mieux qu'il me poussera une nouvelle jambe et que je cesserai d'être qui je suis.

— Vous avez parfaitement raison. Et cette sentence si pleine de sens ratifie la sagesse de ma décision. Mais vous serez d'accord avec moi, sans abjurer de sa propre origine, chacun doit s'habiller selon sa dignité et son rang. Autrement, on n'est pas respecté. Ainsi va le monde.

— Et pour elle ?

— Elle ? Enfermée dans la meilleure institution d'Espagne. Trente infirmières et médecins à son chevet jour et nuit.

— Enfermée ? Et pourquoi ? Elle déteste ça, qu'on l'enferme. Chaque fois que quelqu'un l'enferme, elle s'échappe.

— Tu as peut-être raison, si on regarde bien, et si tu me permets que je te tutoie. Nous devrions songer à une autre solution. D'un autre côté, je connais un bon nombre de femmes de la haute société, deux fois plus idiotes, qui se sont laissé baiser deux fois plus par des hommes deux fois plus idiots... Et on ne les enferme pas pour autant. Oui, une fois de plus, tu as parfaitement raison... Nous lui achèterons une maison avec une bonne, voiture et chauffeur et nous la nommerons présidente de quelque conseil honorifique... Ça y est, j'ai trouvé : présidente de la Croix-Rouge, qu'est-ce que tu en penses ?

— Bah, c'est que, franchement, vu ce que vous me demandez de faire pour vous, je pensais que vous seriez plus généreux...

— Encore plus ? Mais qu'est-ce que tu veux ?

L'estropié allait et venait dans la pièce en faisant claquer sa béquille. Il réfléchissait :

— Je veux être gouverneur civil. Vous voyez que je suis

modeste et que je ne vous demande pas d'être ministre. Et elle, je veux que vous en fassiez une marquise...

— Une lettre de noblesse pour les déshérités de la terre... Pourquoi pas ?

Tutusaus écoutait attentivement le délire d'Heredero ; il continuait à vivre son rêve et l'estropié, qui ne s'en était même pas rendu compte, l'interrompit :

— Alors, d'accord, donc le gouvernement civil pour moi, et le titre de marquise pour elle ?

— Tenez-le-vous pour dit. Un début presque révolutionnaire... Ce sera mon premier acte gouvernemental : je la nommerai marquise, tout comme tu me l'as demandé, marquise de Porte-béquilles, par la grandeur de l'Espagne.

— Et la maison, la bonne et le chauffeur en plus...

— Mais oui, bien sûr, bien sûr... Et toi, d'où voudrais-tu être le gouverneur civil, par hasard ?

— De Barcelone. Pour foutre dans la merde, les uns après les autres, toute une bande de salopards... Vous croyez pas que le fait de n'avoir qu'une jambe soit un empêchement ?

— Mais non, mais non ! Le manque de cervelle est bien pire, et plus d'un gouverneur civil se trouve dans ce cas de figure. Et ils en vivent bien. De plus, je te ferai venir de Suisse un fauteuil roulant qui...

— Je ne veux pas de fauteuil roulant ! À l'âge que j'ai, je m'y sentirais pas à mon aise. Je veux garder ma caisse en bois, au ras du sol... Mais je veux qu'on y ajoute un moteur, un volant et un klaxon.

— Je comprends... Une caisse, avec moteur et volant...

— Et un klaxon, ne l'oubliez pas... Vous allez vous souvenir de tout, Majesté ?

— Je te promets que je n'oublierai pas, pour autant que le temps passe... Est-ce que tu peux m'aider, maintenant ? J'ai accédé à toutes tes requêtes. Je pense que nous pouvons former un bon tandem, à l'avenir... Nous pouvons être deux bons associés. Allez, nous y sommes, aide-moi, et allons-nous-en.

— Non, pas encore.

— Pourquoi ?

— Il manque le plus important.

— Quoi encore ?

— Expliquez-moi encore des choses sur doña Carmen.

— Doña Carmen ? Mais pourquoi ?

L'estropié fit un signe vers l'extérieur et la jeune femme.

— Pour elle. Hier, ça l'a rendue très heureuse.

— Mais nous devrions essayer de partir d'ici, mon ami. Nous aurons des heures entières, des jours entiers pour en parler... Tu n'as plus qu'à me dire où se trouve le téléphone...

Là, il se mit à tousser, s'interrompit et n'ajouta plus rien.

— Faites-moi cette foutue faveur, Altesse, de parler de doña Carmen, c'est compris ? Sinon, je vous laisse pourrir sur place.

Heredero reprit de l'air, il avait récupéré un peu, après tout cet effort.

— Très bien, très bien, mon ami. Je dois te faire confiance, tu es l'unique soutien que j'ai à présent. Tu es mon unique espérance...

— Au boulot...

L'estropié sortit chercher la jeune femme. Il l'amena en la traînant par le bras. Il la fit asseoir par terre, devant Heredero, et dit à ce dernier :

— Racontez-lui, à elle. Je surveillerai de la fenêtre. Allez !

Heredero se racla la gorge et commença :

— Savez-vous que tout le monde au Pardo l'appelle « La Dame » ? La raison en est évidente, puisque c'est la première dame d'Espagne. Enfin, que voulez-vous que je vous dise, elle a été heureuse auprès de Franco durant toute sa vie. Franco n'a jamais eu besoin d'autres femmes, chose insolite dans l'histoire des hommes qui accèdent au pouvoir. Même si l'on raconte que doña Carmen fait en sorte qu'il n'entre au Pardo aucune femme jolie et séduisante, il n'y a rien qui puisse démontrer un éloignement possible entre Franco et elle. Je dois simplement vous dire, ma chère amie, qu'ils n'ont jamais cessé de dormir ensemble : une chambre au Pardo, avec deux petits lits.

Heredero s'embrouillait, il semblait prêt à fondre en larmes...

L'estropié rentra et dit :

— Merci beaucoup. Nous vous remercions beaucoup. Elle en a bien assez.

Il attrapa la jeune femme, qui gardait le sourire, et la ramena dehors. Il la laissa à l'entrée et revint aux côtés d'Heredero, après avoir refermé la porte.

Tutusaus glissa un œil par la fente entre la porte et le coin, profitant d'un rai de lumière. Ce qu'il vit ne lui plut pas : Heredero gisait sur son lit, incapable de bouger, un mouchoir sur la bouche, il avait plus mauvaise mine que jamais. L'estropié le regardait respectueusement, Heredero semblait l'avoir convaincu. En réalité, Tutusaus était moins préoccupé par l'estropié que par la fidélité à mort de la jeune femme. Elle continuait à monter la garde, debout, dans l'embrasure de la porte, conservant la même position, nettoyant les petites boules de son collier de ce geste si familier...

Elle ne sentit pas la présence de Tutusaus dans son dos. Comme un instant plus tôt à la ferme, il fit en sorte que sa victime ne se rende même pas compte d'où la mort survenait. Il avait déjà tranché des gorges, en Afrique, et son exécution fut aussi rapide qu'efficace. La jeune femme mourut comme un mouton, le sourire aux lèvres et, probablement, la vision de Carmen Polo au fond des yeux. Elle avait autant de force qu'un homme, elle se laissa pourtant tuer sans offrir de résistance. Elle sembla soudain se dégonfler et se ramollir, jusqu'à ressembler à une poupée de chiffon. Tutusaus sentit même l'instant exact où sa vie s'éteignit. Il l'allongea par terre, délicatement, son sourire aux lèvres et le sang jaillissant de la blessure. Il s'approcha de la porte, tendit l'oreille. Les deux hommes parlaient encore. Il ouvrit doucement, comme s'il ne voulait pas déranger, et fit son entrée, la chemise couverte de sang, tout en essuyant son couteau dessus. L'estropié le vit et comprit instantanément ce qui venait de se passer. Il n'eut pas le temps de tendre la main vers son ceinturon pour attraper son pistolet qu'il avait déjà reçu une balle en pleine poitrine. L'homme et sa béquille furent projetés contre le mur et glissèrent aussitôt sur le sol. Le sang envahissait tout. Tutusaus s'était approché en boitant. Il acheva l'homme gisant sur le côté d'une balle dans la tête, sans un regard pour lui. Personne ne pourrait jamais l'accuser de faire souffrir ses victimes. Il récupéra son pistolet à la ceinture de l'estropié. C'était l'arme du jeune assassin envoyé pour tuer Heredero. Il l'examina : il se rendit compte qu'elle n'avait pas de numéro de série. Il n'avait été ni limé ni râpé. Elle n'en avait simplement pas.

Heredero suivit toute l'opération, les yeux vitreux, absent. Il se leva dans l'espoir de recevoir Tutusaus debout et, dans son délire de roi sans nom ni couronne, fit comme s'il avait la déférence de vouloir l'inviter à s'asseoir. La scène ne dura qu'un instant. Incapable de tenir sur ses jambes, il se laissa au contraire choir sur son lit de camp, dans un mélange d'angoisse et de résignation. Il ferma les yeux. Quand il les rouvrit, Tutusaus se tenait presque au-dessus de lui. Heredero dit, dans un soupir :

— Qu'est que tu vas faire de moi ?

Tutusaus s'arrêta, surpris, il n'était pas habitué à être interpellé d'une manière si directe. D'autre part, il trouva étrange que quelqu'un tel qu'Heredero n'ait pas encore deviné ce qu'il pensait faire de lui. Il s'assit par terre, le pistolet à la main.

— Pourquoi tu le regardes comme ça, ce pistolet ? T'es un homme méprisable. Tu es peut-être en train de te demander avec lequel des deux tu vas m'expédier dans l'autre monde ?

Tutusaus le lui montra :

— Il n'a pas de numéro de série. Ni râpé, ni limé. Il n'en a tout simplement pas.

Il vida le chargeur et tendit l'arme à Heredero, qui s'en saisit sans dissimuler un certain dégoût. Alors Tutusaus se mit à parler. Pour la première fois, il parla longuement, comme pour lui-même. Il parla plus qu'il ne l'avait fait ces derniers jours, ces derniers mois, ces dernières années. Heredero demeura interdit par la détermination et le ton monotone de Tutusaus, et n'eut pas un regard pour le pistolet. Tutusaus tenait le sien dans ses mains et semblait le soupeser. Il fit appel à sa mémoire :

— Un collaborateur du ministère de l'Intérieur a acheté au mois de juin de l'année dernière, dans une armurerie de Houston, aux États-Unis, une certaine quantité de pistolets Smith & Wesson 59, calibre 9 mm. Quatre mois plus tard, un commando spécial formé de deux gardes civils a liquidé à Toulouse, en France, un citoyen français, médecin à Bordeaux, avec l'un de ces pistolets. Les deux agents circulaient à motocyclette dans Toulouse, et c'est de ce véhicule qu'ils ont tiré sur l'homme. Le problème est qu'ils se sont trompés. Le citoyen français a été confondu avec un activiste du noyau dur de la colonie anarchiste espagnole du sud de la France. En réalité, il n'avait aucune relation, directe ou indirecte, avec ces activistes. L'homme était venu à Toulouse dans le seul but de participer à un congrès de médecins. La police française, alertée, a intercepté les deux gardes civils alors qu'ils s'enfuyaient vers la frontière, et c'est là que l'escarmouche s'est produite. Il y a eu un échange de coups de feu, et les gardes ne s'en sont sortis que grâce à la complicité d'un agent d'une des douanes de Navarre. Mais dans la précipitation du moment, ils ont perdu un des pistolets Smith & Wesson sur le lieu du crime. La police française a demandé aux Américains de mener une enquête sur la provenance de l'arme. Les autorités américaines ont pu rapidement constater que les papiers de l'achat de ces armes étaient des faux. Le propriétaire de l'armurerie a montré un des chèques reçu en paiement. Ce chèque, émis par une banque espagnole, a conduit directement à l'un des gardes civils. Lorsque les Américains ont pris contact avec les autorités espagnoles, ces dernières, devant l'évidence, se sont empressées de dire que oui, ce pistolet appartenait à ce garde civil, qu'il l'avait acheté à titre privé, et en avait déclaré l'existence, mais que, par malheur, il avait été dérobé par des inconnus lors d'un accrochage, deux mois avant l'attentat sur lequel ils enquêtaient. Et qu'ils n'avaient, pour leur part, rien à voir avec ça. Les Américains, surpris, ont communiqué l'information aux Français, et ils ont accepté d'un commun accord d'étouffer l'affaire. Ils avaient été si près de découvrir le pot-aux-roses que le général Pozos a décidé, à partir de ce moment-là, que c'en était bien fini d'aller chercher aux quatre coins du monde des armes en catimini...

Tutusaus prit alors son pistolet et en contempla la crosse avec une infinie tendresse.

— À partir de là, nous avons commencé à utiliser nos propres pistolets, mais de fabrication spéciale, faits exprès pour nous, sans aucune marque d'identification. Ces pistolets, seule la brigade spéciale du général en possède. Des pistolets comme celui que vous avez dans vos mains. Comme ceux que possédaient les personnes qui nous attendaient en haut. Des pistolets comme celui-ci, lui dit-il tout en lui montrant le sien. Sans numéro de série. C'est moi-même qui l'avais proposé au général Pozos...

Heredero demeurait bouche bée. Tutusaus, pour la première fois de sa vie, était en train d'expérimenter toute une série de sentiments, et il les avait exprimés, qui plus est, à voix haute. Il se sentait déçu, profondément déçu, pour une raison simple et complexe à la fois. Tutusaus avait fondé toute son existence sur la loyauté envers le général, parce que ce dernier lui avait accordé la vie sauve. Il avait toujours été d'accord. C'était un fait acquis. Il avait même risqué sa vie plus d'une fois pour lui. C'est la raison pour laquelle, au fil des années, il en était arrivé à croire qu'il représentait quelque chose de plus pour le général. Et il n'en était pas ainsi. Il se réjouissait à l'idée que quelque chose de plus existait, que le sens de sa vie ne relevait pas uniquement de l'acquittement d'une dette. Et il n'en était pas ainsi. Il n'en était pas ainsi. Alors quoi ?

— Vous êtes tous une bande de tueurs fous, dit Heredero.

La suite vint d'elle-même. L'industriel fit l'effort de se lever et essaya d'atteindre la sortie. Tutusaus ne bougea même pas et se contenta de le suivre des yeux. Il n'avait ni l'intention ni l'envie de l'arrêter, et sa jambe le faisait souffrir. Qu'Heredero agisse comme bon lui semblait. Il disparut en quelques enjambées vacillantes, en respirant pesamment, une fois de plus, tant il manquait d'air. Tutusaus entendit le bruit d'un corps tombant à terre. Il s'approcha de la porte et vit le corps de l'industriel allongé à côté du cadavre de la jeune femme. Il vérifia qu'il était vivant, inconscient, et visiblement sans fractures. Tutusaus le traîna de nouveau à l'intérieur et le fit asseoir. L'homme semblait tiré d'affaire, mais c'était faux. Il appuya sa tête et ses bras sur la table, comme s'il dormait, se plaignant d'une forte douleur au ventre. Tutusaus pensa qu'il devait s'agir d'une hémorragie interne ; elle emporterait Heredero dans l'autre monde en quelques heures, ou quelques minutes. Tutusaus n'était pas disposé à attendre si longtemps. Au bout du compte, il avait compris qu'une seule chose désormais lui appartenait vraiment : son cimetière et ses morts. Et Heredero était à lui. Il agissait machinalement, en y mettant cependant toute la force de son expérience. Il essayait de ne pas penser. Pendant qu'Heredero gémissait d'une voix moribonde, Tutusaus se dirigea vers les étagères où il avait préparé le flacon de dicoumarol. Pour quelqu'un d'aussi mal en point, c'était à peu près l'équivalent d'une balle dans la tête. Une petite dose, et la moindre chance de survie disparaîtrait instantanément. Le flacon ne s'y trouvait plus. Il devait l'avoir perdu. Il y avait en revanche un paquet de raticide. Ce qui revenait plus ou moins au même : ces produits basaient leur efficacité sur une action anticoagulante extrêmement puissante. Pour tuer un homme en bonne santé, il en fallait une bonne quantité. Pour tuer Heredero, un rien suffirait. Tutusaus dilua le produit dans un peu d'eau. L'industriel releva la tête, le vit et refusa le verre. Tutusaus essaya de le forcer à boire, mais l'homme fit tout tomber d'un geste de la main. Tutusaus revint à la charge, s'approcha de nouveau d'Heredero qui venait de reposer sa tête entre ses bras, sur la table. Il le prit par surprise, lui releva la tête, lui boucha le nez comme à un gamin et l'obligea à avaler une cuillère à soupe entière d'eau. Cette fois-ci, Heredero n'opposa aucune résistance. Il toussa, puis but sans respirer, dans des spasmes de douleur.

— Je suis en train de mourir, Tutusaus ? lui demanda-t-il.

— Oui.

— C'est toi qui m'as tué ?

— Non, lui mentit Tutusaus.

— Du courage, allons voyons ; tu as plus une tête de cadavre que moi...

Tutusaus s'était imaginé qu'Heredero, puisque fils de roi, attendrait la fin dans une espèce de dormition, mais il n'en fut rien.

— Tu crois en Dieu, Tutusaus ?

— Comme tout le monde.

— Eh bien moi, non. Et c'est un sujet dont je me fiche complètement. Pour toi, c'est sûr que ça doit être très important, non ?

— Oui, mentit Tutusaus.

— Et bien, pas pour moi. Et on ne peut pas dire que cette question me préoccupe. J'aurais consenti à être roi sans croire en Dieu...

Heredero regarda par la fenêtre et respira un bon coup. Tutusaus se rendit compte que tout n'était pas aussi clair, que devant l'incertitude de ce qu'il était sur le point de découvrir à propos de l'au-delà, son prisonnier s'agrippait à la vie de ce monde, aussi cruelle avait-elle pu se montrer à son égard. Il devait brûler de l'intérieur. La douleur devait être effroyable. Mais en même temps, dès que cette lutte féroce lui offrait une trêve, le moribond, contrairement à certains cas célèbres de l'Histoire, ne parlait pas des cieux mais de la Terre.

— Donne-moi l'absolution, Tutusaus, au cas où il me resterait quelques péchés. Bien que, vu ce que je souffre en ce moment, on devrait m'en absoudre.

— Je ne suis pas curé, répliqua sèchement Tutusaus.

Heredero se tordit de nouveau après avoir vomi une bonne giclée de sang.

— Tutusaus...

— Quoi ?

— T'es tout seul. Tout seul. Seul et foutu. Ils t'ont trompé... Et ils vont te tuer comme une bête... Profites-en, va-t'en, puisque tu peux. Ils n'auront pas de pitié. Fous le camp.

Pitié ? Tutusaus n'en avait jamais eu. Pourquoi quelqu'un devrait-il en avoir envers lui ? Il venait juste de tuer l'estropié et la jeune femme comme on tue deux poulets pour Noël. Les gens tels qu'Heredero se gargarisaient de mots : pitié, tromper... Des paroles dépourvues de sens. Tout le monde trompait tout le monde, en commençant par soi-même. S'en aller ? Et où, après tout ce temps ? Il n'avait ni travail ni rente. Il ne savait que tuer. Il était plus seul qu'un rat mort, d'accord. Mais cela ne le troublait pas vraiment, et ne le surprenait pas non plus. Il avait pratiquement toujours eu l'impression de vivre seul, même lorsqu'il était entouré. Il se souvenait du récit des quelques survivants des camps de concentration nazis. Beaucoup expliquaient leur sentiment de honte pour avoir survécu alors qu'ils ne possédaient aucun talent particulier pour mériter cette chance. Il avait ressenti la même chose. Maintenant, non. Maintenant, son corps ne lui demandait qu'à se rapprocher de ses morts. Mais on ne le lui permettrait peut-être même pas. Ce sentiment de déception s'était répandu dans tout son être, métastases d'un sentiment qui suppurait sur sa peau telle une couche de sueur. Il reprit sa surveillance. Tutusaus sentait le danger tout près de la cabane. Il jeta un coup d'œil dehors, sous les lueurs de l'aube, la lune ne s'était pas encore retirée. Il entendit des aboiements proches, ceux des chiens sauvages. Ils devaient être fous d'excitation, avec toutes ces odeurs, ces relents de sang et de mort. L'air de la montagne apportait des bouffées de peur. Pour la première fois depuis longtemps, Tutusaus doutait. Il laissait le temps s'écouler, attendant de deviner la cause de son trouble ou, au moins, que les chiens se taisent. Les aboiements persistaient, cette fois plus lointains. Ils disparurent dans la montagne, partant dans une autre direction, prêts à vriller les nerfs de marcheurs inconnus. Soudain, le silence se fit.

Tutusaus revint dans la cabane et découvrit qu'Heredero

était mort. Il gisait sur le sol, une tache de sang noir qui s'était écoulé de sa bouche s'étalait sur son menton et sa poitrine. Tutusaus ne parvenait pas à éprouver le moindre regret à son égard. Peut-être, oui, Dieu finirait-il par veiller sur Heredero dans son voyage vers l'au-delà. Et quand il y parviendrait, tout irait bien pour lui.

Et moi, pensait Tutusaus, qui veillera sur moi ?

Chapitre 20

Il ramassa tous les outils qui pouvaient l'aider à enterrer Heredero. Il prit une boîte en fer-blanc vide pour y mettre de l'eau, un morceau de savon, quelques bouts de chiffon, le peigne de l'estropié, qui se trouvait encore dans les poches du pantalon du mort... Il pensa que son appareil photo allait manquer. Il mit tout dans un sac et sortit. Il lui restait encore beaucoup de travail à effectuer. Il agissait toujours machinalement. On n'entendait rien. Même pas les chiens sauvages, comme si le bois les avait engloutis. L'odeur de la terre mouillée emplissait l'air et quelques nuages avaient fait leur apparition. Il tombait une pluie fine qui énervait Tutusaus : elle dissimulait les bruits et amenait d'autres sons plus étranges. Une nuit de tempête apporte plus de sécurité, quand tout est secoué par le vent et que les coups de tonnerre crèvent l'obscurité du silence. Une nuit de tempête, personne ne se risque sur ces chemins, il n'y a aucun danger d'être observé par des regards espions, et même les animaux courent se mettre à l'abri. Tutusaus voulait laver et enterrer son mort en paix. Il se saisit du corps d'Heredero et le chargea sur son dos. Il le trouva beaucoup plus lourd mort que vivant. En se dépêchant, il aurait peut-être encore le temps. Il marchait en soufflant sur le chemin du bois qu'il connaissait si bien, tant en raison du poids que de sa blessure à la cuisse. Tous les deux pas, il s'arrêtait pour écouter, demeurant aussi immobile qu'un renard aux aguets, puis reprenait sa marche. Cette aube naissante était lente pour tout le monde. Il allait laver le corps sur place, à côté de la fosse creusée quelques jours plus tôt. Son cerveau était en pleine ébullition. Il ne voulait qu'une chose : enterrer Heredero. Il ne lui restait plus rien ni personne. Tout le chemin, imprégné de cette odeur de vie qu'on ne trouve que dans les zones peu fréquentées du bois, offrait un contraste saisissant avec le cadavre blanchâtre de l'industriel, les bras ballants de chaque côté des épaules de Tutusaus. Ce dernier aurait pu être triste, mais il ne l'était pas. S'il n'avait jamais été heureux, pourquoi aurait-il dû être triste ? Il n'avait jamais aimé les gens tristes, qui demeurent dénudés, privés de sensations et de sentiments, se satisfaisant de desseins inférieurs, livrés à l'impuissance. De la même manière, il ne s'était jamais senti battu, vu qu'il ne s'était jamais senti gagnant non plus. Il avait toujours eu tendance à mépriser les perdants, incapables de supporter leur propre solitude et toujours prêts à rejoindre d'autres perdants jusqu'à former de véritables légions en déroute, comme s'ils intégraient une espèce de secte. Ses victoires étaient celles du général, des victoires offertes à la Patrie et au Généralissime. Tutusaus avait toujours été du côté des vainqueurs. En plus, il avait eu de la chance, n'échappant à la mort que par miracle à deux ou trois reprises. Le général lui avait inculqué l'idée qu'il appartenait à l'équipe gagnante. Désormais, après tant de temps, après tant de morts, Tutusaus pressentait que cette cohorte de vaincus avançant ensemble au ras du sol, mais au coude à coude, était peut-être celle qui donnait le sens de l'existence. Peut-être que tous ces perdants, surtout ceux qu'il avait lui-même assassinés, étaient finalement ceux qui avaient joui « réellement » de la « réalité » de la vie, qui avaient réellement respiré les fluides vitaux de l'existence. Le corps mort d'Heredero chargé sur son dos, Tutusaus possédait l'unique preuve tangible de sa vie, la seule chose qui était sienne. À ce moment-là peut-être, tandis qu'il le posait par terre et s'essuyait le front, Tutusaus comprit qu'il pouvait rien emporter d'autre que des corps pareils à celui-ci, de la matière pure, exposée à la violence et à la destruction. Il ne pouvait emporter tout ce que ces gens avaient pensé, senti, aimé, vu et touché. De ce fait, sa victoire apparaissait si partielle qu'elle ne servait à rien. En revanche il avait offert, lui, au général, tout ce qui composait son existence, en y incluant ses pensées, ses sentiments, ses visions... Tout. Soudain, la sensation de déroute l'assaillit si intensément qu'il dut s'asseoir par terre, tout près d'Heredero. Il s'aperçut alors que le trou, qu'il avait eu tant de mal à creuser, était à moitié rempli d'eau. Aucune d'importance. Il ne pleuvait plus, et Tutusaus pourrait achever son travail. Il en avait envie. Il répéta une fois de plus, pour lui-même, que tout cela était à lui. Il commença par déshabiller Heredero. Il en éprouva quelques difficultés parce que ce dernier commençait déjà à se rigidifier, mais ça ne l'arrêta pas. Il lui ôta sa chemise et laissa le torse du mort exposé, couvert de marques, de bleus et de taches pourpres. Une forte odeur s'exhalait de la fosse, imprégnait les narines de Tutusaus et l'excitait. Un profond silence se fit, et il s'arrêta. Puis il enleva le reste des vêtements de l'industriel et le laissa totalement nu, comme collé au rocher pour recevoir les premiers rayons du soleil qui filtraient entre les arbres et dominaient tout, à la fois si lointains et si présents dans chacune des choses qui l'entouraient en cet instant. Il alla remplir sa boîte en fer à la fontaine. À cet endroit-là, le branchage s'entrelaçait de manière si épaisse que même à midi l'obscurité n'était pas rompue. Il versa de l'eau sur le cadavre, particulièrement sur la tête. Il aimait bien commencer par là. Il prit le peigne et le peigna. Lissant soigneusement les cheveux, bien en arrière. Quand il eut fini, il retourna à la fontaine. Le bruit de ses pas sur le léger tapis de feuilles séchées et cependant moelleuses était agréable ; ses pieds s'enfonçaient un peu, la marche se révélait souple et aisée. Tutusaus, méprisable Tutusaus, Tutusaus l'homme sans nom murmurait, Tutusaus le vaincu chuchotait, se trouvait désormais dans un état de plénitude proche de l'ivresse. Il sentait se briser, plus haut, au-dessus de sa tête, la rumeur du ruisseau qui débouchait sur la fontaine. Il s'était interrompu et eut la sensation d'être observé. Il demeura tendu, immobile, à écouter, à observer et à humer. Il entendit un léger piétinement sur les feuilles, esquisse d'une musique doucement humide. Ce pouvait être n'importe quel animal du bois, peut-être les chiens sauvages... Mais non, ils se seraient déjà montrés, ils auraient essayé de l'impressionner pour lui voler sa proie. Il se redressa pour revenir auprès d'Heredero. Et soudain, un rai de lumière d'une extrême puissance l'aveugla et l'immobilisa. Il avait été pris en chasse. Puis le son du gobelet et du dé, durant quelques secondes. Un dé qui cogne. Un dé qui roule et cogne. Et, derrière, la voix du général Pozos Bermúdez, sèche, calme, terrible, se mêlant à l'odeur de la terre, des racines, des plantes mouillées et piétinées. Lui seul pouvait s'approcher si près de Tutusaus sans se faire entendre. C'était son maître. Il se trouvait au-dessus de lui, debout sur une saillie rocheuse, le cernant de sa lanterne.

— Céspedes, c'est toi ?

— Oui, mon général.

— Tu vas bien ?

— Oui.

— T'as vu ça ? L'autre jour, je suis passé chez ma sœur, et un de mes neveux m'a offert ce gobelet en bois avec un dé à l'intérieur. J'ai pris l'habitude de le lancer et de voir quel numéro sort. Ou bien, je ne fais que le tourner. Ça me détend. Je suis passé par la ferme, j'ai vu que t'avais eu des problèmes. Une sacrée bouillabaisse.

Tutusaus demeurait dans l'expectative, il voyait bien que le général était en train de le sonder.

— Et tu sais pourquoi tu les as eus, ces problèmes ? Parce que tu m'as désobéi. Heredero est avec toi ?

— Oui.

— Monsieur Heredero, comment allez-vous ?

Puis Pozos s'adressa à Tutusaus :

— Pourquoi ne répond-il pas ?

— Il dort.

— La moitié de l'Espagne le cherche, pourquoi l'as-tu amené ici sans permission ?

— J'en avais besoin.

— Bon, assez parlé. Si tu commences avec tes mystères idiots... Il faut réagir vite. Tu m'expliqueras plus tard quelle partie de ta cervelle a flanché. Mais qu'est-ce qui t'est arrivé, putain ? Ah, au fait, j'ai des nouvelles à te donner : je ne suis plus militaire. Je vais me lancer dans les affaires. Dans la pratique, ça sera la même chose. Je travaillerai pour des gens importants. Nous travaillerons pour eux. Nous ferons le même boulot, mais en recevant plein de pognon. La seule différence, c'est qu'il faudra se méfier davantage.

Le cœur de Tutusaus se mit à battre plus fort. Il ne manquait plus que ça. Il était devenu militaire, lui, parce que le général le lui avait demandé.

— Je vais aussi quitter l'armée, mon général ? lui demanda-t-il.

— Tu l'as déjà quittée, Céspedes. Il y a un mois et demi. Si nous devons travailler ensemble, nous devons être du même bord, tu crois pas ?

C'est ainsi que le capitaine José Licinio Tutusaus, déjà ex-capitaine, comprit qu'il n'était plus qu'un simple tueur à gages au lieu d'un fonctionnaire assassin. La douleur la plus ancienne cuirassait la douleur la plus récente. Le général, toujours incapable d'accorder plus d'une minute d'attention à Tutusaus, poursuivit son discours sans se rendre compte que les choses avaient changé :

— Bon, on va chercher Heredero, et on fout le camp.

— Non.

— Comment ?

— Non.

— C'est pas le moment de plaisanter, je te jure. Je suis chargé de la surveillance d'Heredero, Céspedes. Il est mort, c'est ça ?

— Oui.

— Bon, j'espère que tu ne l'as pas trop abîmé. Hier, j'avais besoin d'un cadavre merdique et en morceaux. Aujourd'hui, c'est différent, il me faut un mort propre, tout joli tout beau. Qu'est-ce que tu veux, c'est la politique, ça.

Nous devons l'arranger comme jamais on a arrangé un macchabée. Allons-y !

— Non.

Tutusaus connaissait son supérieur. Il calcula que s'il se montrait si confiant, cela signifiait qu'il avait quelques hommes dans les parages, postés stratégiquement.

— Tu ne m'avais jamais désobéi, Céspedes.

— Non.

— Et voilà que tu le fais. Nous n'avons pas de temps à perdre, Céspedes, à quoi tu joues ?

— Heredero est à moi.

Pozos s'immobilisa, soudain sur ses gardes ; il venait enfin de prendre conscience de la situation. Tutusaus ne lui avait jamais parlé sur ce ton.

— Entre les uns et les autres, s'énerva-t-il, ça fait quinze jours que vous me cassez les couilles. D'abord ce petit merdeux de Pareado qui fourre son nez où il ne faut pas. Après, toi, qui prends des initiatives idiotes...

— Il est mort, le chien ?

— De quoi tu parles, de quel chien ?

— Celui de Pareado. Il était mort, quand vous y avez mis le feu ?

— Qu'est-ce que j'en sais, moi ! Écoute, Céspedes, je suis sûr que tu as fait tout ça avec la meilleure des intentions, mais à cause de toi, il y a des gens qui, si je ne leur apporte pas ce cadavre tout de suite, vont se mettre très en colère, compris ? Tu t'es bien comporté, je ne te reprocherai rien. Je ne te reprocherai même pas de m'avoir désobéi. Pour dire la vérité, ça a été une affaire merdique. Mais maintenant, c'est fini. Si tu ne veux pas qu'on reste ensemble, tu me le dis, et repos. Je te donnerai du fric, la maison... Où est le corps ?

— Ici, en bas.

— Alors ça va, on y va.

— Non.

— Ça suffit !

Le général bougea en direction de Tutusaus et ce dernier

393

se mit sur la défensive. Il avait laissé son pistolet à côté du cadavre. Il ne possédait que son couteau. Le général s'arrêta.

— Sois pas idiot, Céspedes. Après tout ce temps, tu veux tout balancer ?

— Vous m'avez trompé.

— Je t'aiderai...

— Vous avez voulu me tuer, mon général.

— C'était une erreur... Nous allons reprendre...

— Si vous m'aviez donné l'ordre de me suicider, je l'aurais fait. Mais vous m'avez trompé. Et en ce moment même, vous me trompez de nouveau.

— Tu fais fausse route, Céspedes, et tu sais que je suis mauvais joueur, et que je n'aime pas non plus qu'on me contredise. Donne-moi ce corps et j'oublierai.

— Il est à moi.

— Ne dis pas de conneries ! Pourquoi il serait à toi, hein, putain ! Tu commences à m'énerver. Tu ne vois pas que si tu refuses de me le donner, je vais devoir le prendre de force et que ça sera pire...

— Il est à moi.

Le général sortit son gobelet de sa poche et le secoua quelques secondes.

— Écoute-moi, Céspedes, et écoute-moi bien parce que ça sera peut-être la dernière fois que tu m'entendras. T'es qu'une bête. Tu n'as jamais cessé de l'être. Je t'ai sorti de la merde et je te renverrai à la merde. Entre les deux, ta vie, Céspedes, n'aura été rien d'autre qu'une petite parenthèse qui n'a pas plus de valeur que celle d'une autre merde. Alors oui, t'as raison, et alors ? Tu croyais peut-être que je t'entendais pas, hein, à chaque fois que t'essayais d'entrer en contact avec moi ? Je t'ai suivi, pas à pas. J'ai toujours su où t'étais, jour après jour, mètre après mètre. Maintenant, c'est fini. J'ai réussi l'affaire de ma vie en vendant Heredero au poids. T'as entendu ? C'est moi-même qui ai révélé l'existence d'Heredero à tous ceux qui pouvaient être intéressés. Et j'ai reçu de très bonnes offres, tu peux me croire ! La toute première impliquait une mort publique : « Le grand magnat de l'industrie, Felipe Heredero, trouvé mort dans un cabaret borgne. Vu la maladie dont il souffrait, on spécule sur un suicide. » C'est là que t'as fait ton apparition et que t'as tout foutu en l'air. Après, j'ai eu de la chance. Le lendemain, quelqu'un m'a offert deux fois plus d'argent pour le garder en vie. Mais ça, c'était hier. La dernière offre remonte à quelques heures, elle donne le tournis, et est impossible à refuser. Elle m'oblige à livrer Heredero mort, sans faire de chichis. Tu vois, nous ne sommes pas grand-chose... Un jour on nous veut vivant, et l'autre jour on nous veut mort. Tu te rends compte ?

— Le Généralissime saura que vous l'avez trahi...

— Le Généralissime ne sait rien de rien, imbécile !

L'ex-général fit un geste en direction de Tutusaus, lequel, pour un instant, put se dégager du projecteur qui l'avait aveuglé. Il en profita pour ébaucher un mouvement de fuite et vit aussitôt, par-dessus l'ombre du bois, toute noire et tremblante, l'éclair des balles, pas très loin, venant d'endroits différents. Deux, trois, quatre, cinq coups. Il s'écroula. Lorsque la lumière localisa de nouveau Tutusaus, l'ex-général demeura abasourdi. Les chiens sauvages venaient de sauter sur le cadavre d'Heredero. Ils étaient aussi affamés qu'excités et attaquaient pour la première fois par surprise. Tutusaus, moribond, sur le sol, les entendait. Il entendait aussi Pozos, hystérique, donnant des ordres. Une autre salve répondit. Ils tiraient maintenant sur les chiens qui se disputaient le cadavre. En un instant, deux tombèrent morts et les deux autres prirent la fuite à toute allure. Tutusaus, joue contre terre, observait, à côté de lui, le cadavre d'Heredero : on aurait dit un pantin désarticulé. Les chiens avaient à peine eu le temps de le tirer par les jambes. Il jeta un coup d'œil vers le haut. Pozos et ses hommes descendaient rapidement le chercher. Du fond du bois, les chiens se mirent à aboyer et à gémir. Tutusaus essaya de sourire : ils avaient gagné. Ils n'auraient pas le corps d'Heredero, mais ils auraient le sien. L'ex-général s'approcha, convaincu que Tutusaus était mort. À quelques mètres de lui, il vit que ça n'était pas le cas. Tutusaus, rassemblant ses dernières forces, s'était mis à genoux et se redressait. Ils s'observèrent, l'un en face de l'autre. Pozos devina ce qui allait se passer, rangea son gobelet et se mit en position de tir. Tutusaus avança vers lui et lui sauta au travers de la gorge en poussant un hurlement terrible qui résonna dans le bois, pareil à celui d'une bête. On entendit un coup de feu et Tutusaus retomba, foudroyé, à trente centimètres des pieds de l'ex-général.

— Va te faire enculer, connard de merde ! Je te l'ai dit tout à l'heure, tu n'as jamais rien été d'autre qu'une merde infâme.

Pozos vida son chargeur sur lui, comme un fou, visant la tête, la poitrine, le ventre. Tutusaus n'était plus. La petite parenthèse vide de sa vie venait de se refermer.

Pozos demeura ainsi, tremblant comme une feuille, le pistolet à la main. Il s'en souviendrait toute sa vie : au moment où Tutusaus lui sautait dessus, les yeux de ce dernier avaient brillé dans l'obscurité du bois comme ceux d'un chat.

Il ordonna qu'on le jette, avec les chiens, dans la fosse que Tutusaus avait creusée de ses mains pour M. Heredero, infant inconnu d'Espagne. Il profita des autres tombes pour y ensevelir les cadavres de l'estropié et de la jeune femme. Ils furent enterrés n'importe comment, chose qui ne préoccupait absolument pas l'ex-général. Qui viendrait fouiner par là ? Et puis, en trois jours, la forêt aurait déjà recouvert la moindre trace.

Il fouilla superficiellement Tutusaus. Il ne trouva rien d'intéressant, à l'exception d'une curieuse photo de Franco disant au revoir tout en se dirigeant vers son hélicoptère. Il reconnut le moment où elle avait été prise, et sourit. Cet imbécile de Tutusaus avait photographié Franco en cachette. Il l'examina de nouveau et la garda en souvenir. Il montait jusqu'à lui le gémissement du ruisseau et, dans l'obscurité, on aurait dit que la terre elle-même gémissait. Pozos organisa l'évacuation du cadavre d'Heredero et celle des morts de la ferme. Avant de s'en aller, il s'assit un moment dans la cuisine, pour se reposer. Il vit une bouteille de genièvre sur la table, de ce genièvre dégueulasse. Par chance, Tutusaus n'avait pas dû l'écouter et le jeter dans l'évier. Il avait la bouche sèche. Il ouvrit le frigidaire. Il était rempli de petits flacons. Des trucs de Tutusaus, tout ça. Il y avait aussi deux bières. Il s'en saisit. Qu'est-ce qui lui avait pris, à Tutusaus ? Pourquoi ne l'avait-il pas écouté, au dernier moment ? Ou pouvait-on être mieux qu'avec lui ? Comme il n'aimait guère les énigmes – et celles qui concernaient Tutusaus encore moins –, il laissa tomber. Il but les bières et le genièvre selon son habitude, et s'en alla. Il ne voulait plus jamais remettre les pieds dans cette ferme.

CHAPITRE 21

L'ex-général Pozos Bermúdez, debout à la porte de son hôtel, demeurait indécis. La nuit était très humide, ce qui, ajouté à un peu de sueur qui perlait dans tous les plis de son corps, lui communiquait une sensation de ramollissement complet qui le rendait particulièrement nerveux. Il caressait machinalement d'une main la photo de Franco ayant appartenu à Tutusaus. Elle était dans la poche droite de sa veste, poisseuse, froissée et abîmée. Il ne s'expliquait pas encore pourquoi il ne l'avait pas jetée. Il avait bien dîné et il devait à présent décider de l'endroit où il voulait aller tuer le temps. Cette réflexion lui renvoya l'image de Tutusaus, qu'il avait occis quarante-huit heures plus tôt. Tout en observant la vie presque furtive sur les Ramblas, aux premières heures de la nuit, il pensait que ce qui était étrange n'était pas le fait de l'avoir tué. Ce qui lui semblait vraiment étrange, c'était de l'avoir tué pour si peu... Il se mit en marche. Pour sa dernière nuit à Barcelone, il n'avait envie de voir personne, mais désirait quand même se distraire. Tout était allé comme sur des roulettes. Le corps de Felipe Heredero avait opportunément été découvert dans son lit, déshabillé, dans une attitude indolente. À peine quelques heures plus tard un juge avait opportunément demandé la levée du corps et un médecin légiste avait opportunément réalisé l'autopsie, offrant un diagnostic qui ne souffrait d'aucun doute : choc cardio-respiratoire dû à une hémorragie interne. Il n'y aurait même pas d'enquête judiciaire. Le juge de première instance, le lendemain matin, avait opportunément liquidé l'affaire plus tôt, avant même que toutes les analyses médicales ne soient rendues. Tout le monde voulait étouffer l'affaire le plus vite possible. Ils n'avaient pas à s'inquiéter, pensait Pozos. La mort d'un industriel, même puissant, ne fait la une des journaux que peu de temps. Et le soir même on avait opportunément procédé aux funérailles et à l'enterrement de M. Felipe Heredero. Tous les hommages lui furent rendus et l'on put compter sur la présence de Mme Carmen Polo, représentant son époux. Finalement, Pozos avait touché, à peine vingt minutes plus tôt, une quantité astronomique d'argent liquide. Tout cela en quarante-huit heures. Impossible de faire plus vite et plus proprement. Seule une espèce de malaise général qui ne le quittait pas lui avait un peu gâché la fête. Les nerfs, sans doute. Enfin, c'était terminé. Il lut la plaque de la rue où il se trouvait. Le nom lui rappelait quelque chose. Mais quoi ? Ah oui, c'était là que se trouvait ce cabaret, le Lluna de Llana. Il s'y achemina. Il ne reconnut ce boui-boui que lorsqu'il y entra : porte ouverte, pas de contrôle à l'entrée, odeur de grésil incrustée pour toujours... Il eut la flemme de faire demi-tour et resta. Seules quatre tables étaient occupées dans une salle pratiquement vide. Près du comptoir, juchés en équilibre sur l'un des tabourets, deux jeunes garçons de bonne famille apprenaient à une amie nordique la manière de boire au porró. La patronne officiait sur la scène, parlant avec son léger accent étranger. Elle était justement en train de raconter l'histoire de Varda d'Abril... Le travesti n'était plus là, évidemment. Pozos s'assit et observa le public attablé : un couple, un jeune homme endimanché, trois employés de bureau qui devaient fêter quelque chose, et devant, face à la scène, assis tout raide à sa table, un vieux avec une canne. À ses côtés, un jeune homme portant la chemise bleue des phalangistes. Ils ne semblaient pas perdre une miette de ce qui sortait de la bouche de la patronne qui, à ce moment-là, évoquait l'enfance de Varda d'Abril :

— Ce furent des années difficiles, la misère dans la rue, le rationnement... Notre princesse se démerdait, comme on dit vulgairement...

Ça n'était pas le style moqueur et ambigu de Sterling Ramírez. Le public n'appréciait peut-être pas et c'est peut-être pour cela que, brusquement, on entendit un grand bruit. L'ex-général Pozos porta sa main à la poche gauche de sa veste, là où il gardait son pistolet. La patronne, sur scène, tendit la tête afin de voir ce qui se passait. Le vieux donnait des coups de canne sur la table en poussant des cris de protestation inintelligibles. Il portait les cheveux ras et une moustache en brosse. Sa nuque se gonflait sous l'effort. La femme se tut. Tout le monde se tut. Tout s'était arrêté brusquement. Après quelques instants d'indécision, la femme descendit de la scène et s'approcha de lui, résignée. L'homme d'environ soixante-dix ans, aussi raide qu'une hampe de drapeau, d'un ton sévère mais sans élever la voix, lui parla avec autorité. Pendant ce temps, le jeune homme en uniforme toisait le reste du public, provocateur. Après avoir écouté attentivement, la femme acquiesça comme si elle demandait qu'on l'excuse. Le vieil homme lui tendit une carte de visite et elle remonta sur scène, s'avança vers le milieu, réclama le silence et dit :

— Mesdames et messieurs, parmi notre distingué public de ce soir, nous avons l'honneur de compter sur la présence... sur la présence de son excellence monsieur don Jorge de Roig i Montoliu-Lesplugacalba, ex-respectable chevalier de la légion...

Il y eut un autre et terrible coup de canne sur la table. La patronne, déconcertée, corrigea :

— Pardon, je voulais dire un respectable ex-chevalier de la légion, chef régional des regroupements d'anciens combattants, mutilé de guerre, honorable membre de la Phalange, adjoint au délégué provincial de Barcelone d'Éducation et Détente, avocat, lequel affirme qu'ici, dans notre pays, mesdames et messieurs, et contrairement à ce que je viens de dire, il n'y a jamais eu de misère. Il est évident que s'il le dit, il doit en être ainsi. Nos excuses les plus plates et sincères...

Le jeune homme remonta sa ceinture, cracha par terre et

400

ouvrit un passage à l'homme jusqu'à la sortie, en regardant à droite et à gauche. Dès son départ, l'ambiance revint dans la salle. La patronne mit un disque de blues dans la machine et descendit servir à boire. L'ex-général Pozos demeurait songeur. Il n'aurait plus manqué que le vieux ouvre sa chemise pour montrer sa poitrine et ses blessures de guerre tout en chantant l'hymne phalangiste, *El Caralsol*. Il se souvint de toutes les fois où ces phalangistes nostalgiques lui avaient causé des soucis. Il ne les supportait pas. Ils étaient à présent plus arrogants que jamais. Ils perdaient du pouvoir, ils perdaient de l'influence et essayaient de compenser cette perte en criant plus fort que tout le monde et en montant ce genre de petits numéros-là. Les chemises bleues et tout ce qu'elles représentaient commençaient à puer le moisi. L'avenir, ça n'était pas eux, mais les jeunes et ambitieux hommes politiques catholiques de l'Opus, les technocrates et, en général, tous ceux qui se bougeaient un peu. En tout cas, ça n'était pas eux. De fait, pensait Pozos, ça ne l'avait jamais été. Il s'agissait juste d'une espèce en voie d'extinction, qui allait mettre plus ou moins longtemps à disparaître. Il ne les avait jamais portés dans son cœur, ces phalangistes, avec leur rhétorique ouvriériste et sociale... et leur mépris pour les militaires de carrière...

La patronne du cabaret s'approcha de lui :

— Bonne nuit et bienvenue au Lluna de Llana, monsieur. J'ai tardé un peu à venir prendre votre commande, pardonnez-moi, mais je suis à la fois la patronne, la serveuse, l'héroïne du show, enfin, un peu de tout à la fois...

— Le show incluait aussi l'homme à la canne ? questionna Pozos.

— N'y faites pas attention. Ces gens sont des teignes.

— Pourquoi dites-vous ça ?

— Vous ne les avez pas vus ?

— Ils font partie de nos autorités. Nous leur devons tout. Vous pouvez pas comprendre. Vous êtes étrangère, n'est-ce pas ?

— Pourquoi dites-vous ça ?

— À cause de votre accent.

— Je pourrais ne pas l'être. Quelle importance ?

— Aucune. En principe.

— Qu'est-ce que ça peut faire, l'endroit d'où on est... L'important, c'est l'endroit où l'on gagne sa vie, où l'on tombe amoureux. Vous n'êtes pas non plus espagnol ?

— Madame, vos doutes m'offensent !

— Bon, je vois que si.

— Vous êtes américaine.

— Qu'est-ce qui vous fait croire ça ?

— La musique...

— Bien observé, monsieur.

— Vous êtes américaine, alors ?

— Plus ou moins.

— Et qu'est-ce que vous faites ici, dans un cabaret aussi minable ?

— Ça ne vous plaît pas ?

— Là n'est pas la question.

La patronne s'effraya soudain, plus par le ton monotone et froid de ce client que par le message transmis par ses paroles.

— Je suppose que vous avez raison, monsieur. Mais surtout ne partez pas. Dans la seconde partie, il y aura des chansons. Je loue les services d'un petit gars qui joue du saxo à merveille. Il va arriver d'un instant à l'autre... Que voulez-vous boire ?

L'ex-général la détailla de pied en cap, pensa qu'il pourrait lui demander une faveur et lui dit :

— Deux bières et un genièvre.

— En même temps ?

— En même temps.

Soudain, son estomac se tordit. Il se ravisa et commanda un whisky. Cinq minutes plus tard, le musicien arriva. La patronne lui avait déjà préparé un Cuba-libre. Il était très jeune, cheveux courts et lunettes noires qu'il n'enleva pas une seule fois de la soirée. Il devait venir de jouer dans une autre salle. Il prit un tabouret au comptoir, le plaça à côté de la scène, monta son instrument, fit un ou deux essais et commença à jouer avant même que le public ne s'en aperçoive. La patronne se dépêcha et monta sur scène quelques minutes plus tard pour continuer son histoire. L'ex-général l'écoutait à peine, il sirotait son whisky tout en réfléchissant. Il était de nouveau couvert de sueur.

Il y eut une pause, plus brève que la précédente. Il en profita pour commander deux bières et un genièvre. Puis le spectacle s'acheva. La patronne avait envie de fermer la baraque :

— Et oui, mesdames et messieurs, une nuit de plus avec l'histoire de notre princesse Varda d'Abril. Et voilà que, déjà, je dois vous dire adieu. Pour cette nuit, il y en a déjà bien assez, vous ne pensez pas ? Vous avez eu votre comptant et même trop. Oui, d'accord, quand vous êtes entrés, il était annoncé, sur la porte, le grand show de Sterling Ramírez. Mais le monde d'aujourd'hui est ainsi fait : du jour au lendemain, les gens s'en vont, les gens disparaissent, et on ne sait plus jamais rien d'eux. Souhaitons-lui bonne chance, où qu'il soit...

Elle se tut. Il plana sur la salle un silence gêné durant quelques instants. La femme semblait émue, on n'entendait plus que la plainte du saxo. Elle continua néanmoins :

— Sterling Ramírez n'est plus parmi nous. Mais en revanche, je vous ai chanté quelques chansons, je vous ai raconté l'histoire de notre infortunée Varda D'abril aussi bien que je l'ai pu et je vous ai invités à boire un verre. Que voulez-vous de plus ? Ça n'est déjà pas si mal pour le prix, non ? Ah, et si vous avez envie de revenir, mesdames et messieurs, n'hésitez pas : nous, nous serons toujours là.

Il y eut quelques applaudissements, tandis que le saxophoniste achevait seul le spectacle. Les gens se levèrent et s'en allèrent. La patronne se glissa derrière le comptoir, servir les derniers cocktails. Elle vit l'ex-général, debout, au milieu de la salle, indécis, immobile, et lui demanda s'il voulait prendre un autre whisky. L'homme la dévisagea sans répondre. Il n'était pas sûr que le ton de cette pouilleuse ait été injurieux. Il ne se sentait pas bien. Il avait besoin d'un peu d'air frais. Il sortit dans la rue en titubant et sans même répondre à l'aurevoir que la patronne lui lança de l'intérieur. Il fut assailli par une forte odeur de pisse de chien. Les pavés brillaient sous la clarté jaunâtre des réverbères tandis qu'il marchait vers son hôtel, sur les Ramblas. Il entendit des talons claquer derrière lui et, durant quelques secondes, il eut peur. Il avait très mal à la tête. Il accéléra le pas. Un gamin, depuis un balcon, cassa l'une des ampoules d'un réverbère accroché au mur et se mit à rire. L'obscurité se fit. Pozos repensa à Tutusaus et cela le troubla. Il dut glisser la main dans sa poche et toucher la photo pour vérifier qu'elle était toujours là. Il s'énervait contre lui-même, de plus en plus ; une irritation profonde montait de son estomac et lui laissait un goût acide dans la bouche. Il ne parvenait pas à se sortir Tutusaus de la tête, Tutusaus le regardant de ses yeux rageurs, debout devant lui, prêt à mourir comme un chien pour ne pas lui donner ce qu'il considérait être sien. Il eut un haut-le-cœur.

— Qu'il aille se faire foutre, murmura l'ex-général.

Il continua son chemin. Les talons résonnèrent de nouveau derrière lui, maintenant tout près. Il mit la main dans sa poche gauche et palpa son pistolet. Il s'arrêta brusquement et se retourna en un éclair, l'arme au poing. Il se retrouva en train de viser l'obscurité. Un bruit, sous un portail, tout près, lui signala que quelqu'un venait d'y entrer. Il rangea son pistolet après avoir vérifié que personne ne l'ait vu. Personne. Un veilleur de nuit apparut à un tournant, cognant son bâton sur le sol ; il lui souhaita une bonne nuit et poursuivit sa ronde. Pozos se sentait ridicule. La sueur lui collait la chemise au corps. De retour vers son hôtel, il tourna dans une rue qui le mena à un cul-de-sac. Il s'était perdu. Son estomac se tordit de nouveau. Mais, putain, qu'avait-il donc mangé ? Il s'arrêta et s'appuya au mur. Un individu en sueur, tricot de corps blanc et chapeau en papier journal déboucha d'une espèce d'atelier, et avec lui une bouffée odorante de pain tout juste sorti du four.

— Où est-ce qu'il est, ce putain de chemin, pour arriver sur cette connerie de Rambla des fleurs de mes couilles ? lui demanda l'ex-général.

Le boulanger le lui expliqua et Pozos ressortit son pistolet parce qu'il ne l'avait pas compris, et lui plaquant le canon sur la tempe, lui dit qu'il allait le liquider sur-le-champ s'il ne lui parlait pas en castillan. Chose que le boulanger, mort de peur, ne trouva aucun inconvénient à faire. L'ex-général Pozos, finalement, arriva à l'hôtel. Il se déshabilla et se glissa dans la baignoire romaine de sa suite, mais se rendit compte que son énervement restait collé sur sa peau. Il se releva et alla téléphoner. Tandis qu'il demandait qu'on lui monte de l'aspirine, il observa les flaques humides qu'il avait laissées sur son passage. Il revint à la baignoire, s'arrêta et prit la photo de Tutusaus. Il s'enfonça dans l'eau jusqu'au cou tout en contemplant l'image du vieux général. Il l'avait trahi, lui aussi. Il fut soulagé à l'idée que, le lendemain, de bon matin, il allait prendre un avion pour Madrid. C'était fantastique d'être riche et de pouvoir louer une chambre de cette classe. Il appuya la photo sur le mur, dans l'angle de la baignoire. Il s'allongea de tout son long et mit la tête sous l'eau pour se rafraîchir. Il était à Barcelone depuis un peu plus de quarante-huit heures. Il se souvint des mots de Tutusaus sur cette ville, quelque mois plus tôt : « Je ne l'aime pas. Ni la ville ni les gens. Ni ce temps lourd et humide, ni cette merde de Sagrada família qui n'a jamais été achevée. La mer est trop vaste. Les Ramblas et le Barrio Chino trop sales. Le quartier de l'Eixample trop carré. Les Barcelonais trop bizarres, et les putes trop chères. »

Un excessif, ce Tutusaus, paix à ses cendres, se dit Pozos. Il ressentit comme un coup de poing dans le ventre, plus fort que les autres, et prit peur. Il essaya de sortir de la baignoire, en vain : ses bras et ses jambes étaient rigides, il avait du mal à respirer. Soudain, du fond de son estomac, il eut une remontée amère au goût de bière et de genièvre. Il se souvint alors de la ferme de Montsol, de la bouteille de genièvre posée par hasard sur la table, et des deux uniques bières dans le frigidaire. Il comprit ce qui se passait et, submergé par la panique, tenta de crier, mais les muscles de sa gorge étaient déjà paralysés et il ne sortait plus de sa bouche qu'un filet de voix sourde et enrouée. Tout le monde était mort : Tutusaus, Heredero, l'estropié, la jeune femme, Pareado, Sterling Ramírez... Il regarda la photo et vit Franco lui disant au revoir tout en se dirigeant vers son hélicoptère. Il s'efforça de s'en saisir mais il n'y parvint pas. Et Franco, sur le point de monter dans l'hélicoptère, lui disait : « Adieu, Pocitos, mon petit Pozos, adieu... »

Lorsque la jeune fille d'étage entra dans la chambre avec les cachets d'aspirine, elle trouva l'ex-général Pozos flottant sur le ventre au milieu d'une gigantesque baignoire. Son corps oscillait lentement dans l'eau, comme un poids mort.

Barcelone, novembre 1994-août 1996.

LITTÉRATURE ÉTRANGÈRE
CHEZ FLAMMARION

Déjà parus :

Walter Abish, *Les esprits se rencontrent*
Walter Abish, *Eclipse Fever*
Miroslav Acimovic, *La porte secrète*
Giovanni d'Alessandro, *Si Dieu a pitié*
Julianna Baggott, *Comme elle respire*
Julianna Baggott, *Miss Amérique ne pleure jamais*
Lluis-Antón Baulenas, *Le fil d'argent*
Lluis-Antón Baulenas, *Le Bonheur*
Lluis-Antón Baulenas, *Combat de chiens*
Bai Xianyong, *Garçons de cristal*
Bai Xianyong, *Gens de Taïpei*
John Banville, *Kepler*
John Banville, *Le livre des aveux*
John Banville, *Le monde d'or*
John Banville, *La lettre de Newton*
John Banville, *L'Intouchable*
William Bayer, *Mort d'un magicien*
William Bayer, *Pièges de lumière*
Jochen Beyse, *Ultraviolet*
Maxim Biller, *Ah ! Si j'étais riche et mort*
Maxim Biller, *Au pays des pères et des traîtres*
Steven Bochco, *Mort à Hollywood*
Raul Brandaõ, *Humus*
Nicolae Breban, *Don Juan*
Philip Brebner, *Les mille et une douleurs*
David Buckley, *David Bowie, une étrange fascination*
A. S. Byatt, *Possession*
A. S. Byatt, *Des anges et des insectes*
A. S. Byatt, *Histoires pour Matisse*
A. S. Byatt, *La vierge dans le jardin*
A. S. Byatt, *Nature morte*

A. S. Byatt, *La tour de Babel*
A. S. Byatt, *Une femme qui siffle*
Andrea Camilleri, *Pirandello*
Maria Cano Caunedo, *Le miroir aux Amériques*
Gianni Celati, *Narrateurs des plaines*
Gianni Celati, *Quatre nouvelles sur les apparences*
Gianni Celati, *L'almanach du paradis*
Paulo Coelho, *Le Zahir*
Collectif, *La Beat Generation*
Flavia Company, *Donne-moi du plaisir*
Evan, S. Connell, *Mr. & Mrs. Bridge*
Avigdor Dagan, *Les bouffons du roi*
Stephen Davis, *Jim Morrison*
Paloma Díaz-Mas, *Le songe de Venise*
James Dickey, *Là-bas au nord*
E. L. Doctorow, *La machine d'eau de Manhattan*
Bruce Duffy, *Le monde tel que je l'ai trouvé*
Olav Duun, *La réputation*
Giorgio Faletti, *Je tue*
Sebastian Faulks, *Les désenchantés*
Alison Findlay-Johnson, *Les enfants de la désobéissance*
Richard Flanagan, *À contre-courant*
Richard Flanagan, *Dispersés par le vent*
Richard Flanagan, *Le Livre de Gould*
Susana Fortes, *Des tendres et des traîtres*
Connie May Fowler, *La cage en sucre*
Eric Frattini, *Cosa Nostra*
Nicci French, *Memory Game*
Nicci French, *Jeux de dupes*
Nicci French, *Feu de glace*
Nicci French, *Dans la peau*
Nicci French, *La Chambre écarlate*
Nicci French, *Au pays des vivants*
Teolinda Gersaõ, *Le cheval de soleil*
Kaye Gibbons, *Histoires de faire de beaux rêves*
Kaye Gibbons, *Une sage femme*
Kaye Gibbons, *Signes extérieurs de gaieté*

William Gibson, *Idoru*
Molly Giles, *Semelles de plomb*
G.-A. Goldschmidt, *La ligne de fuite*
Jo-Ann Goodwin, *Danny Boy*
Martin Gottfried, *Arthur Miller*
Manuela Gretkowska, *Le tarot de Paris*
John Griesemer, *Par-delà les océans*
Sahar Khalifa, *L'impasse de Bab Essaha*
Joanne Harris, *Dors, petite sœur*
Jessica Hagedorn, *Les mangeurs de chien*
Lennart Hagerfors, *L'homme du Sarek*
Lennart Hagerfors, *Les baleines du lac Tanganyika*
Lennart Hagerfors, *Le triomphe*
Werner Heiduczek, *Départs imprévus*
Alice Hoffman, *La lune tortue*
Alice Hoffman, *Drôles de meurtres en famille*
Alice Hoffman, *La saison du noyé*
Alice Hoffman, *Un secret bien gardé*
Alice Hoffman, *Le Roi du fleuve*
Michael Holroyd, *Carrington*
Keri Hulme, *The Bone People*
Huang Fan, *Le goût amer de la charité*
José Jiménez Lozano, *Les sandales d'argent*
José Jiménez Lozano, *Le grain de maïs rouge*
José Jiménez Lozano, *Le monde est une fable*
Michael Kleeberg, *Le Roi de Corse*
Anatole Kourtchatkine, *Moscou aller-retour*
Léonide Latynine, *Celui qui dort pendant la moisson*
David Leavitt, *À vos risques et périls*
David Leavitt, *Tendresses partagées*
David Leavitt, *L'art de la dissertation*
Lilian Lee, *Adieu ma concubine*
Lilian Lee, *La dernière princesse de Mandchourie*
Doris Lessing, *Le monde de Ben*
Doris Lessing, *Mara et Dann*
Doris Lessing, *Le Rêve le plus doux*
Doris Lessing, *Les Grand-mères*

Li Ang, *La femme du boucher*
Li Xiao, *Shanghai Triad*
Sharon Maas, *Noces indiennes*
Sharon Maas, *La Danse des paons*
Ann-Marie MacDonald, *Un parfum de cèdre*
Ann-Marie MacDonald, *Le Vol du corbeau*
Vladimir Makanine, *Le citoyen en fuite*
Melania Mazzucco, *Vita*
Carmen Martín Gaite, *La chambre du fond*
Carmen Martín Gaite, *Passages nuageux*
Carmen Martín Gaite, *La reine des neiges*
Carmen Martín Gaite, *Drôle de vie la vie*
Carmen Martín Gaite, *Claquer la porte*
Carmen Martín Gaite, *Paroles données*
Gustavo Martín Garzo, *Le petit héritier*
Luis Mateo Díez, *Les petites heures*
Luis Mateo Díez, *Le naufragé des Archives*
Simon Mawer, *L'Évangile selon Judas*
Ana Menendez, *Che Guevara mon amour*
Ana Menendez, *À Cuba j'étais un berger allemand*
Anne Michaels, *La mémoire en fuite*
Alberto Moravia, *Le mépris*
Alberto Moravia, *Les indifférents*
Alberto Moravia, *Agostino*
Alberto Moravia, *Le conformiste*
Alberto Moravia, *La femme-léopard*
Alberto Moravia, *Promenades africaines*
Alberto Moravia, *La polémique des poulpes*
Alberto Moravia, *Histoires d'amour*
Alberto Moravia, *Histoires de guerre et d'intimité*
Alberto Moravia, *L'Ennui*
Alberto Moravia, *Moi et lui*
Marcel Möring, *Le grand désir*
Marcel Möring, *La fabuleuse histoire des Hollander*
Jeff Noon, *Vurt*
Sigrid Nunez, *Pour Rouenna*
Nico Orengo, *On a volé le Saint-Esprit*

Tim O'Brien, *Juillet, Juillet*
Andrew O'Hagan, *Le crépuscule des pères*
Andrew O'Hagan, *Personnalité*
Laura Pariani, *Quand Dieu dansait le tango*
Michael Peppiatt, *Francis Bacon*
Walker Percy, *Lancelot*
Sandra Petrignani, *Trois fois rien*
Sandra Petrignani, *Navigation de Circé*
Agneta Pleijel, *Les guetteurs de vent*
Agneta Pleijel, *Fungi*
Fabrizia Ramondino, *Althénopis*
Fabrizia Ramondino, *Un jour et demi*
Nancy Richler, *Ta bouche est ravissante*
Patrick Roth, *Johnny Shines ou la résurrection des morts*
Patrick Roth, *Corpus Christi*
Juan José Saer, *Les grands paradis*
Juan José Saer, *Nadie, Nada, Nunca*
Juan José Saer, *Unité de lieu*
Juan José Saer, *L'ancêtre*
Juan José Saer, *L'anniversaire*
Juan José Saer, *L'occasion*
Juan José Saer, *L'ineffaçable*
Juan José Saer, *Quelque chose approche*
Michael Simon, *Dirty Sally*
Adolf Schröder, *Le garçon*
Steinunn Sigurdardo'ttir, *Le voleur de vie*
Mona Simpson, *N'importe où sauf ici*
Mona Simpson, *Bea Maxwell*
Elizabeth Smart, *J'ai vu Lexington Avenue se dissoudre dans
    mes larmes*
Sarah Stonich, *Cet été-là*
Lytton Stratchey, *Ermynstrude et Esmeralda*
Amy Tan, *Le club de la chance*
Adam Thorpe, *Ulverton*
Adam Thorpe, *Mauvais plan*
Colm Toíbín, *Désormais notre exil*
Colm Toíbín, *La bruyère incendiée*

Colm Toíbín, *Bad Blood*
Colm Toíbín, *Histoire de la nuit*
Victoria Tokareva, *Le chat sur la route*
Victoria Tokareva, *Première tentative*
Victoria Tokareva, *Happy End*
Su Tong, *Épouses et concubines*
Su Tong, *Riz*
Tarjei Vesaas, *Le germe*
Tarjei Vesaas, *La maison dans les ténèbres*
Tarjei Vesaas, *La blanchisserie*
Tran Vu, *Sous une pluie d'épines*
Paolo Volponi, *La planète irritable*
Paolo Volponi, *Le lanceur de javelot*
Kate Walbert, *Les jardins de Kyoto*
Wang Shuo, *Je suis ton papa*
Alan Wall, *Loué soit le voleur*
Eudora Welty, *Le brigand bien-aimé*
Eudora Welty, *Les débuts d'un écrivain*
Eudora Welty, *La mariée de l'Innisfallen*
Eudora Welty, *Les pommes d'or*
Eudora Welty, *Oncle Daniel le Généreux*
Mary Wesley, *La pelouse de camomille*
Mary Wesley, *Rose, sainte nitouche*
Mary Wesley, *Les raisons du cœur*
Mary Wesley, *Sucré, salé, poivré*
Mary Wesley, *Souffler n'est pas jouer*
Mary Wesley, *Une expérience enrichissante*
Mary Wesley, *Un héritage encombrant*
Mary Wesley, *Une fille formidable*
Mary Wesley, *La mansarde de Mrs K.*
Edith Wharton, *Le fruit de l'arbre*
Edith Wharton, *Le temps de l'innocence*
Edith Wharton, *Les chemins parcourus*
Edith Wharton, *Sur les rives de l'Hudson*
Edith Wharton, *Les dieux arrivent*
Edith Wharton, *La splendeur des Lansing*
Edith Wharton, *Les New-Yorkaises*